COMBAT POUR LA VIE

DU MÊME AUTEUR
CHEZ LE MÊME ÉDITEUR

Hôpital de la montagne
L'Enfant qui voulait mourir
Le Choix du Dr Duncan
La Clinique de l'espoir
À cœur ouvert
Elvira
Le Procès du Dr Forrester
L'Infirmière
Hôpital de l'espoir
Le Patient du Dr Scott

Henry Denker

COMBAT POUR LA VIE

Roman

PRESSES DE LA CITÉ

Titre original : *To Marcy, with love*
Traduit par Martine Desoille

ISBN 2-258-04527-4

A Edith, ma femme

Mes sincères remerciements à tous ceux qui m'ont si généreusement fait don de leur temps, de leur savoir-faire et de leur expérience afin de donner à ce roman son authenticité et sa force dramatique :

Le docteur Jeffrey H. Wisoff, professeur assistant du service de neurochirurgie pédiatrique du Centre médical de l'université de New York.

Sharon Luckenbaugh, directrice du service d'orthophonie de l'hôpital de Glens Falls (État de New York).

Joyce Sadewicz, directrice du service de physiothérapie de l'hôpital de Glens Falls.

1

En ce premier jour de l'année, Willard Young ignorait encore que les événements les plus importants de la vie d'un homme surviennent bien souvent au moment où il s'y attend le moins.

Grand, la quarantaine athlétique en dépit d'un léger embonpoint, Willard Young attendait impatiemment son fils dans le vestibule de sa spacieuse villa.

— Allons, Bud... dépêche-toi ! Je te rappelle que nous avons une longue route à faire.

Le téléphone sonna. Avant même qu'il ait pu décrocher dans le séjour, quelqu'un avait pris la communication sur un autre poste. C'est probablement pour Gwen, songea-t-il. Comment une gamine de treize ans pouvait-elle passer autant de temps au téléphone ?

Mais, au même moment, Lily, sa femme, lui cria par la porte entrebâillée de la cuisine :

— Pepper... c'est pour toi.

« Pepper », c'est ainsi que l'avaient baptisé ses copains quand il était gosse, à l'instar du héros d'un vieux feuilleton radiophonique : *La Famille de Pepper Young.*

Et ce surnom lui était resté à cause de sa personnalité exubérante, cette personnalité qui lui avait permis de faire une brillante carrière dans les affaires. Aujourd'hui, seule sa mère continuait à l'appeler Willard, en appuyant sur la seconde syllabe, comme s'il était encore un enfant turbulent.

Pepper cria en direction de la cuisine :

— Je ne suis là pour personne. Je suis déjà parti. Je ne serai pas de retour avant seize ou dix-sept heures !

— Mais, Pep, c'est Lester Cory, insista Lily, sachant qu'il accepterait exceptionnellement de prendre cette communication.

— Ah, si c'est Les, c'est différent.

Pep alla décrocher dans le séjour.

— Bonne année, Les ! Comment va Ellen ? Parfait. Tu imagines s'il naissait le premier de l'an ! Comme ça, au moins, tu ne risquerais pas d'oublier la date de son anniversaire ! (Le rire de Pepper s'interrompit brusquement, et sa voix se fit plus sérieuse.) Inutile de me remercier, Les. Si je l'ai fait, c'est parce que j'avais de bonnes raisons. Après tout, j'ai une réputation à défendre. Je n'ai jamais perdu un seul de mes vendeurs. Et je n'ai nullement l'intention de te perdre. Allez, bonne année à toi et à Ellen. Si elle accouche aujourd'hui, on arrosera ça mardi prochain. Je t'en prie, Les, c'est inutile. Ce n'était qu'un petit coup de pouce. Embrasse la future maman pour moi.

Lorsqu'il eut raccroché, Lily lui lança depuis la porte du salon :

— Tu aurais dû lui laisser l'occasion de te remercier. Il te doit une fière chandelle. C'est grâce à toi qu'il a gardé son boulot. C'est un peu comme si tu lui avais sauvé la vie.

Pepper Young prit tendrement sa femme dans ses bras.

— Chérie, je n'oublierai jamais le premier jour de l'an que nous avons passé ensemble. Je me trouvais exactement dans la même situation que Lester. Mon premier travail à la sortie de l'école d'ingénieurs. Je n'étais qu'un gosse qui essayait de vendre des machines si compliquées qu'il fallait un diplôme d'ingénieur pour pouvoir expliquer comment ça marchait. Et je ne m'en sortais pas.

« Quel hiver nous avons passé cette année-là ! Le plus froid et le plus sinistre de notre vie commune. J'étais mort de trouille à l'idée que Beecham puisse me flanquer à la porte. Il l'aurait fait si ça n'avait pas été Noël. Mais lorsque je me suis présenté au bureau le lundi suivant, au lieu de me virer, Beecham m'a accompagné dans ma tournée pour voir comment je me débrouillais. Puis il m'a expliqué quels étaient mes points faibles, mais aussi mes points forts. Ce jour-là, j'ai réalisé une vente. Oh, rien de mirobolant. Mais pour moi c'était la plus grosse vente du siècle. De retour au bureau, Beecham m'a dit : « Mon garçon, ce que j'ai fait, je ne l'ai pas fait pour toi mais pour la compagnie. Un jour tu seras un représentant du tonnerre. » Il ne m'en a pas fallu plus. Je me suis dit : si un type comme Beecham pense que je peux y arriver, c'est que je peux y arriver !

« Et, à ce moment, j'ai pris une décision : si jamais il arrive à un collègue de se trouver dans la même situation, je ferai tout pour qu'il s'en sorte.

— Quoi qu'il en soit, tu as fait une bonne action, et je suis fière de toi, mon chéri.

— Allons, n'en parlons plus. Mais que fiche Bud, nom de nom ! Bud ! lança-t-il en direction de l'escalier. C'est pour aujourd'hui ou pour demain ?!

Au même instant, Bud arriva en dévalant les marches quatre à quatre. Agé de seize ans, il dépassait déjà son père d'une bonne demi-tête. En l'apercevant, Pep eut l'air déçu.

— Mais tu n'y songes pas, Bud ? On ne peut tout de même pas y aller les mains vides.

— Je ne savais pas qu'on apportait des cadeaux le jour de l'an, répondit Bud. Je croyais qu'on allait se souhaiter la bonne année et boire la coupe de l'amitié.

— Précisément, répondit Pep. La coupe de l'amitié, où est-elle ?

— Ce n'est pas la maîtresse de maison qui... allait protester Bud quand il comprit soudain à quoi son père faisait allusion. Ah, non, tu ne vas pas m'obliger à trimballer cette coupe partout avec moi !

— Bud, quand tu seras père de famille et que ton fils aura remporté la coupe du meilleur joueur de foot du comté, tu comprendras ce que je ressens.

— Mais, papa...

— Fiston, quand j'avais ton âge, je me défendais plutôt bien au foot, moi aussi. Malheureusement, je n'avais pas le temps de m'entraîner. Je travaillais au supermarché le samedi et le dimanche. Alors, pour une fois que je peux brandir un trophée, tu ne vas pas m'en empêcher. Remonte chercher cette coupe !

Tandis que Bud remontait à l'étage, la sonnette de la porte d'entrée retentit. Pep alla ouvrir. Un livreur se tenait sur le seuil, un gros panier dans les bras.

— M. Pepper Young ?

— Oui.

— Signez ici, je vous prie.

Pep signa, puis donna un pourboire au livreur en lui souhaitant la bonne année. Il emporta ensuite le panier à la cuisine.

Lily fit un pas de côté pour laisser passer son mari et demanda :

— Qu'est-ce que ça peut bien être... ? Sans doute un cadeau de Noël de dernière minute.

— J'espère que ça n'est pas un de mes représentants. Je suis contre ce genre de pratique, dit-il, en défaisant les attaches en osier et en soulevant le couvercle.

A l'intérieur, se trouvait une carte de vœux rouge et argent. Il l'ouvrit et se mit à lire à haute voix.

— « A Pep, le meilleur vendeur de toute l'Amérique. »

Le mot était signé Hugh Beecham, et le panier contenait quatre bouteilles de champagne soigneusement emballées.

— Mince alors ! Du Dom Pérignon ! Ce truc va chercher dans les quatre-vingt-dix dollars la bouteille ! On va en apporter deux chez maman, histoire d'arroser dignement le dîner du jour de l'an.

— N'oublie pas, chéri, ta mère nous attend à dix-huit heures précises, lui rappela Lily.

Il crut déceler dans sa voix un sous-entendu qui ne lui plaisait guère.

— Tu penses que je vais être complètement soûl en arrivant chez ma mère, c'est ça ? répliqua-t-il. Cela s'est-il jamais produit par le passé ?

— Je n'y songeais même pas, nia Lily.

Il la prit dans ses bras et lui murmura tendrement à l'oreille :

— Je suis désolé pour hier soir... sincèrement, chérie. Mais ce n'est tout de même pas un crime de vider quelques verres pour fêter la nouvelle année.

— Je n'avais nullement l'intention d'aborder le sujet, mais, puisque tu l'as fait, j'en profite pour te dire que tu n'étais pas en état de fêter quoi que ce soit.

— Je sais, je suis navré. Cela n'arrivera plus, je te le jure, dit-il en l'embrassant, avant de demander :

— Gwen... elle... ne sait pas que c'est toi qui m'as ramené à la maison, n'est-ce pas ?

— Non, elle dormait à poings fermés.

— Tant mieux.

Cependant, Lily ne put s'empêcher de lui rappeler :

— Pep, cet après-midi... en faisant la tournée des copains... pas trop de *eggnog*[1]...

Il rit.

— Rien qu'une petite coupe, chérie, c'est promis. Au fond, je sais ce qui t'inquiète, c'est mon cholestérol. Toute cette crème... (Voyant qu'elle n'entrait pas dans son jeu, il prit un ton plus sérieux.) Chérie, ton mari n'est pas un alcoolique. Même s'il m'arrive parfois d'emmener dîner un de mes vendeurs pour lui remonter le moral. Et

1. Boisson composée d'un œuf battu dans de l'alcool. *(N.d.T.)*

de prendre un verre... ou plusieurs, s'empressa-t-il d'ajouter avant qu'elle ne le lui fasse remarquer. Mais c'est le métier qui veut ça, tu sais. C'est le seul moyen de garder mon équipe au top niveau. D'ailleurs, reconnais que ça n'arrive pas si souvent. Je peux rester plusieurs jours sans toucher à une goutte d'alcool. Plusieurs jours, parfaitement !

« Comme aujourd'hui, par exemple », allait-elle dire quand Bud dégringola à nouveau l'escalier, tenant à la main la coupe en argent que lui avait réclamée son père.

— Parfait, en route, fiston !

Pep s'élança vers la porte d'entrée, en jetant un coup d'œil par-dessus son épaule comme un joueur de foot qui attend une passe.

— Vas-y, fiston !

Bud lui lança la coupe. Pep la rattrapa au vol en s'écriant :

— *Touchdown*[1] !

Ils sortirent, et Lily s'exclama depuis le pas de la porte :

— N'oublie pas, surtout... ta mère nous attend à dix-huit heures !

Tout en regardant s'éloigner son mari et son fils, Lily Young songea : *Il tenait absolument à emmener Bud avec lui afin de pouvoir clamer haut et fort que son fils avait réussi la balle de match et remporté la coupe de Thanksgiving. Pep est fou de joie. Mais c'est bien normal. Comment ne pas être fier quand on a un fils comme Bud ?*

Si Pep avait eu la chance de disputer un match comme celui-là quand il était gosse, il serait un autre homme à l'heure qu'il est... pas forcément meilleur... mais différent en tout cas.

Non, je suis injuste. Je ne connais pas beaucoup d'hommes qui soient allés aussi loin que Pep dans la vie. Une belle villa, une vie confortable, l'avenir des gosses assuré, bref, j'ai tout ce qu'une femme peut désirer.

1. Essai au football américain. *(N.d.T.)*

Et deux enfants merveilleux par-dessus le marché. Et qui ne nous en font pas voir de toutes les couleurs contrairement à certains.

Bud, en particulier, est un garçon exceptionnel. Plus encore que Pepper ne le croit. Son père ne voit en lui qu'une étoile du football, mais Bud a d'autres ambitions. Il a la tête bien faite. Et s'il devait un jour choisir entre le foot et la recherche scientifique, je sais, comme lui-même, d'ailleurs, ce qu'il choisirait...

La voiture venait juste de s'engager sur la chaussée enneigée quand Gwen Young dévala l'escalier à son tour, en criant :

— Papa, attends-moi !

Sa voix s'éteignit d'un seul coup, comme une bougie soufflée. Sa mère devina son amère déception.

— Gwen, chérie, un jour tu comprendras qu'il y a certaines choses pour lesquelles les hommes préfèrent rester entre eux. Autrefois, je croyais qu'il me suffisait de m'intéresser au football pour pouvoir en parler avec ton père et que cela nous rapprocherait. Mais ce n'est pas la même chose que quand deux hommes parlent de foot. Ils aiment regarder les matches ensemble à la télé en buvant de la bière ou se retrouver dans des endroits où ne vont pas les femmes. Mon père et mon grand-père étaient comme ça. Et maintenant ton père fait pareil, et ton mari le fera un jour.

— Oui, mais... voulut protester Gwen.

— Oui, mais, reprit sa mère, depuis ce match de Thanksgiving et la victoire de Bud, papa s'est rapproché de ton frère. Mais il ne t'en aime pas moins pour autant, tu peux en être sûre, ma chérie. Aucun père n'a jamais aimé sa fille plus que lui. Simplement...

Cette fois, Gwen lui coupa la parole.

— Simplement, Bud réalise tout ce que papa aurait voulu faire si on lui en avait donné la possibilité.

— Je vois qu'à treize ans mon bébé a déjà compris beaucoup de choses.

— Je ne suis plus un bébé, protesta la fillette au visage criblé de taches de rousseur.

— Papa se montre peut-être un peu plus réservé avec toi. Mais c'est parce qu'il est timide quand il s'agit d'exprimer ses sentiments. Ce qui ne l'empêche pas d'être charmant. En tout cas, tu n'as pas d'inquiétude à avoir. Tu es et seras toujours la fille que ton père a voulue et qu'il adore.

Sur ces mots, Lily se mit à tresser machinalement les cheveux roux et soyeux de Gwen.

— Bien, que dirais-tu d'aller décorer le gâteau que nous allons apporter chez grand-mère ?

2

En sortant de chez les Hanson, Bud fit remarquer à son père qu'il était presque quatre heures.

— Et alors? rétorqua Pep d'une voix rendue irritable par les nombreuses coupes de *eggnog* qu'il avait ingurgitées depuis le début de leur tournée.

— Nous sommes attendus chez grand-mère à six heures, rappela Bud.

— Ce qui nous laisse largement le temps de faire une dernière halte chez les Jerrold pour trinquer à la nouvelle année.

— Mais, papa... protesta Bud, qui trouvait que son père avait déjà bu plus que de raison. (Mais, voyant qu'il était inutile d'essayer de lui tenir tête, même avec diplomatie, il changea de tactique.) Papa, je t'en prie, ne m'oblige pas à raconter une fois de plus cette histoire de *touchdown*. Ça va faire la cinquième fois aujourd'hui.

— Et pourquoi pas? En marquant un *touchdown* tu as sauvé le match et remporté la coupe de Thanksgiving. Un jour, fiston, tu comprendras que la modestie n'est pas toujours une qualité. Il arrive même que ce soit un vilain défaut. Crois-tu que je serais au poste que j'occupe aujourd'hui et que le président de la compagnie m'offrirait du champagne si j'avais joué la carte de l'humilité?

Non, crois-en ton vieux père, ça n'est pas en étant modeste qu'on pulvérise les records de vente.

« J'ai hâte de voir la tête que va faire Herb Jerrold quand tu leur raconteras tes exploits. Ce n'est pas son fils qui serait capable de faire une passe de cinquante mètres. Je ne connais pas beaucoup de quart-arrière qui pourraient en faire autant.

— Tu te trompes, papa. Ça n'a rien d'exceptionnel, protesta Bud.

— A la fin de la dernière période? insista Pep, commençant à s'échauffer. Et pour marquer un but pardessus le marché? Si c'était aussi courant que tu le prétends, les universités les plus prestigieuses du Midwest ne m'auraient pas contacté pour connaître tes projets d'avenir. Moi, je dis que c'est tout à fait exceptionnel. Si tu arrives à te distinguer à l'université, ton avenir est tout tracé. Qui sait? Tu feras peut-être partie de la Ligue professionnelle de football. Tu sais ce que touche un professionnel de nos jours? Un million de dollars par match. Et parfois plus!

La véhémence de Pepper était en grande partie due au bourbon contenu dans le *eggnog*.

Ils continuèrent à rouler en silence. Pour rouvrir le dialogue, Bud dit doucement :

— Tu sais, papa, cette balle... c'était un coup de bol... je n'avais pas la moindre idée de ce qui allait se passer quand je l'ai lancée.

— Là n'est pas la question... ce qui importe c'est que tu l'aies lancée et que Jody Hines l'ait rattrapée juste avant la ligne de but. *Touchdown*! Il y avait neuf ans que notre équipe n'avait pas remporté une telle victoire.

Bud ne répondit pas. Il gardait les yeux fixés sur la route rendue noire et luisante par la neige fondue.

Encore heureux qu'il y ait du soleil, songea Bud, *sans quoi la route serait une vraie patinoire.*

La visite chez les Jerrold dura plus longtemps que prévu. Bud, qui en avait fini avec son histoire de balle d'essai, se croyait enfin libéré lorsque les Hinkle arrivèrent. Pepper, à présent passablement éméché, insista pour que Bud remplisse à nouveau la coupe et leur fasse revivre une fois de plus le moment historique.

Voyant que son père n'en démordrait pas, Bud raconta son exploit de la façon la plus expéditive possible, en dépit des interventions de Pepper qui insistait sur chaque détail.

Seul un coup de fil de Lily Young, qui commençait à s'impatienter, mit fin à son supplice, coupant court à une nouvelle tournée de *eggnog*.

Tandis qu'ils s'en retournaient à la voiture, Pepper tenant la coupe en argent serrée contre son cœur, Bud dit à son père :

— Que dirais-tu si je prenais le volant?

— Jamais de la vie!

— Pourquoi pas? J'ai mon brevet de conduite accompagnée, protesta Bud.

— Ça ne suffit pas pour conduire sur ces routes verglacées, rétorqua Pepper. Regarde plutôt faire ton vieux père, et prends-en de la graine.

— Mais, papa...

— Il n'y a pas de « mais, papa » qui tienne! Je te rappelle que tu n'as pas encore ton permis. Et tant que tu ne l'auras pas, tu ne prendras pas le volant. Est-ce clair? déclara Pepper, en pontifiant comme un ivrogne. Ce serait une infraction. Et chez les Young on n'enfreint pas la loi!

Lorsqu'ils furent montés en voiture, Pepper poursuivit sur un ton qui convainquit Bud que son père était vraiment ivre.

— Le problème, de nos jours, c'est que les gens ne respectent pas la loi, déclara-t-il en mettant le contact pour la deuxième fois. (Le moteur grinça.) C'est la faute des magistrats. Pas assez sévères.

Ils roulaient sur la route à présent.

— Attention! s'écria Bud.

— Quoi encore? grogna Pepper, excédé.

— Le type dans le coupé rouge, tu lui as fait une queue de poisson. Un peu plus et tu l'expédiais dans le fossé.

— Encore un chauffard qui ne sait pas garder ses distances! rugit Pepper.

Au même moment, la voiture dérapa sur une plaque de verglas et se déporta brusquement sur la gauche, évitant de justesse une voiture qui arrivait en sens inverse.

— Papa, je t'en prie, arrête-toi. Laisse-moi...

— Tu vas la fermer à la fin! Tu ne vois pas que tu m'empêches de me concentrer!

Ils approchaient de l'autoroute. A défaut d'être le plus court, c'était le chemin le plus rapide pour regagner la maison. Dans son état d'hébétude, Pepper hésita et rata la bretelle d'accès. Il écrasa brusquement la pédale du frein. La voiture se mit à tournoyer sur elle-même.

— Papa!!! hurla Bud.

Ce cri terrifié, suivi d'un choc brutal et d'un bruit de métal et de verre brisé, fut la dernière chose dont Pepper se souvint.

Au même moment, son airbag se gonfla brutalement, et il perdit connaissance.

Ce fut le hurlement strident des sirènes qui ramena Pepper Young à lui. Il se passa une main sur le visage; un filet de sang chaud s'échappait de son nez. Hormis cela, et quelques petites contusions dues au choc contre l'airbag, il ne sentait rien.

Il se tourna aussitôt vers son fils.

— Bud? Fiston? Ça va, Bud?

— Oui... je... ça va..., répondit Bud, haletant et visiblement mal en point.

Le bruit des sirènes se rapprocha : deux voitures de police. Quatre policiers en descendirent et encerclèrent aussitôt le véhicule accidenté.

— Tout va bien, dit Pepper, d'une voix qui se voulait

rassurante. Le nez qui saigne un peu. Mais mon fils n'a rien. Ça ira. Juste un peu secoués. Pas vrai, Bud?

Pepper tendit une main vers le garçon, mais l'un des policiers l'en empêcha.

— Ne le touchez pas! ordonna-t-il d'un ton sec.

— C'est mon fils, protesta Pepper. Pas vrai, Bud?

— Oui... c'est... c'est mon père, réussit péniblement à articuler Bud.

Mais l'agent, qui avait remarqué la bosse sur le pare-brise, réitéra sa consigne.

— Ne le touchez pas. N'essayez surtout pas de le déplacer! (Il se tourna vers son collègue.) Appelle vite les urgences!

— Tout va bien, protesta Pepper. Pas vrai, Bud? Dis-lui que tout va bien.

Bud ouvrit les paupières, cligna des yeux en s'efforçant de sourire, mais la douleur était trop vive.

— Oui... tout va bien, murmura-t-il.

— Vous voyez bien qu'il n'a rien.

3

La patrouille de police avait balisé la chaussée afin de canaliser le trafic sur la voie de gauche. Les automobilistes défilaient à présent au ralenti, scrutant au passage l'épave, dont le capot en accordéon laissait échapper un nuage de fumée. Une forte odeur d'essence flottait dans l'air froid et limpide.

Passant outre les injonctions des policiers, Pepper Young s'était glissé hors de son siège et avait contourné la voiture pour aller se poster près de Bud, retenu prisonnier par sa portière défoncée.

Pepper aurait voulu lui prendre la main pour le réconforter, mais les policiers le lui avaient formellement interdit. Il dut se contenter d'encourager verbalement son fils qui respirait à grand-peine par petites saccades.

— Tout va bien, fiston. Pas de panique. Respire à fond... Les secours vont arriver, dit Pepper tout en songeant : *Lily, Lily, qu'est-ce que je vais bien pouvoir dire à Lily ?*

En même temps, il scrutait l'obscurité à l'affût d'un hélicoptère sanitaire, mais le ciel restait obstinément vide.

N'y tenant plus, il s'approcha de deux hommes en uniforme qui discutaient à voix basse.

Il surprit la fin de leur conciliabule. L'un d'eux était en train de dire à l'autre :

— Ça ne fait pas l'ombre d'un doute. On va lui faire subir l'alcootest.

— Messieurs, intervint Pepper, il n'est pas dans mes habitudes de faire jouer mes relations, mais sachez que je compte quelques amis importants dans cette ville. Dont H.W. Beecham n'est pas le moindre. Aussi, je vous prierai instamment de bien vouloir rappeler les services d'urgence. Qu'ils envoient un hélicoptère sanitaire sur-le-champ ! Il y va de la vie de mon fils !

— Holà, du calme. L'hélico arrive, répliqua le plus gradé des deux policiers sur un ton que Pepper Young, dans son état d'ébriété, eut du mal à supporter.

Il retourna à la voiture, puis, passant la tête à travers la portière défoncée, il dit à Bud :

— Tiens bon, fiston. Ils seront là d'une minute à l'autre. Tu m'entends, Bud ? Tu m'entends ?

— Oui... papa... je t'entends... répondit Bud d'une voix à peine audible.

Voyant que l'état de son fils empirait, Pepper insista.

— Bud... Bud... respire, fiston... respire... Pour l'amour du ciel...

Les policiers, voyant qu'il était au bord de la crise de nerfs, s'apprêtaient à l'écarter du véhicule quand un bruit d'hélices se fit entendre.

— Tenez, vous voyez ? dit l'un des agents en pointant l'index en direction des phares rouge et blanc qui clignotaient au loin. Tout ira bien.

L'hélico fit des cercles au-dessus d'eux, cherchant un endroit sûr et suffisamment proche de la voiture pour atterrir. Puis il se posa. Sans attendre que les hélices se soient arrêtées de tourner, le docteur Janice Crowell sauta hors du cockpit, saisissant au vol la sacoche noire que lui lançait le copilote, puis fila comme une flèche en direction de la voiture.

Elle vit d'emblée que l'état de Pepper ne nécessitait pas de soins immédiats et fit signe aux policiers de l'éloigner, afin de pouvoir s'approcher de l'autre blessé.

— C'est mon fils ! s'écria Pepper tandis que les policiers l'entraînaient à l'écart. Prenez bien soin de lui. Vous m'entendez ? Je vous revaudrai ça !

Elle ne prit pas la peine de lui répondre qu'elle n'avait pas besoin de se faire graisser la patte pour soigner consciencieusement son fils. Il était clair que l'homme était en état de choc et que ses propos dépassaient sa pensée. De fait, elle ne tarda pas à constater qu'il y avait de quoi être affolé. Bien qu'âgée de vingt-sept ans, le docteur Janice Crowell avait une solide expérience en matière de traumatologie.

Un seul coup d'œil au pare-brise lui suffit pour déterminer la gravité de l'accident : bien que n'ayant pas volé en éclats, celui-ci portait l'empreinte d'un crâne.

Elle commença aussitôt à tester les fonctions vitales du blessé. Elle tâta la carotide. Le pouls battait à quarante et un. La respiration était lente et faible. Très lente et très faible. Elle prit sa température : 35°.

Bon, se consola-t-elle, *l'important, c'est qu'il n'ait pas perdu connaissance. Si nous arrivons à le transférer à l'hôpital dans cet état, il a encore une chance de s'en sortir.*

Puis elle procéda à l'examen clinique.

Avec mille précautions, elle releva la tête du garçon et lui ouvrit la bouche afin de s'assurer qu'aucun corps étranger, fragment de verre ou de métal, ne s'était logé à l'intérieur. La trachée était libre.

Elle s'assura ensuite rapidement qu'il ne souffrait d'aucune hémorragie externe.

Puis elle passa à la troisième étape. Plongeant la main dans sa sacoche, elle en sortit un cathéter et un flacon de sérum. Après lui avoir posé une perfusion, elle fixa une minerve autour du cou du blessé et appela du renfort.

— J'ai besoin d'un coup de main !

Le copilote accourut aussitôt. Ensemble, ils soulevèrent Bud et le hissèrent tout doucement hors de la voiture en lui maintenant fermement la tête. Lorsqu'ils l'eurent étendu à terre, le médecin procéda à un examen plus approfondi.

Pepper, qui regardait faire la jeune femme, commençait à douter de ses capacités. Tandis qu'elle palpait soigneusement les membres de Bud à la recherche d'éventuelles fractures, il s'écria :

— Il n'a rien de cassé, cela saute aux yeux ! Et il n'a rien à la tête non plus.

Afin de faciliter la tâche du médecin, les flics éloignèrent Pepper.

— Venez par ici, nous avons un petit test à vous faire passer.

— Un petit test ? De quoi voulez-vous parler ? demanda Pepper tout en se débattant pour essayer de retourner auprès de son fils.

— Ça ne sera pas long. Nous allons juste vous demander de souffler dans ce tube, expliqua l'un des policiers en lui présentant une petite boîte noire qui ressemblait à un magnétophone et d'où sortait un tube blanc.

— Vous voulez une déposition, c'est cela ? dit Pep.

— Non, nous voulons simplement que vous souffliez là-dedans.

— Mais pour quoi faire ?

— C'est un alcootest.

— Un alcootest... Parce que vous vous figurez que je suis soûl ? Non mais je rêve ? s'insurgea Pepper.

Mais les agents l'entraînèrent bon gré mal gré vers la voiture de police.

Entre-temps, le docteur Crowell avait pris la tension de Bud et écouté sa fréquence cardiaque. Elle n'était guère optimiste, car, s'il était exact que le jeune homme ne présentait aucune blessure visible au niveau du crâne, il n'en restait pas moins que sa tête avait percuté violemment le pare-brise. Elle avait le sinistre pressentiment qu'il souffrait d'un traumatisme crânien.

Par chance, il était conscient, de sorte qu'elle pouvait communiquer avec lui.

— Ouvre les yeux, petit.

Bud fit ce qu'on lui ordonnait, bien qu'il semblât avoir du mal à garder les yeux ouverts. Le docteur Crowell braqua un petit faisceau lumineux sur ses pupilles pour tester ses réflexes oculaires. Pas vraiment encourageant.

Ensuite, elle lui palpa doucement la nuque. Elle ne décela aucune fracture, ce qui était une bonne chose.

— Brancard ! ordonna-t-elle.

Aussitôt, le pilote et le copilote accoururent avec un long brancard rigide, sur lequel ils hissèrent délicatement Bud, en le plaçant sur le dos, conformément aux instructions de la jeune femme. Puis celle-ci lui immobilisa complètement la tête au moyen d'une sangle pour ne pas léser la moelle épinière pendant le transport à l'hôpital. Tout à coup, elle réalisa que Pepper était à nouveau penché au-dessus d'elle.

Elle lui décocha un regard furibond qui le fit instantanément monter sur ses ergots.

— C'est mon fils ! protesta-t-il.

— Vraiment ? Dans ce cas, comment se fait-il qu'il n'ait pas d'airbag ?

Elle avait vu trop d'accidents comme celui-là et perdu trop de patients pour laisser passer ce genre de négligence.

— Nous allons bientôt avoir une nouvelle voiture. Équipée d'un double airbag cette fois.

Mais la jeune femme ignora les explications de Pepper.

— Comment s'appelle-t-il ? le coupa-t-elle.

— Qu'est-ce que ça peut vous faire ? Je ne vois vraiment pas ce que ça change.

— Son nom ! insista le médecin.

— Willard Young, junior.

— Et vous l'appelez comment ? demanda-t-elle de plus en plus agacée.

— Bud. Tout le monde l'appelle Bud.

Le médecin s'approcha du garçon et lui dit à haute voix dans l'oreille :

— Bud ! Bud, tu m'entends ? Si tu ne peux pas parler, cligne des paupières. Compris ? Si tu m'entends, cligne des paupières. C'est bien. Parfait.

Elle lui prit à nouveau la tension et le pouls. Afin de s'assurer que la trachée était toujours libre, elle lui introduisit une canule dans la gorge en prenant soin de ne pas meurtrir le larynx, de façon qu'il puisse s'exprimer sans difficulté quand il voudrait parler.

— Bien, nous allons l'emmener tout de suite, décida-t-elle.

A peine les pilotes s'étaient-ils saisi du brancard que Pepper Young demanda :

— L'emmener ? Où ça ? J'exige d'être informé !

— A l'hôpital Mercy, dit le docteur Crowell. Je vous conseille de téléphoner à sa mère. Dites-lui de se rendre à l'hôpital le plus vite possible !

Pepper Young insista pour escorter la civière jusqu'à l'hélicoptère, mais l'un des officiers de police s'interposa. Pour finir, le policier dut le saisir à bras-le-corps en le serrant de toutes ses forces pour le retenir.

Pepper se débattait en criant.

— Bud... Bud !

— Du calme, tout ira bien. Ils vont le soigner comme il faut...

Mais Pepper continua à appeler son fils jusqu'à ce que les pales de l'hélicoptère se mettent à fouetter l'air glacé. Finalement, l'appareil s'éleva dans les airs, et Pepper cessa de se débattre.

Profondément ébranlé, il se mit à divaguer.

— Bud... c'est mon fils... Bud... il a fait un *touchdown*... cinquante mètres !... C'est un gosse comme ça !... Ils me l'ont pris... ils n'ont pas le droit ! Ils ne peuvent pas me prendre mon fils... il a besoin de moi... il a besoin de sa mère... il faut que je téléphone...

— Avant de téléphoner, monsieur Young, nous avons une petite affaire à régler, déclara le plus gradé des policiers.

— Mais c'est déjà fait, protesta Pepper. Il faut que j'avertisse Lily !

— Bien sûr. Mais d'abord...

— Puisque je vous dis que c'est déjà fait, insista Pepper.

— En effet. Et vous avez trois grammes d'alcool dans le sang. Une dose très supérieure à la limite autorisée. S'il n'y avait pas eu votre fils, je vous aurais coffré illico. Voici votre assignation. Présentez-vous au tribunal à la date indiquée. Et je vous conseille d'amener un bon avocat avec vous. Vous allez en avoir besoin !

Mais les menaces du policier n'eurent qu'un effet limité sur Pepper, qui avait d'autres soucis en tête. Il se mit à divaguer de plus belle.

— Bud, il a besoin de moi... il faut que j'y aille... il le faut.

Les flics échangèrent un regard interrogateur signifiant : « C'est toi qui te charges de l'emmener à l'hôpital ou c'est moi ? »

— Très bien, monsieur Young, allons-y !

Pepper allait se diriger vers la voiture de police quand, se ravisant brusquement, il prit la direction du véhicule accidenté.

— Monsieur Young ! appela le policier.

Mais Pepper lui adressa un vague signe de la main et se dirigea d'un pas chancelant vers ce qu'il restait de sa voiture. Il passa un bras à l'intérieur, fouilla un instant l'obscurité, trouva quelque chose, puis s'en revint vers la voiture de police, serrant la coupe en argent toute cabossée contre son cœur.

— Bon, allons-y, dit-il au policier stupéfait.

A bord de l'hélicoptère, le docteur Crowell appela le service de traumatologie de l'hôpital Mercy. Elle fit un rapport détaillé sur l'état du patient, afin que tout soit prêt pour l'accueillir à son arrivée.

Tout en examinant Bud, elle annonçait à haute voix :

— Pouls à trente-huit. Respiration lente et faible. Température 30°. Le patient n'a pas perdu connaissance pour l'instant. Je lui ai fait une injection de mannitol pour prévenir un œdème cérébral. Je vais poser une sonde urinaire.

— Respire, Bud... respire tranquillement...

Voyant que le blessé ne répondait pas, elle scruta son visage, ses yeux.

— Bud... Bud, si tu m'entends, ouvre les yeux. Ouvre les yeux, Bud !

Pas de réponse.

— Il a perdu connaissance, annonça-t-elle dans le micro. Je vous recontacterai plus tard.

Elle lui posa une deuxième perfusion afin de pouvoir intervenir rapidement en cas de choc. Puis, ayant branché le respirateur, elle procéda au test de Glasgow. Cependant, elle ne se faisait guère d'illusions.

— Bud, ouvre les yeux. Ouvre les yeux !

Toujours rien.

Elle lui saisit le bras et le pinça violemment. Aucune réaction. Autrement dit : 0 pour la réaction à la douleur, et 1 pour la réponse oculaire, le point le plus bas sur l'échelle de Glasgow.

Elle passa ensuite aux fonctions motrices.

— Bud, bouge le bras. Lève le bras. Lève le bras gauche, Bud. Lève... la main gauche, si tu m'entends.

Mais, comme elle s'y attendait, il ne réagit pas. Elle lui pinça violemment la joue, sans résultat. Il aurait pu esquisser une grimace ou réagir de quelque autre manière. Mais il demeurait totalement inerte.

Découragée, elle continua malgré tout à lui pincer les bras et les jambes. Puis elle se mit à lui piquer les membres avec une aiguille hypodermique.

Pour finir, elle obtint une vague réponse, un réflexe primitif, se traduisant par une extension brutale et inhabituelle de la jambe et du bras droits.

Un mouvement anormal équivalant à un score de 2 sur l'échelle de Glasgow.

Elle essaya en vain d'obtenir de Bud une réponse articulée et dut se contenter de quelques sons incompréhensibles. Elle nota un score de 2 pour la réponse verbale.

Le résultat n'était pas brillant : 1 pour la réponse oculaire, 2 pour la réponse motrice et 2 pour la réponse verbale, soit un total de 5. Le patient était à présent très en dessous du score minimum de 8 qui marquait la frontière entre le coma léger et le coma profond.

Elle transmit l'information au service de traumatologie.

Un patient à ce stade n'avait qu'une chance sur deux de s'en sortir. Il ne lui restait qu'une chose à faire désormais : essayer coûte que coûte de le maintenir en vie en attendant de pouvoir procéder à une exploration radiologique complète afin de déceler d'éventuelles fractures ou lésions internes.

La voiture de police s'arrêta dans l'allée circulaire de l'hôpital Mercy. Pepper Young tendit la main pour ouvrir la portière, mais celle-ci était verrouillée. Avant de le libérer, le policier lui rappela :

— Et surtout, n'oubliez pas votre convocation ! Et votre avocat !

Mais toutes ces histoires d'assignation et de tribunal étaient le cadet des soucis de Pepper, qui entra en titubant dans l'hôpital, tenant toujours la coupe serrée contre lui. Il se rendit au service de traumatologie et demanda à voir son fils.

Le docteur Crowell en profita pour l'examiner et s'assurer qu'il ne souffrait d'aucune lésion. Mis à part son nez, qui s'était arrêté de saigner depuis longtemps, et quelques bleus à la poitrine et au visage dus à l'impact contre l'airbag, il ne présentait aucune blessure.

Pendant qu'elle l'auscultait, il ne cessait de grommeler :

— Mon fils... Bud, où est-il ? Que lui est-il arrivé ? J'ai le droit de savoir.

— Il est en radiologie. Il va bientôt redescendre. En attendant, je vous conseille de prévenir sa mère. Dites-lui de venir sur-le-champ.

Elle n'en dit pas plus, mais sa voix et son regard étaient suffisamment explicites.

— Il... il n'est pas... bien du tout ? balbutia Pepper.

— Appelez sa mère et dites-lui de venir immédiatement ! réitéra le docteur Crowell en désignant un téléphone mural.

Lorsque Pepper Young voulut décrocher le combiné, celui-ci lui échappa des mains. La jeune femme le rattrapa de justesse.

— Le numéro ? demanda-t-elle.

Pepper lui donna le numéro, qu'elle composa avant de lui tendre l'appareil.

— Lil... oui, oui, je sais, nous sommes en retard... Nous... nous sommes à...

Voyant qu'il était incapable de continuer, le médecin lui reprit le combiné.

— Madame Young, docteur Crowell à l'appareil.

Mais Pepper lui arracha brusquement le téléphone des mains.

— Non, c'est à moi de le lui dire... Lily... Lily... nous sommes à l'hôpital Mercy. Nous avons eu un accident...

— Et Bud ? Il est blessé ? s'écria Lily, complètement affolée.

— Lil... il faut que tu viennes tout de suite.

4

Le docteur Janice Crowell disposa les radios sur le négatoscope. Une lecture rapide mais précise de chaque cliché lui indiqua qu'il n'y avait aucune fracture des jambes, des bras ou du bassin, et aucune lésion interne visible. Et, plus important encore, le patient ne présentait aucune fracture de la colonne vertébrale ou de la nuque. On allait pouvoir lui poser une sonde d'intubation trachéale pour l'aider à respirer.

Elle procéda à un nouvel examen des réflexes pupillaires afin de s'assurer que l'état du malade ne s'était pas aggravé au cours du transport. En effet, dans des cas comme celui-là, plus l'état du patient était sérieux et plus la détérioration était rapide.

L'examen des yeux lui révéla que la pupille gauche s'était considérablement dilatée, laissant craindre un traumatisme ou une lésion du lobe gauche du cerveau. Il n'y avait qu'une seule chose à faire pour s'en assurer : lui faire passer un examen au scanner.

Juste au moment où le chariot qui transportait Bud se dirigeait vers l'ascenseur, Lily Young fit son entrée dans le service de traumatologie. Son instinct maternel lui dit d'emblée qu'il s'agissait de son fils.

— Bud... ! s'écria-t-elle en s'élançant vers le chariot.

Mais le docteur Crowell l'intercepta.

— Madame Young?

Lily essaya de l'esquiver pour atteindre le chariot, mais le médecin tint bon.

— Le temps presse. Il faut absolument que nous le fassions passer au scanner, expliqua-t-elle en faisant signe à l'infirmier qui poussait le chariot de monter dans l'ascenseur.

Lily Young tenta un instant de forcer le barrage que lui opposait le docteur Crowell, mais la porte de l'ascenseur se referma et elle finit par renoncer. Résignée, elle demanda :

— Où est mon mari?

— Dans la salle d'attente, répondit Janice Crowell en désignant une porte au bout du couloir.

— Une radio du cerveau... c'est sérieux, n'est-ce pas? dit Lily d'une voix pleine d'appréhension.

— Oui, très sérieux, acquiesça le médecin afin de la préparer à un dénouement qui s'annonçait tragique.

— Que va-t-il... je veux dire... vous pensez pouvoir le sauver? bredouilla Lily, complètement bouleversée. Ce matin, en quittant la maison, il était... (Incapable d'aller au bout de sa pensée, elle demanda de but en blanc :) Et Pepper?

Janice Crowell leva un sourcil interrogateur.

— Pepper, mon mari... il va bien?

— Ah, oui, je l'ai examiné. Il a été un peu secoué, mais il va bien. Comme je vous l'ai dit, il est dans la salle d'attente.

Elle lui fit signe de la suivre, estimant que le moment était venu de préparer les deux parents à l'épreuve qui les attendait.

Elles trouvèrent Pepper assis dans un coin de la salle d'attente, penché en avant, la tête entre les mains. En l'apercevant, Lily Young se figea sur place comme si elle avait reçu un coup de poignard en plein cœur. En dix-huit ans de mariage, elle ne l'avait encore jamais vu pleurer. C'était un homme fort. Le pilier sur lequel elle pouvait s'appuyer. Brusquement, ce sentiment de sécurité vola en éclats. Et elle réalisa d'un seul coup à quel point elle dépendait de lui.

— Pep...

Il dressa la tête et la regarda à travers ses larmes. Puis il se leva de sa chaise, et ils tombèrent dans les bras l'un de l'autre.

Le docteur Crowell, qui les observait, se dit qu'il allait leur falloir une bonne dose de courage, vu l'état du jeune homme.

— Pep... que s'est-il passé? demanda Lily.

— C'est à cause de la route... il y avait du verglas... Juste au moment où j'allais m'engager sur la bretelle de l'autoroute... j'ai dû freiner... Et on... et j'ai... Lil, s'il arrivait quoi que ce soit à mon fils... à notre fils... je... je... je ne sais pas ce que je ferais.

A cet instant, un infirmier entra dans la salle d'attente, un formulaire à la main. Il murmura quelques mots à l'oreille du médecin. La jeune femme hocha la tête, prit le papier et se tourna vers Pepper.

— Monsieur Young, je vous demanderai de bien vouloir signer ceci.

— Signer? Pour quoi faire? Nous sommes parfaitement couverts. J'ai une excellente mutuelle...

— Monsieur Young! Il s'agit d'une décharge.

— Une décharge... répéta-t-il sans comprendre.

— Nous devons opérer votre fils. Nous avons besoin d'une décharge.

— Comment cela, vous devez opérer mon fils?

— Le scanner a révélé un hématome cérébral. Un gros caillot de sang du côté gauche du cerveau. Il faut opérer d'urgence. Voulez-vous bien signer ceci? (Voyant qu'il hésitait, elle ajouta :) Nous n'avons pas le choix si nous voulons lui sauver la vie.

Complètement abasourdi, Pepper Young saisit la feuille et le stylo que lui tendait le médecin.

Au même moment, Lily dit dans un murmure affolé :

— Une opération du cerveau? Oh, mon Dieu!

— Je vous ferai savoir immédiatement ce que nous avons trouvé, promit le docteur Crowell en repliant la feuille.

— Serait-il possible... est-ce que nous pourrions le voir avant l'opération? demanda Lily Young.

— Le temps presse. De toute façon, il ne vous reconnaîtrait pas. Il est dans le coma.

— Dans le coma, répéta la pauvre femme. Seigneur!

Une fois seuls, Pepper et Lily Young se dévisagèrent en silence, ne sachant que dire. Lui, parce qu'il se sentait coupable, elle, parce qu'elle était trop bouleversée.

Il lui prit la main. Elle le laissa faire sans réagir.

— Tu as raison de m'en vouloir, dit-il. Tout est ma faute.

— Tais-toi, Willard, je t'en prie. Les mots ne servent à rien. Si tu tiens absolument à dire quelque chose, fais une prière.

— Une prière? Mais je n'en connais pas, avoua-t-il. De toute façon, Dieu ne voudra jamais entendre ma prière après ce que j'ai fait.

— Fais-le au nom de Bud. Il est si... bon, si droit... Il mérite mieux que... que... (Incapable de prononcer le mot, elle ajouta :) Surtout à son âge, avec la vie devant lui.

Ils retombèrent dans le silence, la main dans la main. Des mains glacées et moites.

Lily et Pepper Young étaient assis depuis un petit moment dans la salle d'attente quand une voix tonitruante venue du hall d'accueil vint les tirer de leurs sombres pensées.

— Bud Young... On est venus voir Bud Young!

Pepper, à qui il avait semblé reconnaître la voix, sortit dans le couloir et appela :

— Jody? C'est Jody Hines?

— Oui, c'est moi, monsieur Young. On est tous là.

Alertée à son tour par le remue-ménage, Janice Crowell sortit de la salle des urgences pour se retrouver nez à nez avec une vingtaine d'adolescents bouillonnants.

— Jeunes gens, je ne sais pas ce que vous êtes venus faire ici, mais je vous rappelle que vous êtes dans un hôpital. Vous êtes priés de baisser le ton!

— C'est vous, le toubib de Bud Young? demanda Jody Hines, avant de se tourner vers Pepper, qui venait de s'approcher. Ah, monsieur Young. On a appris ce qui était arrivé à Bud par la télévision. Alors on est venus donner notre sang.

— Moins fort, jeune homme! ordonna le docteur Crowell.

— Mais on est venus pour donner notre sang...

— Votre ami n'a pas besoin de sang, rétorqua le médecin. Et je crains fort que vous ne puissiez lui donner ce dont il a besoin. Allons, sortez d'ici, messieurs, dépêchez-vous!

Pepper Young approuva le médecin d'un hochement de tête.

Jody Hines lui glissa tout bas :

— Vous nous tiendrez au courant, hein, monsieur Young? Ça nous a fichu un drôle de coup, vous savez. Ce genre de tuile, on ne pense jamais que ça pourrait arriver à quelqu'un de proche.

— Je comprends, Jody. Maintenant, allez-vous-en sans faire de bruit. Je vous donnerai des nouvelles.

— Merci, monsieur Young. Et quand vous verrez Bud, dites-lui qu'on est tous venus. L'équipe au grand complet. Je suis sûr que ça va lui remonter le moral.

— Oui, bien sûr.

— Dites-lui qu'il sera toujours notre quart-arrière.

— Oui, oui. Et maintenant allez-vous-en... s'il vous plaît.

Tout en se brossant soigneusement les mains, le docteur Albert Newman jeta un coup d'œil aux résultats du scanner accrochés au-dessus de l'évier en inox. Les images révélaient des ventricules dilatés, des citernes subarachnoïdes presque invisibles, un œdème dans la masse cérébrale, et un hématome subdural très important situé à gauche du lobe occipital.

Pendant ce temps, une infirmière faisait une prise de sang à Bud, une autre lui rasait la tête, tandis qu'une troisième se tenait prête à lui appliquer une solution antiseptique de Bétadine. Le patient du docteur Newman était prêt.

Avec un geste d'une extrême précision, le chirurgien traça une ligne violette au milieu du crâne rasé. Puis l'infirmière lui tendit un scalpel stérilisé et il incisa le cuir chevelu sur toute sa longueur en suivant la ligne violette.

Il replia ensuite soigneusement la moitié gauche du cuir chevelu, de façon à pouvoir accéder au dangereux hématome situé au niveau du lobe occipital.

A l'aide d'une scie électrique, le docteur Newman découpa ensuite un segment de la boîte crânienne. Il découvrit qu'une branche de l'artère cérébrale avait été sectionnée et qu'un énorme caillot de sang s'était formé. Il trouva également des contusions dans la sphère de Broca.

Sans doute la compression du lobe gauche du cerveau expliquait-elle les défaillances neurologiques signalées par le docteur Crowell. Ces lésions allaient-elles persister, étaient-elles irréversibles ? Il était encore trop tôt pour le dire.

Dans ce genre d'accident, il était impossible de prédire a priori s'il y aurait ou non des séquelles.

Conscient de ses responsabilités, mais également de ses limites, le médecin savait que le premier devoir de l'équipe médicale était de garder le patient en vie, en limitant les risques d'infection et autres effets secondaires. Le reste était une question de chance. La guérison dépendait de la résistance du patient et de sa volonté de survivre.

Après avoir nettoyé l'hématome et remis en place la portion de crâne découpée, le docteur Newman recousit le cuir chevelu.

Puis, au moyen d'une fraise électrique de haute précision, il perça un petit trou dans le côté droit du crâne. Tout doucement, il introduisit une petite sonde en plastique munie à son extrémité d'un minuscule instrument destiné à mesurer la pression artérielle du cerveau.

Au cas où celle-ci deviendrait trop importante, il serait possible d'ouvrir la valve de sécurité pour purger l'excédent de liquide organique.

En cas de traumatisme crânien, un patient qui sombrait dans le coma n'avait qu'une chance sur deux de s'en sortir, et le docteur Newman ne se serait pas risqué à faire un pronostic.

Une fois l'opération terminée, le chirurgien fit transférer le patient en service de soins intensifs avec ordre de lui administrer un décontractant musculaire, de le placer sous respirateur artificiel et de le faire repasser au scanner quinze heures plus tard.

Pour ce patient, il n'y avait désormais plus que deux issues possibles : ou bien il survivait et était transféré en service de rééducation, ou bien il mourait.

C'est précisément ce que le docteur Newman allait devoir expliquer à ses parents.

Mais avant d'aller trouver M. et Mme Young, il avait encore une urgence à traiter. Entre-temps, il avait donné des consignes pour que les Young soient autorisés à voir leur fils à travers les vitres de la salle de réanimation.

5

— Il est sorti de la salle d'opération? demanda Lily Young à l'infirmière qui se trouvait à l'accueil.

— Ils sont en train de le redescendre, l'informa celle-ci.

— Est-ce qu'il serait possible de le voir? Je ne l'ai pas vu depuis...

Elle s'arrêta, pour ne pas fondre en larmes.

— Le docteur Newman a laissé des instructions. Dès que votre fils sera installé en réanimation, vous pourrez aller le voir.

— Est-ce qu'il va bien? Je veux dire... Est-ce que l'opération s'est bien passée? demanda Lily qui voulait à tout prix être rassurée.

— Le docteur Newman est encore en salle d'op, mais il vous recevra dès qu'il aura fini.

L'infirmière s'efforçait de répondre au mieux à leurs questions, mais Lily et son mari comprirent qu'il leur faudrait attendre de voir le chirurgien pour en savoir plus.

Le téléphone sonna. L'infirmière décrocha, puis leur dit en pointant du doigt :

— C'est au bout du couloir, puis à droite. Vous n'avez qu'à suivre les flèches.

Pepper et Lily aperçurent leur fils à travers la baie vitrée du box. Il gisait, les yeux fermés, la tête enveloppée de bandages, un masque sur le nez et une perfusion dans chaque bras. A côté de lui, un dispositif mécanique montait et descendait en cadence à chacune de ses inspirations.

A part cela, il ne donnait aucun signe de vie, aucun signe de conscience. Aussitôt, des visions de cauchemar assaillirent Lily et son époux avec cette question obsédante : faudrait-il à un moment prendre la décision de débrancher Bud, s'il n'y avait plus d'espoir? Non, décida Lily. Jamais.

Elle tourna un regard suppliant vers son mari qui la prit dans ses bras. Mais lorsqu'il voulut l'attirer à lui et l'embrasser elle le repoussa. Il savait pourquoi : il empestait le whisky. Il en éprouva une vive culpabilité. Ne sachant que dire pour la réconforter, il la serra contre lui et lui tapota l'épaule. De l'autre côté de la vitre, son fils, ce fils qu'il aimait tant, ce jeune athlète dont il était si fier, gisait, inconscient. Par sa faute.

Au bout d'un moment, l'infirmière de garde leur suggéra gentiment de se retirer.

— Il n'y a pas grand-chose à voir. Il va aussi bien que possible compte tenu des circonstances. Pourquoi n'allez-vous pas plutôt attendre le docteur Newman?

Ils allèrent s'asseoir dans la salle d'attente, à l'écart des quelques visiteurs qui s'y trouvaient encore à cette heure avancée de la nuit. Ils avaient besoin de se confier l'un à l'autre, de s'avouer leurs angoisses réciproques.

— L'infirmière a bien dit qu'il allait « aussi bien que possible », n'est-ce pas? dit Lily.

— Oui, chérie. C'est plutôt encourageant.

Lily hocha la tête. Une seule chose importait : leur fils était vivant. Toutefois, à moins de savoir ce que voulait dire « aussi bien que possible », la phrase n'avait pas de sens, mais ni l'un ni l'autre n'était prêt à le reconnaître.

Ils demeurèrent un long moment silencieux. Lily remarqua que les autres visiteurs la dévisageaient.

Incapable de retenir plus longtemps ses larmes, elle éclata en sanglots.

Pepper changea de place pour l'abriter des regards indiscrets.

C'était Pepper tout craché. Toujours prêt à la protéger, à lui éviter les situations douloureuses ou embarrassantes. Il s'était toujours montré plein d'attention et de sollicitude envers elle. Et plus encore envers Bud et Gwen.

Elle essaya de le réconforter, et de se rassurer elle-même.

— Ça ne peut pas être si grave, il n'a aucun bandage à part celui de l'opération. Et sans tout cet appareillage, il aurait l'air de quelqu'un qui dort.

— Oui, approuva Pepper, bien qu'il ne fût guère convaincu. (Ayant assisté depuis le début aux soins prodigués à son fils, il avait un terrible pressentiment, qu'il s'efforçait de dissimuler à sa femme.) Tu te souviens de la fois où il avait reçu un coup pendant un match? On l'avait emmené à l'hôpital pour s'assurer que tout allait bien. Il n'avait pas l'air franchement différent.

— Non, c'est vrai, s'empressa-t-elle d'acquiescer.

Mais leur conversation s'arrêta là, car Lily se remit à pleurer.

— Lil... chérie... les gens nous regardent...

— Je m'en fiche. Qu'ils me regardent! s'écria-t-elle.

Au même moment, une infirmière apparut sur le seuil.

— Monsieur Young... Madame Young... le docteur Newman va vous recevoir.

Sa maigreur extrême et son regard noir et perçant conféraient au docteur Newman une allure d'ascète. Mais, sous ses dehors austères et taciturnes, le docteur Newman était quelqu'un de profondément humain. Un peu trop peut-être. Il maintenait parfois en vie des patients que certains de ses confrères auraient laissés mourir. Il lui arrivait de le regretter après coup, considérant qu'il s'agissait d'une faute professionnelle.

Il s'efforçait toujours de jouer franc-jeu avec les familles de ses patients, sans pour autant se montrer trop alarmiste.

Certaines nuits, il ne fermait pas l'œil, s'interrogeant sur le bien-fondé de ses décisions. Des familles qui, au départ, avaient accueilli son diagnostic avec des larmes de reconnaissance sombraient un beau jour dans la dépression en voyant que le malade qu'il avait maintenu en vie pendant des mois ou même parfois des années n'avait jamais repris connaissance.

Les gens ne savaient pas. Ils n'avaient aucun moyen de savoir. Ils apprenaient par la télévision qu'un énième accident de la route s'était produit près de chez eux. On leur montrait une scène devenue tristement familière : la carcasse en accordéon d'une voiture; les feux clignotants d'une ambulance ou d'un hélicoptère; l'expression ahurie d'un conducteur; un ou deux passagers évacués, inconscients, sur des civières.

Mais on ne leur montrait jamais les séquelles liées à ce genre d'accidents. Des mois, des années, et parfois même toute une vie de souffrance — comme c'était presque toujours le cas des patients du docteur Newman. « Si seulement les gens savaient... », avait-il coutume de dire.

Pourtant, l'expérience montrait que les gens, informés ou non, continuaient à provoquer des accidents. De quoi décourager un saint.

Et il aurait renoncé depuis longtemps s'il ne s'était trouvé chaque jour de nouveaux blessés requérant ses connaissances et sa dextérité.

Combien de fois n'avait-il pas été tenté d'abandonner la neurochirurgie pour se consacrer aux enfants atteints de malformations congénitales? Donner à un enfant un bon départ dans la vie, ou tout au moins de meilleures chances, était une chose constructive, dont un homme pouvait tirer quelque satisfaction. Mais recoller les morceaux à la suite d'un accident dû à la négligence ou à l'ivrognerie était loin d'être aussi gratifiant.

Et pourtant il continuait à sauver des vies humaines, des vies parfois réduites en miettes. Et à dire les choses aussi honnêtement et charitablement que possible aux familles de ses patients.

Pour l'heure, l'idée de devoir s'entretenir avec les parents du jeune Willard Young lui était particulièrement pénible, car, ayant un fils du même âge, il ne savait que trop bien ce qu'il éprouverait si un chirurgien lui assenait ce qu'il s'apprêtait à annoncer aux Young.

Ayant laissé sa femme dans la salle d'attente, Pepper Young intercepta le docteur Newman juste au moment où celui-ci regagnait son bureau.

— Docteur... Je sais que mon fils est dans un état critique. Très critique. Mais je veux savoir la vérité. Aussi pénible soit-elle. Ensuite, je me chargerai d'expliquer les choses à ma femme... avec le plus de ménagement possible. Docteur?

— Monsieur Young, je sais ce que vous ressentez. Mais je sais aussi par expérience qu'il est préférable de dire la vérité. Vous pouvez me faire confiance. Je vais vous recevoir vous et votre femme dans une dizaine de minutes.

Lorsque, le visage ravagé par le chagrin, Willard et Lily Young prirent place dans son bureau, le Dr Newman ne put s'empêcher de penser : *M. Young a beau dire, je ne suis pas sûr que ces gens soient prêts à affronter les épreuves qui les attendent. S'ils savaient, continueraient-ils à prier pour que leur fils reste en vie?*

— Madame Young... Monsieur... j'ignore dans quelles circonstances votre fils a eu cet accident...

Avec un coup d'œil coupable à sa femme, Pepper bredouilla :

— Le break a dérapé sur une plaque de verglas...

— Vous n'auriez jamais dû lui laisser prendre le volant par ce temps, fit remarquer Newman.

— Je... c'est moi qui conduisais, avoua Pepper.

— Oh, dit Newman, limitant son jugement à une seule syllabe. Mais, naturellement, d'un point de vue médical, les circonstances de l'accident n'ont aucune espèce d'importance. La seule chose qui compte est que nous soyons en présence d'un traumatisme crânien.

— Un traumatisme crânien ? répéta Lily. Vous voulez dire que vous avez trouvé quelque chose pendant l'opération ? Une tumeur ? Une tumeur au cerveau ?

— Non, madame Young. Il s'agit d'un traumatisme lié à l'accident.

— Vous voulez dire que même en l'absence de blessures apparentes il peut y avoir un traumatisme ? demanda Pepper, en jetant un nouveau regard contrit à sa femme.

— Pour comprendre ce qu'est un traumatisme crânien vous devez vous représenter le cerveau comme un organe mou, flottant dans du liquide, le liquide cérébro-spinal. Le crâne est une structure osseuse très dure qui enveloppe et protège le cerveau et le tronc cérébral sans lesquels nous ne pourrions respirer et rester en vie.

Lorsque le docteur Newman prononça le mot « vie », une larme se mit à rouler sur la joue de Lily.

Newman poursuivit :

— Quand survient un accident, si le crâne entre en collision avec un objet rigide, comme un pare-brise par exemple, la masse molle et flottante du cerveau est projetée en avant et heurte la paroi du crâne avec une force prodigieuse.

« C'est ce que l'on appelle l'accélération. On vous a sans doute appris, en physique, que tout mouvement entraîne un mouvement contraire. Il en va de même pour le cerveau. Cette accélération est immédiatement suivie d'une décélération. Un autre impact, sur la partie postérieure du cerveau, se produit aussitôt après.

« De telle sorte qu'en l'espace d'une fraction de seconde le cerveau subit coup sur coup deux impacts.

Les lésions engendrées par ce double traumatisme sont irréversibles. Nous ne pouvons rien faire, hormis maintenir le patient en vie et attendre de voir comment les choses évoluent.

— Et c'est ce que vous faites, dit Pepper, cherchant à être rassuré.

— C'est ce que nous essayons de faire, rectifia Newman. Il est encore trop tôt pour dire si nous avons réussi ou non. Et même si c'était le cas, je ne peux pas vous promettre que votre fils s'en sortira.

Le chirurgien hésita un instant. Lily remarqua que les muscles de sa joue émaciée s'étaient tendus puis relâchés, comme si, ayant réfléchi, il était arrivé à une conclusion.

— Je vais être franc avec vous. Quand un patient arrive chez nous dans le coma, il a une chance sur deux de mourir.

Pepper saisit la main de sa femme pour l'empêcher d'éclater en sanglots, mais Lily ne put retenir ses larmes.

— Naturellement, s'empressa d'ajouter Newman, cela veut dire qu'il a une chance sur deux de survivre. Espérons que ce sera le cas de votre fils.

— Docteur... commença Pepper d'une voix hésitante, quels sont les... je veux dire, quand le cerveau a subi un traumatisme comme celui-là, quels sont les risques de complications ?

— De façon générale on peut craindre une rupture d'anévrisme, une hémorragie, un hématome, commença à énumérer Newman.

Mais Lily l'interrompit.

— Vous parlez en général. Mais c'est le cas de Bud qui nous intéresse... Quels sont les risques ?

— Lil, je t'en prie, intervint Pepper. Laisse parler le docteur.

— La vie de ton fils ne t'intéresse peut-être pas, mais moi, si ! s'écria-t-elle soudain avec une telle véhémence que le docteur Newman en fut troublé.

Sur son mari, le ton acerbe de Lily eut un autre effet.

C'était la première fois qu'elle l'accusait ouvertement. Ce qui ne fit qu'accroître son sentiment de culpabilité, car il n'avait rien à dire pour sa défense.

Lily elle-même s'étonna de sa propre réaction. En effet, si Bud survivait, elle avait secrètement fait le serment de ne jamais proférer la moindre critique ni la moindre accusation à l'encontre de son mari.

D'une voix plus modérée, et en s'efforçant de contrôler ses émotions, elle demanda :

— Docteur, qu'en est-il de Bud ?... c'est la seule chose qui importe pour nous. Bud.

— Tout ce que je peux vous dire dans l'immédiat, c'est qu'il semble réagir de façon satisfaisante compte tenu de son état. Ses fonctions vitales sont... disons normales. Il semble avoir une grande résistance physique, ce qui est une bonne chose.

Pepper ne put s'empêcher d'expliquer :

— C'est un grand sportif. Il passe son temps à s'entraîner. Il joue au football. Vous avez peut-être déjà vu son nom dans le journal local. Le jour de Thanksgiving, il a fait un *touchdown* et remporté le match.

— Ah, oui, je me souviens, dit Newman, tout en songeant : *Je ferais peut-être mieux de leur dire la vérité tout de suite. Ce gosse n'a pratiquement aucune chance de pouvoir rejouer au football un jour.*

— Lorsqu'il sera guéri, poursuivit Pepper Young, il y a quatre grandes universités du Midwest qui n'attendent que lui.

Newman décida que le moment était venu de tempérer quelque peu ces ambitions pour le moins irréalistes.

Il commença sur un ton qui se voulait optimiste.

— Monsieur Young, il se pourrait que votre fils guérisse complètement. (Puis, sans changer de ton ou d'attitude, il ajouta :) Mais le fait est que trente pour cent des patients qui survivent à ce genre d'accidents en gardent des séquelles.

— Des séquelles? répéta Pepper, à la fois surpris et contrarié.

— Des handicaps physiques. Et mentaux, expliqua Newman. Heureusement, vingt pour cent d'entre eux s'en tirent pratiquement indemnes.

— Bud en sera! déclara Pepper. Il est costaud. C'est un battant. Il ne renonce pas facilement. Il se battra jusqu'au bout. S'il a une chance de s'en sortir, docteur, je peux vous assurer qu'il ne la laissera pas passer!

— Espérons-le, dit Newman, en gardant pour lui une opinion beaucoup plus réservée. Dans l'immédiat, notre objectif est de lui faire passer le cap des soixante-douze heures.

Ce qui était pour le docteur Newman une façon habile d'éviter de dire que plus son coma se prolongerait et moins Bud aurait de chances de s'en sortir. Albert Newman avait vu trop de jeunes patients finir dans des fauteuils roulants. Ou pire encore.

Mais il était inutile d'expliquer tout cela aux Young pour l'instant.

Si leur fils ne survivait pas, ce ne serait pas nécessaire.

S'il survivait, ils auraient tout le temps d'en prendre conscience.

6

Il était un peu plus de vingt-trois heures, et un calme inhabituel régnait dans le service de soins intensifs. Quelques heures auparavant, une jeune patiente qui se trouvait dans le même service que Bud Young était passée silencieusement de vie à trépas. Un changement de tracé sur son moniteur cardiaque avait alerté le personnel soignant. Malgré toute l'attention et tous les soins que la science médicale la plus avancée avait pu lui prodiguer, la jeune femme était décédée.

L'équipe soignante était aussitôt intervenue sans bruit et avec diligence, de façon à ne pas susciter d'affolement chez les autres malades ou les parents de la jeune fille qui, vu la gravité de son état, avaient été autorisés à rester au-delà des heures normales de visite.

Lily et Willard Young virent passer le corps recouvert d'un drap, en route pour la morgue.

Cherchant quelque réconfort, ils retournèrent auprès de Bud. A travers la vitre, ils suivirent des yeux le tracé lumineux de son moniteur cardiaque. Il était lent mais régulier. Cela les rassura, car pour eux c'était le tracé lumineux qui gardait Bud en vie, et non le mouvement cardiaque de Bud qui engendrait le tracé lumineux.

Pep chuchota :

— Nous ne lui sommes d'aucune utilité, Lily. Et puis, il y a Gwen.

— Je l'ai confiée aux Dolinger. Elle va dormir chez eux. Tu n'as pas à t'inquiéter.

Deux infirmiers, un homme et une femme, entrèrent dans le box de Bud.

— Qu'est-ce qu'ils... demanda Lily d'une voix trop forte.

— Chut, Lil... pas d'affolement. Je vais leur demander.

Il se faufila à l'intérieur du box juste au moment où l'infirmier ôtait les cales du lit de Bud.

— Excusez-moi... je suis son père. Où l'emmenez-vous ?

Ce fut la femme qui répondit.

— Au service de radiologie. On va lui faire passer un examen au scanner.

— Mais pourquoi ? Il a l'air bien. Je veux dire qu'il n'a pas l'air d'aller trop mal.

L'infirmière ne lui répondit pas d'emblée ; elle consulta le moniteur indiquant la pression intracrânienne.

— Il est à combien ? demanda Pep.

— Douze cinq.

— C'est bon signe ?

— Si nous arrivons à le maintenir en dessous de quinze, il a de bonnes chances.

— De bonnes chances de quoi ? demanda Lily qui s'était approchée.

Bien qu'elle eût préféré ne pas répondre à sa question, l'infirmière précisa :

— Si nous arrivons à maintenir la pression intracrânienne en dessous de quinze au cours des prochaines soixante-douze heures, il a de bonnes chances de survivre.

A cette réponse simple et directe, Lily sentit les larmes lui monter aux yeux, mais elle réussit à les contenir.

Les deux infirmiers emmenèrent Bud, l'un poussant le

lit tandis que l'autre s'assurait que les perfusions restaient bien en place.

Les minutes s'écoulaient lentement. Pour Lily et Pep Young, la lenteur du temps était à la mesure de la gravité de l'état de leur fils.

— Ils ont certainement trouvé quelque chose qui n'allait pas, dit Lily.

Bien qu'étant du même avis, Pep s'efforça de la rassurer.

— Ces choses-là prennent du temps, chérie. Qui sait? Il y a peut-être d'autres patients qui doivent passer avant lui. C'est un grand hôpital.

— D'après toi, combien y a-t-il de patients qui se font faire un scanner à minuit et demi? argua-t-elle.

— Je n'en sais rien. Il s'agit peut-être de blessés qui viennent d'être admis en urgence. C'est la première chose qu'ils font en arrivant; un scanner du cerveau. En période de vacances, avec les routes verglacées...

Sa voix s'éteignit. La moindre allusion aux accidents de la route ne pouvait que rappeler les circonstances tragiques qui avaient plongé Bud dans le coma.

L'ayant compris, Lily ne dit rien. L'heure n'était pas aux règlements de compte ni aux récriminations. Il fallait se serrer les coudes, au contraire, se soutenir et s'encourager mutuellement.

Assis sur la banquette à l'extérieur du service de réanimation, ils attendirent le retour de leur fils. Par deux fois, Lily commença une phrase sans la finir.

— Qu'y a-t-il? demanda Pepper.

— Non, rien, dit-elle.

— Comment cela, rien? Tu allais dire quelque chose et puis tu as brusquement changé d'avis. Qu'est-ce que c'était?

Voyant qu'elle refusait de répondre, il insista.

— Bon sang, Lil, si nous ne pouvons pas parler dans un moment comme celui-là...

— Bon, puisque tu y tiens absolument, je pensais que... que quelque chose était peut-être arrivé au service de radiologie. Peut-être qu'ils... qu'ils l'ont recouvert d'un drap et qu'ils l'ont emmené Dieu sait où, là où ils emmènent les gens qui... comme cette jeune femme. Voilà. C'est à cela que je pensais, avoua-t-elle, en réprimant ses larmes.

— Et si c'est le cas... c'est entièrement ma faute... ajouta Pepper.

— Je n'ai pas dit... allait-elle protester quand les portes de l'ascenseur s'ouvrirent et que l'infirmière en sortit en poussant le chariot sur lequel se trouvait Bud.

Lily et Pep se précipitèrent aussitôt vers leur fils.

— Qu'ont-ils dit? Qu'ont-ils trouvé? demanda Pepper.

— Le docteur Newman sera là dans quelques instants. Il va vous expliquer.

L'infirmière ramena Bud dans son box. Elle brancha à nouveau le moniteur. Le tracé vert reprit lentement sa course sur l'écran.

De l'autre côté de la vitre, les Young observaient tantôt l'écran, tantôt leur fils, à l'affût du moindre signe, du moindre mouvement. Ils entendirent un bruit de pas. Ils se retournèrent et virent le docteur Newman.

— Docteur... commença Lily sur un ton suppliant.

— Vous pouvez entrer, lui dit-il.

Elle suivit le médecin à l'intérieur du box vitré. Tout en procédant aux examens de routine, il commença à expliquer :

— Le deuxième examen a révélé plusieurs hémorragies pétéchiales au niveau de la masse cérébrale.

— Oh, mon Dieu!

— Néanmoins, il semblerait que les axones et les capillaires n'aient pas été endommagés par le choc, et que la tension crânienne se soit stabilisée. C'est le plus important.

Newman se mit à pincer l'extrémité des doigts de Bud

pour voir s'il réagissait. Il prit ensuite une aiguille stérile dans un flacon et se mit à lui piquer énergiquement les bras et les jambes. Sans résultat. Afin de ne pas les affoler, il expliqua :

— Il est encore un peu tôt pour obtenir une réaction.

En réalité, Newman pensait : *Il est en train de nous filer entre les doigts. Bah ! Attendons encore un peu, et nous verrons bien. D'ici vingt-quatre ou quarante-huit heures nous devrions être fixés... Et dire que cette pauvre femme a placé tous ses espoirs en moi. Elle est persuadée que je peux tout faire, que je détiens une formule magique. Nous avons fait tout ce que nous avons pu. A présent, tout dépend de la résistance physique et mentale du patient.*

— Vous savez, reprit Newman, compte tenu des circonstances, on peut considérer qu'il ne se porte pas trop mal. Vous devriez rentrer chez vous et dormir un peu. Vous en avez besoin. Nous allons veiller sur lui et faire en sorte qu'il passe une bonne nuit. Nous avons une excellente équipe de réanimation. Vous pouvez nous faire confiance.

Il fallut un certain temps à Lily Young avant de pouvoir répondre :

— D'accord, docteur. Nous vous faisons confiance.

Je ne peux malheureusement pas faire de miracles, se dit Newman. *Mais ils sont persuadés du contraire, et cela les aide à tenir le coup.*

De retour à la maison, voyant qu'il y avait de la lumière au rez-de-chaussée, Pep s'étonna.

— Je croyais que tu avais laissé Gwen chez les Dolinger ?

— C'est exact.

Ils garèrent la voiture de Lily puis entrèrent directement à la cuisine par le garage.

— Il y a quelqu'un ? appela Lily.

— Maman ! s'écria Gwen en entrant comme un bolide

dans la cuisine et en se jetant, en pleurs, dans les bras de sa mère.

— Gwen... ma chérie... je t'en prie, la consola sa mère.

— Bud? Comment va-t-il?

— Il va bien... il va... (Ne trouvant pas de paroles rassurantes, Lily se rabattit sur les propos de Newman.) Il ne se porte pas trop mal compte tenu des circonstances. Maintenant, je voudrais que tu m'expliques pourquoi tu n'es pas chez les Dolinger.

— Je ne pouvais pas rester là-bas... j'étais trop inquiète. Je voulais savoir... Est-ce que Bud va mourir?

Pep, à présent dégrisé, prit la relève. Arrachant Gwen aux bras de sa mère, il l'attira contre lui et lui dit tout doucement :

— Ma chérie, personne n'a dit que Bud allait mourir. Il a eu un accident. Mais il est sous monitoring. Maintenant il faut être patient. Encore quelques jours et ensuite... tout devrait rentrer dans l'ordre.

— Est-ce qu'il souffre?

— Il n'a pas l'air de souffrir, improvisa Pep, en jetant un coup d'œil suppliant à Lily pour qu'elle lui vienne en aide.

Mais elle n'en eut pas le temps, car Gwen demanda aussitôt :

— Eh bien, qu'a-t-il dit? Il a mal?

Lily décida qu'il était inutile de tourner autour du pot.

— Gwen, ma chérie, Bud n'a rien dit. Pour la bonne raison qu'il ne peut pas parler. Il est inconscient.

— Inconscient... balbutia la fillette. Tu veux dire qu'il est déconnecté?

— En quelque sorte, il est déconnecté.

Profondément bouleversée, Gwen secoua imperceptiblement la tête.

— Pauvre Bud... souffla-t-elle.

— Bien, dit Lily, reprenant les choses en main, je crois que nous devrions tous aller dormir un petit peu. Nous avons une rude journée devant nous demain.

— Oui, acquiesça Pep. Allons dormir. Nous en avons bien besoin.

Il était deux heures passées quand Pep émergea d'un sommeil houleux, rempli de cauchemars qui se terminaient tous de la même façon : assis au volant du break, il perdait brusquement le contrôle de son véhicule. A chaque fois, il se réveillait juste avant le choc final, comme si son cerveau avait cherché à réécrire la scène de l'accident.

Il se glissa furtivement hors du lit pour ne pas réveiller Lily et se rendit à la salle de bains pour prendre un cachet pour la digestion. La boîte était vide.

Flûte, encore une boîte vide! On ne jette jamais les boîtes vides dans cette maison. Résultat : personne ne sait qu'il faut les remplacer! fulmina-t-il un moment en silence, avant de réaliser qu'il avait pris lui-même le dernier cachet et n'avait pas jeté la boîte.

Il faut que je perde l'habitude de toujours rejeter la faute sur Lily. Puis il ajouta un peu à contrecœur : *Surtout après ce qui s'est passé hier.*

Il descendit à la cuisine à la recherche de comprimés. N'en trouvant pas, il se servit un verre d'eau gazeuse avec des glaçons, en espérant que cela l'aiderait à faire passer ses brûlures d'estomac. Mais cela n'eut aucun effet.

Il alla dans le séjour, hésita à allumer la télévision, puis renonça. Il s'installa dans son fauteuil préféré, celui dans lequel il s'asseyait toujours pour regarder les matchs de foot et de base-ball avec Bud.

Bon sang! il faut que j'aie complètement perdu la boule pour prendre le volant avec trois grammes d'alcool dans le sang. Bud... fiston... il faut absolument que tu t'en sortes! Il le faut! Nous te sortirons de là, coûte que coûte. Et si le docteur Newman n'y arrive pas, nous te trouverons quelqu'un d'autre. Fiston, si tu guéris, je te promets de ne plus toucher à une goutte d'alcool de ma vie!

Il y eut un bruit de pas dans l'escalier. Quelqu'un marchait pieds nus.

— Lil?

Pas de réponse. Puis Gwen entra dans le séjour.

— Papa...

La fillette vint vers lui et s'assit sur ses genoux. Il y avait longtemps qu'elle ne l'avait pas fait, considérant qu'elle était désormais trop grande pour se conduire comme un bébé. Gwen avait toujours fait preuve d'indépendance.

Mais ce soir c'était différent.

Elle resta blottie un moment contre la poitrine de son père, puis elle murmura doucement :

— Je suis... je suis désolée...

— Désolée? Pour quoi, ma chérie?

— Pour Bud...

— Nous sommes tous désolés.

— Non, je veux dire que je me sens un peu coupable...

— Coupable? Tu n'étais même pas là. Tu n'y es absolument pour rien, rétorqua Pep.

— Je veux dire que depuis quelque temps je ne supportais plus d'être considérée uniquement comme « la petite sœur de Bud ».

— Je sais, ma chérie, tu en as assez d'être traitée comme une petite fille.

— Non, ce n'est pas ça. Mais je ne veux pas qu'on me considère uniquement comme la sœur de Bud. J'existe, moi aussi. Je suis Gwen Young, une personne à part entière.

— Ne t'en fais pas, ma chérie. Les gens apprendront bientôt à t'apprécier pour ce que tu es.

Il l'embrassa sur le front.

— Papa... ce que je voulais dire, c'est que j'en ai voulu à Bud et que ça a peut-être un rapport avec ce qui lui est arrivé. Je lui ai peut-être porté la poisse ou un truc comme ça...

— En voilà une idée! se récria Pep. Tu n'y es absolument pour rien. S'il y a un coupable, ce n'est certainement pas toi.

Il y eut un long silence, puis Gwen demanda :

— Papa... est-ce que je pourrais aller le voir à l'hôpital... ?

— Ça ne devrait pas poser de problème... Je demanderai si c'est possible.

Lily entra dans le séjour, surprise de trouver Gwen debout à cette heure avancée de la nuit.

— Chérie, tu as école demain. Il faut aller dormir.

— Je n'y arrive pas.

— Tu n'es pas la seule, fit remarquer Lily.

Ce que Pepper interpréta comme un reproche.

— Monte te coucher, dit-il à Gwen. Et essaye de dormir. Nous reparlerons de tout ça demain.

Gwen embrassa son père puis sortit du séjour. Une fois au pied de l'escalier, elle tendit l'oreille, au cas où ses parents se seraient dit des choses qu'ils ne voulaient pas qu'elle entende.

Restés seuls dans le living-room plongé dans une semi-obscurité, Pepper et sa femme se dévisagèrent en silence, incapables de dire un mot. Lily soupira doucement. Brusquement, Pepper prit les devants.

— Je sais, inutile de me le dire. Je te promets que je vais arrêter de boire ! C'est ce que tu penses, n'est-ce pas ?

— Oui... mais ça n'est pas la seule chose. (Elle fit une pause puis ajouta :) Je n'aurais jamais cru... depuis toutes ces années... Cela fait combien de temps au juste qu'il joue au foot ?

— Cinq... ou six ans... dit Pepper, essayant de se rappeler.

— Cela fait cinq ans et trois mois en comptant le dernier match, calcula Lily. Je me souviens parfaitement de chaque match, même si je n'y allais pas toujours de gaieté de cœur. J'étais fière de lui, pourtant. Tout le monde l'acclamait ! Ses coéquipiers l'adoraient. Mais, à chaque fois qu'il recevait un mauvais coup, quelque chose chavirait en moi. Je pensais aussitôt aux histoires qu'on lit dans les journaux, en bas de la page sportive. Je pensais à tous ces joueurs qui finissent dans un fauteuil roulant à la suite d'une lésion de la moelle épinière. Ou pire. Chaque fois que Bud prenait un coup, je priais le ciel pour qu'il se relève et qu'il recommence à jouer. Ou, mieux encore, pour que l'arbitre le fasse sortir du jeu. Mais ils ne pouvaient pas se passer de lui. Alors, il reprenait la partie, et moi, je continuais à me ronger les sangs. Mais jamais... oh, non, jamais je n'aurais cru que cela finirait ainsi...

— Ce n'est pas fini, Lily. Le médecin a dit qu'il allait s'en tirer... Il va s'en tirer.

— Non, Pep, il n'a jamais dit ça, rectifia Lily avec une précision éloquente. Il n'a fait qu'évoquer les statistiques. Il a donné des chiffres, mais il n'a jamais dit que Bud allait s'en tirer.

Pepper se pencha en avant, les mains croisées devant lui, cherchant les yeux de sa femme dans la pénombre.

— Très bien, Lil, dis-le.

— Quoi donc? demanda-t-elle, surprise.

— Je sais ce qui nous tient éveillés, toi et moi.

— Que veux-tu dire?

— C'est ma faute. C'est moi qui ai fait ça à notre fils... à mon fils! s'exclama soudain Pepper.

Lily ne répondit pas. Il venait de toucher le point névralgique.

— Fichue plaque de verglas! Elle était recouverte de neige par-dessus le marché. Alors, forcément, je ne l'ai pas vue. Personne ne pouvait la voir. Crois-tu que j'aurais freiné comme un malade si j'avais su qu'elle était là? Tu me connais, tu sais que je suis prudent au volant. Il y a des années que je n'ai pas eu d'accident. Des années. Et il a fallu que ça arrive... juste au moment où... oh, bon Dieu! si seulement je pouvais revenir en arrière... si seulement... Lil... Lil...

Il éclata en sanglots. Lily s'agenouilla à ses côtés et lui passa les bras autour du cou.

— Il s'en sortira. Quelque chose me dit qu'il s'en sortira, murmura-t-elle pour le réconforter.

— Non, Lil. Dis-le.

— Quoi donc?

— Dis tout ce que tu as sur le cœur. Allez, vide ton sac.

Sans un mot, elle se releva et se dirigea vers la porte. Puis elle se retourna.

— Si cela pouvait t'aider à te sentir mieux, je le ferais, Pep. Mais nous avons besoin de nous serrer les coudes, tous les deux.

Allongée dans l'obscurité, elle se mit à penser à toutes les nuits qu'elle avait passées seule au cours de leurs dix-huit ans de vie commune. Au début de leur mariage, elle travaillait comme secrétaire chez Beecham Products où Pepper venait de débuter comme représentant. Il passait sa vie sur les routes. Lorsqu'il rentrait à la maison, il était toujours plein d'attentions... et de promesses.

— Chérie, cette fois je tiens le bon bout... je sens que Beecham ne va pas tarder à me proposer un autre poste, dans un bureau. Nous allons enfin pouvoir mener une vie normale. Avoir des gosses, un vrai foyer. Je te le promets.

Mais, même après avoir été promu chef d'équipe, il repoussa le moment d'avoir un enfant parce qu'il voulait gagner plus d'argent, afin qu'elle ne soit pas obligée de travailler.

Sa propre enfance l'avait profondément marqué. Quand son père était parti se battre au Vietnam, sa paye de caporal, même avec les allocations familiales, ne suffisait pas pour faire vivre toute la famille. Si bien que sa mère avait dû chercher du travail pour que Pep et ses deux sœurs ne manquent de rien.

Il n'avait jamais oublié l'époque où ses sœurs et lui trouvaient la maison vide en rentrant de l'école, avec juste un mot sur la table de la cuisine pour leur dire ce qu'ils trouveraient dans le frigo pour le dîner. Il n'avait pas oublié les fois où, s'étant plaint d'un mal de gorge, l'infirmière de l'école l'avait renvoyé chez lui, en déclarant qu'il serait mieux à la maison avec un bol de bouillon chaud. Mais maman n'était pas là, et elle ne voulait pas qu'on l'appelle au bureau, de peur de perdre sa place.

Depuis ce temps-là, Pepper Young s'était juré que le jour où il se marierait, la mère de ses enfants serait toujours là quand ils auraient besoin d'elle. Si bien que, dès le cinquième mois de sa grossesse, Lily Young avait cessé de travailler pour se consacrer entièrement à ses obligations de mère de famille. D'autres femmes auraient peut-être essayé de mener de front une vie professionnelle et une vie familiale, mais pas la femme de Pep Young.

Ses enfants à lui ne seraient jamais privés de leur mère.

C'était un luxe que Pepper Young avait pu leur offrir grâce à sa réussite professionnelle, et il en tirait une immense satisfaction.

Et voilà que tout s'arrête d'un seul coup, pensa Lily. *Toutes ces années passées à choyer Bud, à le dorloter.*

Si seulement j'avais la foi. Si seulement je croyais que Bud peut s'en sortir. Mais tout au fond de moi-même je n'y crois guère... et j'ai très peur...

Lily se retourna sur son oreiller trempé de larmes, tournant le dos à Pep qui avait fini par sombrer dans le sommeil, vaincu par l'épuisement. Après quelques minutes, elle se glissa tout doucement hors du lit, prenant garde de ne pas le réveiller.

Elle éprouvait le besoin de se rapprocher de son fils dont la vie, en cet instant, ne tenait plus qu'à un fil. Elle se rendit dans sa chambre à pas de loup. Les volets n'étaient pas fermés, car il faisait encore jour, cet après-midi, lorsqu'il l'avait quittée. La lueur du réverbère filtrant de l'extérieur éclairait tous les objets familiers.

Son lit, avec les coins bordés à la perfection, comme il avait appris à le faire chez les scouts...

Lily passa en revue tous les trophées remportés par son fils, au foot et au base-ball. Son entraîneur de base-ball avait dit un jour de lui qu'il avait dû naître en courant. Au mur, il y avait des photos de Bud et de toutes ses idoles du sport. Il y en avait une de Joe Montana, avec une dédicace : *A mon pote, Bud.* Cette année-là, sa société avait offert à Pepper un voyage à San Francisco, son équipe ayant battu tous les records de vente, et il avait emmené Bud avec lui.

Bud, le sportif, avait des côtés surprenants. Il était beaucoup plus mûr qu'il n'y paraissait de prime abord. C'est ainsi qu'il avait remporté le prix de l'action humanitaire étudiante. Il avait eu l'idée d'organiser un concert de rock au profit des enfants de Somalie. Au départ, lui et son groupe avaient prévu de donner le concert dans le gymnase, mais les gens étaient venus si nombreux qu'ils avaient été obligés de s'installer sur le terrain de foot.

A côté du prix se trouvait une photo : Bud en train de remettre les recettes du concert au sénateur. Le bruit courait que ce dernier briguait la présidence des États-Unis. Un président potentiel était en train de serrer chaleureusement la main de Bud...

Lily s'assit devant l'ordinateur de son fils, un cadeau de Pep. Bud s'en servait pour rédiger ses exposés, ses dissertations, sa correspondance privée.

Parfois, bien qu'il fût assez réservé à ce sujet et ne montrât pas volontiers ses œuvres, il s'essayait à la poésie.

Et il n'est pas mauvais du tout, songea Lily. *Et ce n'est pas parce que je suis sa mère. Ses poèmes sont bons. Très bons même. Sa prof de littérature a même envoyé un de ses poèmes à la revue annuelle du lycée, et il a été accepté. Ils n'étaient que deux étudiants de deuxième année à avoir cet honneur.*

Lily posa machinalement ses doigts sur le clavier de l'ordinateur. Cela lui rappelait l'époque où elle travaillait comme secrétaire chez Beecham Products. Elle n'était pas seulement la plus rapide et la plus consciencieuse de tout le pool de dactylos, elle était également la meilleure en orthographe. A cette époque, les machines n'étaient pas équipées de correcteurs orthographiques. Une fois même, elle avait osé corriger M. Beecham. Ce qui, de l'avis général, était une grave erreur.

Mais le patron l'avait bien pris et avait même déclaré :

— Si seulement les gens qui travaillent ici étaient plus ambitieux !

Peu après cet épisode, elle avait quitté le pool pour être affectée auprès d'un jeune cadre commercial du nom de Pepper Young.

Avide de souvenirs, Lily brancha l'ordinateur. L'écran s'alluma, répandant une sinistre lueur verte dans la pièce. Elle laissa courir ses doigts au hasard sur le clavier. Comme c'était facile en comparaison de la vieille machine électrique sur laquelle elle tapait chez Beecham Products ! Aujourd'hui, il suffisait d'effleurer silencieusement les touches, et les lettres apparaissaient comme par miracle sur l'écran sans émettre le staccato assourdissant des anciennes machines.

Elle allait éteindre l'ordinateur quand son regard tomba sur les mots qu'elle avait tapés machinalement.

« C'est ma faute... c'est entièrement ma faute. »

Elle eut aussitôt une réaction de révolte. *Non, non, ce n'est pas vrai... s'il n'avait tenu qu'à moi, cela ne serait jamais arrivé. Je n'y suis pour rien.*

Mais plus elle lisait ces mots et plus elle se sentait coupable. *Si, c'est ma faute... parce qu'il ne tenait qu'à moi de dire non. Pep est le plus gentil et le plus attentionné des hommes... quand il n'a pas bu. Mais quand il a un verre dans le nez... Et je sais à quoi ressemblent ces tournées de nouvel an. Je n'aurais jamais dû laisser partir Bud. J'aurais dû trouver une excuse. Ou insister, tout simplement : « Si tu tiens absolument à montrer cette coupe à tes amis, fais-le. Mais vas-y sans Bud ! »*

Voilà ce que j'aurais dû dire.

Et si je l'avais fait, Bud serait en train de dormir dans son lit à l'heure qu'il est, au lieu d'être allongé, inconscient, sur un lit d'hôpital.

Lily Young regardait obstinément les mots inscrits sur l'écran.

« C'est ma faute... c'est entièrement ma faute. »

Elle fut soudain frappée par l'ironie de la situation. *Le jour où Bud est né... le soir même, Pep est sorti pour fêter l'événement avec les « copains » — un euphémisme que les hommes utilisent quand ils n'ont pas envie d'être considérés comme des adultes — et il s'est pris une cuite mémorable, comme on dit. Et ses copains ont trouvé la chose amusante.*

Même moi, j'ai pensé : « Après tout, c'est son premier enfant. Et, qui plus est, c'est un garçon. »

Mais il me semble qu'on peut arroser un événement sans rouler sous la table et se retrouver à l'hôpital.

Qui aurait cru que tout allait finir ainsi ? J'aurais dû m'en douter... Si Pep a commis un crime, alors, je suis sa complice.

Parce que d'une certaine façon je l'ai laissé faire. Je lui ai trouvé des excuses : c'est un mari si gentil, un père si attentif. Après tout, personne n'est parfait. Ce n'est qu'un petit défaut comme un autre. D'une certaine façon, j'ai toujours accepté inconsciemment l'idée que Pep puisse se soûler de temps à autre. Le lendemain, il se montrait toujours très attentionné. Et je lui pardonnais. Mais, chaque fois que je lui pardonnais, je préparais l'accident qui vient de se produire. Tout bien considéré, c'est un peu comme si je lui avais donné ma bénédiction.

C'est ma faute... c'est entièrement ma faute...

Est-ce donc ainsi que tout doit finir ?

7

Le docteur Newman commença sa visite du matin en se rendant directement au chevet du jeune Willard Young, en service de soins intensifs.

Il consulta sa feuille de surveillance, contrôla sa température, sa tension artérielle, sa fréquence cardiaque. Compte tenu des circonstances, la température et la tension étaient plutôt satisfaisantes. En revanche, le manomètre du cathéter ventriculaire lui indiqua que la pression intracrânienne était en hausse. Il fit une note pour qu'on augmente les doses de mannitol.

Il ouvrit la valve du cathéter de façon à purger l'excès de liquide céphalo-rachidien. Celui-ci était légèrement teinté de rose, signe d'un saignement résiduel mineur.

Il vérifia ensuite le débit des perfusions. Tout était en ordre.

Seize heures après l'accident et treize heures après l'opération, le patient, placé sous assistance respiratoire, se portait aussi bien qu'on était en droit de l'espérer. Mais il était encore trop tôt pour crier victoire. Il fallait attendre au moins quarante-huit heures de plus.

Bien que les tests de Glasgow aient déjà été effectués par les infirmières, Newman les refit lui-même : réponses oculaire, motrice, verbale. Le score restait toujours très bas.

Il donna des ordres pour que le père et la mère du patient soient autorisés à rester auprès de lui s'ils le souhaitaient. Seule restriction, ils devaient s'abstenir de tout contact physique avec leur fils, dont l'état demeurait critique.

En sortant du service de soins intensifs pour continuer sa visite, Newman trouva les Young qui l'attendaient.

— Docteur? demanda Lily Young.

Ce simple mot, Newman savait l'interpréter mieux que personne. Il avait été proféré d'une voix timide, presque honteuse, qui en même temps exprimait un désir désespéré de connaître l'état du malade.

Newman s'était promis qu'un jour, en pareilles circonstances, il se laisserait aller à dire : « Qu'espérez-vous au juste? Vous exposez vos enfants à toutes sortes d'accidents prévisibles, de voiture, de bicyclette ou de patins à roulettes, et vous venez ensuite nous supplier de leur sauver la vie et de vous les rendre comme neufs! Mais cela ne dépend pas de nous. Je ne suis même pas sûr que cela dépende de Dieu. Ce sont des choses qui arrivent ou qui n'arrivent pas, sans que personne puisse expliquer pourquoi. »

Bien qu'il fût terriblementt tenté de leur dire tout cela, il s'efforça de répondre de la façon la plus humaine possible à Mme Young.

— Il y a eu quelques petites évolutions. Dans le bon sens. Son état semble s'être stabilisé. La pression intracrânienne a augmenté mais nous avons réussi à la contrôler.

— Y a-t-il autre chose que vous puissiez faire? demanda Pep Young. Un traitement, des examens... nous sommes prêts à payer.

— Monsieur Young, votre fils reçoit tous les soins nécessaires. Pour l'instant, il a surtout besoin de temps.

— A-t-il... dit... ou fait quelque chose...? demanda Lily.

— Non, répondit simplement Newman.

Il ne voulait pas en dire plus, de crainte d'accroître l'inquiétude des Young. Cela pouvait attendre.

Il allait poursuivre sa visite quand Pep Young l'arrêta d'un timide :

— Docteur...

— Oui? demanda Newman d'un ton un peu brusque.

Il n'avait aucune envie de nouer le dialogue avec le père, qui selon lui était à l'origine du drame et ne méritait en conséquence pas sa considération.

— Bud... mon fils... a une petite sœur. Elle lui est très attachée. Elle aimerait... venir le voir. Elle a treize ans, mais elle est très mûre pour son âge. Elle ne vous causera aucun souci, je vous le promets.

Newman hésita, puis répondit :

— Oui, bien sûr. Mais pour une courte visite seulement.

Il avait ajouté cette restriction parce qu'il savait que les enfants qui venaient rendre visite à un parent dans le coma étaient souvent tellement bouleversés qu'ils fondaient en larmes et partaient en courant. Loin de trouver le réconfort qu'ils étaient venus chercher, ils se retrouvaient pour la première fois de leur vie confrontés à la mort.

Debout au pied du lit de Bud, Lily et Pep Young suivaient des yeux le tracé du moniteur cardiaque. Ils scrutaient son visage à l'affût d'un signe, d'une étincelle de conscience. Mais rien ne se produisait.

Du moins respirait-il, ce qui était une bonne chose, même s'il était placé sous respirateur. De temps à autre, l'infirmière de garde venait contrôler les perfusions et les changer le cas échéant. Elle contrôlait le débit du cathéter de Foley, afin de vérifier la pression intracrânienne. Elle était efficace et aimable, mais pas aussi loquace qu'ils l'auraient souhaité, se contentant de dire « bien, bien », sans rien ajouter d'autre.

Une fois, Lily lui demanda :

— Y a-t-il un changement, une amélioration?

— Il faut être patient, répondit l'infirmière en souriant aimablement.

Cet après-midi-là, Pep dut quitter quelques instants le chevet de son fils pour prendre un coup de fil urgent. C'était M. Beecham, le président de la BCI.

— Pep, qu'est-ce que j'apprends? commença Beecham.

— Nous avons... j'ai eu un accident. Mon fils, Bud...

— Votre garçon, le héros du foot?

— Oui, monsieur Beecham. Il a été bien secoué. Il est toujours dans le coma, expliqua Pepper Young.

— Oh, je suis absolument navré. Nous sommes tous terriblement navrés. Pep, s'il y a quelque chose que nous puissions faire... Il est bien assuré, j'espère.

— Oui, bien sûr. Et heureusement, du reste, parce que ça risque de prendre un certain temps.

— Prenez tout le temps nécessaire. Et dites à votre charmante épouse que nous sommes de tout cœur avec elle. Vous avez toute notre sympathie, Pep. Tenez-moi au courant, surtout. J'y tiens.

— Oui, monsieur Beecham. C'est promis.

— Ah, j'y pense, sembla se rappeler brusquement Beecham, quand comptez-vous reprendre le travail? Maintenant que les gars de votre équipe sont parfaitement rodés, je ne voudrais pas qu'ils se relâchent sous prétexte que vous n'êtes pas là.

— Non, bien sûr. Donnez-moi encore un jour ou deux pour voir comment évoluent les choses.

— Entendu. C'est vous le chef, Pep, dit Beecham.

En raccrochant, Pep songea que la concurrence était rude dans le monde des affaires : il y avait toujours un collègue prêt à prendre votre place sitôt que vous aviez le dos tourné. Le coup de fil de Beecham, bien qu'affable et chaleureux, n'en constituait pas moins une subtile mise en garde.

L'après-midi touchait presque à sa fin quand Pep réussit enfin à convaincre Lily de descendre prendre quelque chose à la cafétéria de l'hôpital.

Juste au moment où ils sortaient du box, ils croisèrent une petite femme brune en blouse blanche qu'ils ne se rappelaient pas avoir vue auparavant. Elle devait avoir une trentaine d'années et portait un badge sur le revers gauche de sa blouse.

Les Young s'arrêtèrent un instant pour l'observer à travers la baie vitrée. La femme commença par consulter la feuille de surveillance puis elle se pencha au-dessus de Bud pour étudier son visage blême et inexpressif.

Elle sortit un petit cylindre métallique de sa poche, puis souleva la paupière droite de Bud et dirigea le petit cylindre vers sa pupille. Il s'agissait d'une lampe de poche. Elle examina un œil, puis l'autre. Impossible de dire, d'après sa réaction, si ce qu'elle avait trouvé était positif ou non.

Elle repoussa le drap et la couverture pour tester les réflexes des bras et des jambes. Elle pinça les bras. Aucune réaction. Elle pinça les jambes. Toujours rien. Elle prit une aiguille stérile dans le bocal qui se trouvait sur la table de nuit et piqua énergiquement les bras et les jambes du patient. Seule une jambe tressauta légèrement. A part cela, elle n'obtint aucune autre réaction.

Lorsqu'elle eut remonté le drap et la couverture, elle inscrivit quelque chose dans le petit carnet rouge qu'elle tira de sa poche. En sortant du box, elle se retrouva nez à nez avec les Young.

— Mademoiselle... euh... madame... l'interpella Lily, nous sommes les parents de Bud. Qu'avez-vous trouvé? Est-ce qu'il va bien?

— Bonjour, je suis le docteur Curtis. Il est prématuré pour moi d'intervenir, mais j'ai pour habitude de tester mes patients le plus tôt possible. Nous nous reverrons très bientôt.

Le docteur Curtis refusa de leur en dire plus, car ce qu'elle avait constaté au cours de cette première série d'examens n'était guère encourageant.

Le premier jour d'école après les vacances de Noël, le mardi 3 janvier 1995, Jody Hines, accompagné de l'équipe de foot au grand complet, entra dans le bureau de l'entraîneur.

— Monsieur Dugan, ce que m'a dit M. Young l'autre soir, au sujet de Bud, est assez inquiétant. Il est dans le coma. Alors nous avons pensé que nous pourrions organiser une session de prières ou quelque chose comme ça pour Bud. On s'est dit qu'en pensant à lui ou en priant pour lui on pourrait peut-être l'aider à s'en sortir.

— C'est une idée touchante, Jody, approuva l'entraîneur. Allons en parler sur-le-champ à M. Goodale. Une assemblée générale... avec toute l'école... c'est une excellente idée.

— Une assemblée générale...? s'écria le principal, que cette idée n'enthousiasmait guère.

— Oui, monsieur, insista Jody. Tous les élèves se rassembleraient pour prier chacun à sa manière. Je suis sûr que tout le monde sera d'accord et voudra participer.

— Je n'en doute pas. Bud jouit d'une très grande popularité auprès de ses camarades, reconnut Goodale.

— Alors, vous voulez bien? conclut aussitôt Jody.

— Je crains que ce ne soit pas possible, Jody.

— Mais pourquoi?

— Prier, dans notre école, serait... illégal. Contraire à la constitution.

— Mais c'est pour Bud Young! protesta Jody.

— Désolé, mais c'est impossible. Je n'ai pas le choix.

— Ce n'est pas comme si l'école se livrait à des activités religieuses, argua Jody. C'est juste pour Bud.

— Désolé, mon garçon, mais je ne peux rien faire.

Lorsque arriva l'heure du déjeuner, des pancartes étaient apparues sur les murs de la cafétéria et dans les couloirs du lycée.

TOUS AU STADE À TROIS HEURES
BUD A BESOIN DE VOUS

La neige tombait légèrement. Les élèves de l'école, toutes classes confondues, commencèrent à arriver dans le stade.

Plusieurs jeunes filles se donnèrent la main. Et, bientôt, tous les autres élèves les imitèrent, formant une longue chaîne tout autour du stade.

Jody parla le premier, suffisamment fort pour que sa voix puisse être entendue de tous.

— Bud n'est pas seulement un quart-arrière hors pair, c'est aussi un mec épatant. Un super copain. Et s'il y a une justice en ce monde, je suis certain qu'il s'en sortira. Et il faut qu'il s'en sorte !

D'autres prirent la parole ensuite, d'une voix émue, pour faire l'éloge de Bud. Ils rendirent hommage à ses performances sportives, à sa modestie, à sa générosité quand il s'agissait d'aider un camarade dans le besoin.

Pour finir, M. Venable, le doyen des professeurs, considéré comme un tyran par la plupart des élèves, prit la parole à son tour. Transi de froid, tête nue sous la neige, son col remonté bien haut pour protéger son vieux cou décharné, il parla d'une petite voix nasillarde, mais avec une émotion évidente.

— Oui, Bud a toutes les qualités dont vous avez parlé. Mais au-delà de l'admiration que vous inspirent ses exploits sportifs et sa personnalité, il ne faut pas oublier que c'est un élève exemplaire. L'un des meilleurs et des plus studieux qu'il m'ait été donné de croiser au cours de ma longue carrière.

« Il m'a souvent dit qu'il espérait plus tard faire une carrière scientifique. C'est pourquoi je tenais également à rendre hommage à ses performances scolaires. Je l'ai toujours considéré comme l'un de nos meilleurs éléments. J'ai toujours caressé l'espoir de le voir un jour entrer dans une université de renom, ce qui ne ferait qu'ajouter au prestige de notre établissement.

« Et, s'il est vrai que sa vie repose entre les mains de Dieu, je vais prier, à ma façon, pour que Bud se rétablisse et nous revienne vite. Et, si vous n'y voyez pas d'inconvénient, j'aimerais...

A la surprise générale, d'une voix plus puissante qu'on ne l'aurait cru, M. Venable entonna un cantique.

Peu à peu, d'autres l'imitèrent. Et, bientôt, le stade tout entier se remplit de leur chant.

Depuis la fenêtre du bureau, le principal et sa secrétaire observaient la scène.

— Comme c'est émouvant, dit la jeune femme. Et personne ne le mérite plus que Bud Young.

— C'est vrai, reconnut le principal. J'espère seulement que ça ne se saura pas. Le stade se trouve dans l'enceinte de l'école. De nos jours, il suffit d'un rien pour provoquer une levée de boucliers.

8

Le matin du troisième jour, en arrivant à l'hôpital, Lily trouva le docteur Newman au chevet de son fils. Assisté d'une infirmière, il était en train de lui poser une sonde dans l'abdomen.

Elle pensa aussitôt que quelque chose de grave était arrivé et sentit son estomac se nouer.

Sitôt l'intervention terminée, le docteur Newman s'efforça de la rassurer.

— C'est une sonde gastrique, expliqua-t-il. Pour l'alimenter et faire travailler l'appareil digestif.

— Pour l'alimenter... (Lily accusa le coup, puis demanda :) Combien de temps devra-t-il la garder... avant de pouvoir s'alimenter par lui-même ?

— Il est encore trop tôt pour se prononcer, répondit Newman, qui ne voulait pas avoir l'air trop pessimiste. Ah, autre chose, ajouta-t-il, sur un ton plus enjoué, j'ai donné des ordres pour qu'il quitte le service de soins intensifs aujourd'hui.

— Vraiment ! s'écria Lily. Dommage que Pep ne soit pas là.

— Il ne viendra pas ? s'enquit Newman.

Gênée, Lily Young expliqua.

— Il doit se présenter au tribunal.

— Ah, oui, je crois me souvenir... dit le médecin qui

ne voulait pas aborder un sujet qu'il savait particulièrement douloureux.

Dans l'heure qui suivit, l'infirmière, aidée d'un garçon de salle, transféra Bud Young dans une chambre où il serait seul. La chambre 302.

Après s'être assurés que toutes les perfusions fonctionnaient normalement, ils laissèrent Lily avec son fils. Assise à son chevet, elle scrutait inlassablement son visage, à l'affût du moindre changement, de la moindre étincelle de conscience.

A plusieurs reprises, il lui sembla détecter quelque chose. Elle se leva et se pencha au-dessus de lui pour l'observer de plus près. Mais, à chaque fois, elle dut se rendre à l'évidence : ce n'était qu'une illusion engendrée par son désir de le voir reprendre connaissance.

Sur ordre de son avocat, maître Lawrence Meade, Pepper Young se présenta au tribunal quelques minutes avant l'heure indiquée sur sa convocation.

— Attendez-moi ici, dit Meade. Je vais voir ce que je peux faire. Peut-être pourrai-je vous éviter de comparaître.

Fort du fait que lui et le juge étaient de vagues connaissances — tous deux fréquentaient le même club de golf, même s'ils n'avaient jamais joué ensemble, le juge ayant un handicap de quatre alors que lui-même en avait un de dix-neuf —, Meade se présenta directement dans les bureaux privés du juge Bruce en annonçant à sa secrétaire qu'ils étaient amis.

Bruce était en train d'ôter son veston pour revêtir sa robe noire de magistrat lorsqu'on frappa à la porte.

— Oui, Eleanor?

— Monsieur, il y a un avocat qui demande à vous voir. Un certain Lawrence Meade. (Voyant qu'il ne réagissait pas, elle ajouta :) Il dit être un ami à vous.

— Dans ce cas, il va me demander une faveur. Très bien. Faites-le entrer.

Dès que Meade parut, Bruce le reconnut.

— Ah, mais oui, bien sûr. Je ne savais pas que votre nom était Meade. Entrez, entrez. Que puis-je faire pour vous ?

— Votre Honneur, je suis chargé de défendre une personne... un cas particulièrement dramatique...

— Votre client est-il venu ?

— Oui, bien sûr. Mais j'avais pensé que, compte tenu des circonstances, vous accepteriez peut-être de le recevoir en privé.

— Et pour quelle raison ? Souffre-t-il d'un handicap physique ? s'enquit le juge.

— Non, Votre Honneur. Mais il s'agit d'une affaire particulièrement délicate qu'il serait souhaitable de juger dans la discrétion, suggéra Meade.

— Quelles sont les charges ? demanda Bruce d'un ton un peu sec.

Meade hésita.

— L'homme jouit d'une excellente réputation. Un poste important. De bonnes références. Il serait vraiment dommage de ternir cette image...

Agacé, le juge l'interrompit.

— Quelles sont les charges ?

— Conduite en état d'ivresse, reconnut Meade.

— Dans ce cas, il comparaîtra dans la salle d'audience comme tout le monde, conclut le juge Bruce, nullement disposé à faire du favoritisme. Et la prochaine fois, maître, ayez l'obligeance de ne pas vous présenter comme un « ami ». « Vague connaissance » conviendrait mieux.

Depuis une heure et demie qu'il jugeait infraction sur infraction, distribuant amendes et condamnations à tour de bras, le juge Bruce n'était pas d'humeur conciliante quand l'affaire Young lui fut enfin présentée.

Willard Young et son avocat s'avancèrent jusqu'à l'estrade où siégeait le juge.

Ce dernier prit connaissance de l'assignation et du compte rendu qui l'accompagnait.

— Monsieur Young, avez-vous quelque chose à dire? demanda le juge.

— Votre Honneur, si vous le permettez... intervint maître Meade.

Le juge se tourna vers l'avocat.

— Oui, maître.

— L'affaire qui nous intéresse est plus complexe qu'il n'y paraît à première vue. Il ne s'agit pas d'un cas ordinaire de conduite en état d'ivresse. Cette affaire mérite une attention particulière. Si l'homme qui se tient devant vous s'est effectivement rendu coupable des charges retenues contre lui, il en a déjà largement payé le prix. Je crois pouvoir dire en toute impartialité qu'il mérite votre indulgence. C'est pourquoi je demande à ce qu'il n'y ait pas de poursuites au titre d'infraction au Code de la route pour conduite en état d'ivresse. Naturellement, je pense qu'une forte amende serait justifiée, ainsi que des excuses que le prévenu est tout disposé à présenter devant la Cour.

— Maître, si je vous ai bien compris, vous plaidez les circonstances atténuantes. Mais quelles sont-elles au juste?

L'avocat, qui avait espéré que le juge lui poserait cette question, se lança aussitôt dans un vibrant plaidoyer.

— Votre Honneur, en ce moment même, le fils de M. Young, un jeune homme de seize ans, brillant élève, sportif hors pair, gît, inconscient, sur un lit d'hôpital. Un jeune homme plein de promesses, dont la vie, au dire de ses médecins, risque de s'éteindre à tout moment. Y a-t-il croix plus lourde à porter pour un père? Un père qui est également le seul soutien de son épouse, laquelle a été profondément ébranlée par le drame. Votre Honneur, ne pensez-vous pas que cet homme a été déjà suffisamment puni ? Il s'agit en outre d'une première infraction. C'est pourquoi je demande instamment qu'elle soit sanctionnée d'une amende, aussi élevée que cette cour le jugera approprié, et que cette déplorable affaire soit classée. Pour ma part, je suis convaincu que, dans un cas comme celui-là, la clémence servirait mieux la cause de la justice que l'application stricte de la loi.

Le juge, qui avait écouté sans rien dire, demanda :

— Maître, dois-je comprendre que le jeune homme dont vous nous avez parlé se trouve actuellement entre la vie et la mort parce que son père conduisait en état d'ivresse ? L'affaire n'a-t-elle pas été rapportée au journal télévisé ?

— Votre Honneur, vous vous souvenez sans doute que les conditions atmosphériques étaient particulièrement mauvaises ce jour-là ? Il avait neigé la veille au soir. Et le lendemain il faisait très froid. Les routes étaient verglacées et...

— Maître, l'interrompit sèchement le juge, je me souviens parfaitement qu'il faisait froid et qu'il y avait du verglas ce jour-là ! Mais si vous croyez que cela peut m'influencer favorablement vous vous trompez ! Lorsque les routes sont verglacées, on n'est jamais trop prudent, même quand on est à jeun. Et il va sans dire qu'un conducteur en état d'ivresse devrait purement et simplement s'abstenir de conduire. A présent, je vais répondre à votre plaidoyer.

« Tout ce que vous venez de me dire au sujet de ce malheureux jeune homme est fort regrettable. Et j'en suis navré pour lui. Mais plaider la clémence pour l'homme qui a infligé ce calvaire à son fils revient à implorer la clémence pour un homme qui a tué père et mère et qui vient pleurer parce qu'il est orphelin. Lorsque vous prétendez que le prévenu a été suffisamment puni vous vous égarez, maître. Ce n'est pas lui qui a été suffisamment puni, mais son fils.

« C'est pourquoi nous pensons que, dans la mesure où les conséquences de son acte sont véritablement dramatiques, le prévenu, loin de mériter notre clémence, mérite au contraire une sanction exemplaire.

— Votre Honneur... voulut intervenir Meade.

— Je n'ai pas fini, maître. Conscient des difficultés auxquelles pourraient être confrontés l'épouse et les enfants du prévenu, je ne lui infligerai qu'une peine de prison de quatre-vingt-dix jours...

— Votre Honneur... tenta d'intervenir Meade pour la deuxième fois.

— Avec sursis, précisa le juge. A condition que le prévenu se rende chaque jour, pendant toute la durée de sa peine, chez les Alcooliques Anonymes afin d'y suivre une cure de désintoxication. S'il venait à manquer une seule séance, le sursis serait annulé et le prévenu devrait purger une peine de prison équivalente au nombre de jours restant à courir.

— Votre Honneur, puis-je faire une remarque...

Meade attendit que le juge l'autorise à parler.

— Oui, maître? fit le magistrat d'un ton sec.

— Votre Honneur, mon client occupe un poste à responsabilités, commença Meade.

— Raison de plus pour ne pas conduire en état d'ivresse, rétorqua le juge.

— Je voulais simplement souligner que mon client est fréquemment appelé à se déplacer dans le cadre de son travail...

Le juge Bruce l'interrompit sèchement.

— Maître Meade, les Alcooliques Anonymes sont représentés dans toutes les villes où votre client est appelé à se rendre. Il n'aura aucun mal à suivre leurs séances de désintoxication. En outre, je condamne le prévenu à l'amende maximum prévue pour ce type d'infraction. Plus deux cents heures de travail d'intérêt public. Il faut absolument en finir avec l'ivresse au volant! (Puis, s'adressant à Willard Young :) Monsieur Young, avez-vous quelque chose à dire?

— Non, Votre Honneur.

— Maître?

— Non. Votre Honneur s'est montré particulièrement... euh... équitable, s'empressa d'ajouter Meade.

— Encore un mot, monsieur Young. Votre avocat a déclaré qu'il s'agissait d'une première infraction.

— C'est exact, Votre Honneur.

— Monsieur Young, n'essayez pas de berner la Cour, rétorqua Bruce d'un ton courroucé. Je connais les conducteurs en état d'ivresse, et je sais pertinemment que ce n'est pas la première fois. Même si c'est la première fois que vous vous faites prendre. Bien. Maître Meade a souligné que vous occupiez un poste à responsabilités et que vous étiez fréquemment appelé à vous déplacer. Quelle est votre profession?

— Je suis directeur régional des ventes chez BCI Corporation, expliqua Pepper.

— Directeur régional, médita le juge. Bien, voici ce que j'ai en tête, monsieur Young. Puisque votre métier consiste à motiver les gens, je vous condamne à effectuer deux cents heures de travail bénévole auprès des jeunes de la banlieue sud. Vous leur parlerez du monde des affaires, vous leur expliquerez quelles sont les qualités requises pour réussir dans le commerce et comment saisir sa chance au vol. Vous aurez pour mission de les motiver et de leur donner envie d'embrasser une carrière commerciale. Beaucoup d'entre eux ne s'en croient pas capables.

— Votre Honneur, je vous donne ma parole d'essayer de trouver le temps nécessaire pour m'acquitter de cette tâche.

— Monsieur Young, quand on veut vraiment une chose on ne « trouve » pas le temps de la faire, on le « prend ». Et je puis d'ores et déjà vous fournir une piste. Le principal du lycée Martin-Luther-King se nomme

Gerald Francis. Nous jouons au squash ensemble chaque semaine. Autant vous dire que je vais vous avoir à l'œil. Toute ma sympathie à votre épouse. Et mes vœux de prompt rétablissement pour votre fils. Cas suivant !

9

Une violente bourrasque de neige accueillit Pepper Young à sa sortie de l'hôpital. L'état de son fils demeurait stationnaire. Il gisait toujours, inconscient, prisonnier des perfusions qui le maintenaient en vie. Lily avait insisté pour rester à son chevet. Pep n'avait pas réussi à la convaincre de rentrer à la maison, même en lui faisant remarquer que Gwen avait, elle aussi, besoin de sa mère.

Lily ne voulait rien entendre.

— Que se passera-t-il si nous ne sommes là ni l'un ni l'autre quand il se réveillera... ? Il croira que nous l'avons abandonné.

Il eut beau lui dire que le docteur Newman ne pensait pas qu'un tel changement puisse se produire de façon aussi subite, Lily ne voulut pas en démordre.

Ah, les femmes! se dit Pepper. *Quand elles ont une idée en tête, il n'y a pas moyen de les faire changer d'avis!*

Il remonta son col pour se protéger de la neige et du froid et se dirigea vers le parking. *Je ne peux tout de même pas lui en vouloir d'espérer. J'aurais préféré ne pas la laisser seule. Mais j'y suis obligé. J'ai des comptes à rendre au tribunal désormais.*

Il se gara devant la chapelle dont l'adresse lui avait été communiquée par le répondeur des A.A., puis coupa le contact et attendit. Au bout d'un moment ses phares automatiques s'éteignirent. Mais Pepper Young n'arrivait pas à se décider à descendre de voiture.

Il observa les gens qui commençaient à entrer dans l'église. Il y eut d'abord un homme, puis une femme, puis deux autres femmes, et encore un homme. Puis d'autres hommes arrivèrent, suivis d'un homme et d'une femme.

Bon sang! songea-t-il. *Il y en a encore beaucoup comme ça? Il y en a peut-être que je connais parmi eux? Et si l'un d'eux faisait partie de mon équipe de vente? Je n'aurai jamais le courage de prendre la parole devant ces gens.*

Il jeta un coup d'œil à l'horloge du tableau de bord. Vingt heures dix. La réunion démarrait à vingt heures quinze. Il avait intérêt à se dépêcher s'il voulait faire son rapport dans le bureau du juge demain matin. *Allons-y,* décida-t-il.

C'est alors qu'il réalisa : *Je suis comme eux. Sinon je n'aurais pas été obligé de laisser ma femme seule au chevet de mon fils. Ma femme qui ne pleure jamais pour ne pas me faire de peine. Bon, cette fois, il faut y aller. Je n'ai pas le choix.*

Il sortit de la voiture et entra dans le bâtiment. Il jeta un coup d'œil au papier sur lequel il avait noté le numéro de la salle, puis se laissa guider par le brouhaha étouffé des conversations.

En entrant, il s'assura d'un rapide coup d'œil qu'aucun visage connu ne se trouvait dans l'assistance, puis, soulagé, se faufila discrètement jusqu'au dernier rang.

A vingt heures quinze précises, un homme d'une cinquantaine d'années, à l'apparence soignée et modeste d'un prof de collège, monta sur la petite estrade qui faisait face à l'auditoire. L'homme ajusta ses lunettes, tortilla nerveusement son nœud papillon et dit simplement :

— Je m'appelle Hector, et je suis alcoolique.

Il s'agissait de toute évidence de l'homme qui allait jouer le rôle de président de séance.

— Avant de commencer, y a-t-il de nouveaux venus qui souhaiteraient prendre la parole ?

A ces mots, Pepper comprit que le président de séance l'avait immédiatement repéré. Deux personnes qui se trouvaient au premier rang se retournèrent pour le dévisager.

La première impulsion de Pepper fut de se lever et de quitter la salle. Mais il s'obligea à lever un index timide.

— Votre nom ? demanda le président.

Les jambes flageolantes, Pepper se leva. Il scruta les visages qui s'étaient tournés vers lui. Contrairement à ce qu'il avait craint, il n'y avait dans leurs yeux que de la curiosité et de la sympathie. Ces gens ne demandaient qu'à l'aider, et voulaient savoir comment...

Pepper Young, qui participait fréquemment à des congrès, avait l'habitude de parler en public. Mais, ce soir, il ne trouvait pas ses mots. Ce n'était pas le genre de réunion où l'on pouvait raconter une blague pour détendre l'atmosphère. L'heure était à la franchise. Un exercice qui, il en était certain, était plus dur pour lui que pour les autres personnes présentes.

Voyant que les gens commençaient à le dévisager avec insistance, il prit la parole.

— Je m'appelle... (Il s'arrêta, hésitant entre Willard et Pepper, puis il opta pour Willard.) Je m'appelle Willard, dit-il.

Et maintenant, le plus dur, songea-t-il.

— Je suis alcoolique. C'est la première fois que je viens ici. Et j'ai très peur.

— Bonjour, Willard, lui dirent plusieurs membres du groupe en guise de bienvenue.

Mais il ne pouvait pas s'en tenir à cela. Il se sentit obligé d'ajouter :

— Je ne suis pas vraiment... je veux dire que... je ne bois pas tout le temps. Mais il y a des fois où... de temps en temps...

Une femme, assise au deuxième rang, se tourna vers lui en souriant, puis elle hocha tristement la tête.

— Vous niez, Willard, dit-elle. C'est la fuite en avant. Que cherchez-vous à dire au juste? Que vous ne buvez pas tout le temps? Et qu'en conséquence vous n'êtes pas un alcoolique?

— Non, ce n'est pas ce que je voulais dire...

— Mais que voulez-vous dire alors? lui demanda un homme.

— Je voulais dire que... essaya d'expliquer à nouveau Pepper, que je suis ici parce que le juge me l'a imposé...

— Ah, parce que vous n'êtes pas venu de votre propre gré? interrogea un troisième participant. Dans ce cas vous n'êtes peut-être pas prêt à rejoindre notre groupe.

— Vous ne comprenez pas, protesta Pepper.

— Si, si, nous vous avons compris, dit la femme. Vous êtes ici parce que vous avez eu des démêlés avec la justice et que le juge a accepté de vous libérer à condition que vous veniez à nos réunions. Voilà qui est plus clair. Néanmoins, vous ne voulez pas qu'on vous considère comme un alcoolique. Comme nous tous. Car à vos yeux nous ne sommes qu'une bande d'ivrognes. Eh bien, Willard, si vous voulez entrer dans ce groupe, la première chose à faire est de regarder la vérité en face. Vous pourriez commencer par nous dire ce que vous avez fait pour vous retrouver au tribunal.

Pepper lança au président un coup d'œil désemparé qui semblait demander : « Suis-je obligé de le faire? » Et le président lui répondit par un hochement de tête qui signifiait : « Oui, vous l'êtes. »

— Je... j'ai été condamné pour conduite en état d'ivresse, avoua-t-il.

— Et puis? interrogea la femme.

— Et puis quoi? riposta Pep.

— Est-ce tout? Conduite en état d'ivresse et rien d'autre?

De quel droit ces gens osent-ils me questionner de cette manière? Qu'est-ce que je suis venu foutre ici? Je ferais mieux de m'esquiver pendant qu'il en est encore temps.

Le président l'invita à répondre.

— Willard... l'un des tout premiers pas à franchir pour guérir est de reconnaître les torts que nous avons causés sous l'influence de la boisson, puis de les reconnaître devant ceux à qui nous les avons causés. C'est la seule façon de s'en sortir.

Pepper regardait fixement ses mains qui remuaient nerveusement comme si elles lui étaient étrangères. Une seule pensée lui vint à l'esprit : *Je pourrais peut-être y arriver si... si je pouvais boire un coup.*

Cette pensée, plus que toute autre, lui indiqua à quel point cette séance lui était nécessaire.

— Très bien, dit-il pour finir. Ce n'est pas seulement parce que je conduisais en état d'ivresse. C'est parce que j'ai eu un accident. J'ai complètement démoli mon break. Et j'ai... je crois bien que... j'ai complètement démoli mon gamin par la même occasion.

« Je sors à l'instant de l'hôpital. Il est dans le coma... avec des perfusions partout... et...

Incapable de poursuivre, il fondit en larmes. Il secoua la tête et se tourna vers le mur pour échapper aux regards.

Personne ne souffla mot. Il y eut un long silence ponctué par ses sanglots.

Pour finir, le président dit doucement :

— Nous vous comprenons, Willard. Nous nous sommes tous rendus coupables de méfaits sous l'emprise de l'alcool.

Pepper interpréta cela comme la permission de se rasseoir. Il passa le reste de la soirée à écouter les autres raconter les incidents survenus dans leur vie depuis la dernière séance, les fois où ils avaient résisté à la tentation, et celles où ils avaient craqué. Les membres du groupe se soutenaient et s'aidaient mutuellement à surmonter cette envie de boire un verre qui en appelait d'autres et d'autres encore.

Certains d'entre eux étaient en danger permanent. D'autres, comme Pepper, étaient du genre fêtards. Ils pouvaient se passer de boire pendant plusieurs jours, voire plusieurs semaines, jusqu'au jour où un verre, un seul, suffisait à tout faire basculer. Après quoi, c'était la porte ouverte aux catastrophes pour eux-mêmes et pour ceux qui leur étaient chers.

Lorsque la réunion s'acheva, il fut réconforté de voir qu'il n'était pas seul, bien qu'il continuât à se sentir coupable.

Il savait que la prochaine réunion serait moins pénible.

Au moment où il allait sortir, Hector le prit à part.

— Au cas où vous auriez besoin de soutien... si vous avez l'impression que vous allez flancher, passez-moi un coup de fil, dit-il en lui glissant un petit papier dans la main. A n'importe quelle heure du jour ou de la nuit, ajouta-t-il avec la compassion d'un homme qui a lui-même mené une bataille acharnée contre l'envie de boire.

— Merci... merci beaucoup, Hector, dit Pep, bien qu'il fût convaincu qu'il n'aurait jamais besoin de l'appeler à l'aide. Il lut rapidement le papier. Seuls le nom d'Hector et un numéro de téléphone y figuraient. Il le fourra dans sa poche et se dirigea vers la sortie.

Dans le vestibule, une femme semblait chercher quelqu'un. En fait, c'était lui qu'elle l'attendait.

— Je travaille à l'hôpital, fit-elle. Je connais votre fils. Ne perdez pas espoir. J'ai vu des patients comme lui dont l'état s'est grandement amélioré.

Sur le chemin du retour, il se répéta ses paroles avec délectation jusqu'au moment où il se demanda : *Qu'a-t-elle voulu dire par « amélioré » ? Que le patient finit par guérir complètement, qu'il ne garde aucune séquelle ? Mais dans ce cas pourquoi a-t-elle ajouté « grandement » ? Parce qu'il ne guérira jamais tout à fait, jamais complètement ?*

Cette pensée le tourmenta toute la nuit. Au point que Lily finit par s'inquiéter.

— Pep... qu'est-ce qui ne va pas ce soir?

Il décida de ne pas le lui dire. Pas tant qu'il n'en aurait pas parlé avec le docteur Newman.

Quant au reste, le plus dur est passé. Demain, les choses devraient être plus faciles. Et puis Hector m'a l'air d'un chic type.

10

Lorsque Bud eut quitté le service de soins intensifs, Lily et Pep décidèrent que le moment était venu d'emmener Gwen voir son frère à l'hôpital. Gwen étant à un âge où la moindre contrariété prenait des proportions démesurées, ils jugèrent préférable d'être présents tous les deux. Aussi convinrent-ils de se rendre à l'hôpital en début de soirée, avant la réunion de Pep chez les A.A.

Lily crut bon de préparer sa fille à ce qui l'attendait.

— Ma chérie, il ne faudra surtout pas te laisser impressionner par l'appareillage compliqué auquel Bud est relié.

Avec l'impatience qui caractérise les adolescents, Gwen monta aussitôt sur ses grands chevaux :

— Maman ! Je te signale que je ne suis pas complètement idiote ! Il m'arrive de lire les journaux et de regarder la télévision !

— Je te demande pardon, ma chérie. J'oublie parfois que tu as déjà treize ans.

— Est-ce que tu te rends compte qu'à mon âge je pourrais concevoir un enfant ? s'insurgea Gwen, revendiquant haut et fort le droit d'être traitée en adulte.

— Oui, oui, ma chérie. Je sais. Et il m'arrive de prier le ciel pour que ça n'arrive pas. A présent, si tu es prête, allons-y. Ton père nous attend.

En dépit de ses déclarations tonitruantes, Gwen avait les jambes en coton quand, aux côtés de Lily, elle avança dans le couloir qui menait à la chambre 302.

Elles passèrent devant des portes entrouvertes, derrière lesquelles des visiteurs anxieux s'efforçaient de tenir des propos encourageants aux malades. Il y eut un bref éclat de rire, trop vif cependant pour être sincère. Chaque chambre recelait son propre calvaire, ses propres souffrances.

Gwen devenait de plus en plus pâle à mesure qu'elles approchaient.

Lorsqu'elles atteignirent la chambre 302, la porte s'ouvrit d'elle-même, et une infirmière apparut, un flacon de sérum vide à la main.

Elle salua Lily.

— Ah, madame Young, votre mari vous attend. Et voici la sœur de Bud, j'imagine. Ton papa m'a beaucoup parlé de toi. Il est très fier de sa fille.

Sur ces mots, l'infirmière retourna vaquer à ses occupations.

Gwen passa la tête à l'intérieur de la pièce.

— Papa?

— Entre, ma chérie, entre.

Gwen se tourna vers sa mère, qui l'encouragea du regard. Elle entra. En apercevant son frère, elle se figea, les yeux écarquillés. Puis elle regarda son père.

— Viens, ma chérie, murmura-t-il en lui faisant signe d'approcher.

— On dirait... on dirait qu'il dort... comme s'il suffisait de le secouer pour le réveiller, dit Gwen quand elle fut près du lit. Est-ce que... est-ce que je peux le toucher?

— Oui, mais doucement, ma chérie, dit son père.

Elle passa tout doucement ses doigts sur le visage de Bud. Puis recommença. Aucune réaction.

— Vous ne le savez peut-être pas, mais Bud est très chatouilleux. C'est un secret. Nous avons des tas de secrets, lui et moi. Tiens, je vous parie que si... si je lui disais un de ces secrets, il m'entendrait et il réagirait.

Lily et Pepper échangèrent un regard indécis, ne sachant pas s'ils devaient l'encourager ou non. Mais Gwen prit les devants.

Elle se pencha au-dessus de Bud et lui chuchota quelque chose dans le creux de l'oreille.

Lily et Pepper l'observaient en silence. Ils n'avaient pas la moindre idée de ce qu'elle était en train de lui dire.

Au bout d'un moment, voyant que son frère ne réagissait pas, Gwen commença à s'impatienter. Ses murmures se firent de plus en plus pressants et elle se mit à rire nerveusement de ses propres blagues, jusqu'au moment où elle éclata en sanglots.

Lily la prit dans ses bras et l'entraîna à l'écart malgré ses protestations.

— Il ne se souvient de rien, dit Gwen. Il ne me reconnaît plus...

Pepper attira sa fille à lui et essuya ses larmes.

— Il faut du temps, ma chérie. Du temps, répéta-t-il, ne trouvant rien d'autre à lui dire.

— Mais s'il ne... allait demander Gwen, mais sa mère intervint.

— Il ne faut pas penser à cela, ma chérie. Nous n'y pensons jamais.

Le neuvième jour, comme elle en avait désormais pris l'habitude, Lily Young arriva à l'hôpital dès sept heures, de façon à passer le plus de temps possible auprès de son fils.

Les infirmières, qui en temps normal n'acceptaient pas volontiers ce genre d'intrusion matinale, firent pour une fois contre mauvaise fortune bon cœur.

Ce matin-là, Pepper Young reprenait le travail. Il se rendait au bureau où il devait prononcer le discours de nouvel an devant tout le personnel commercial de la compagnie. Chemin faisant il s'entraînait.

« 1995 est une nouvelle année. Mais c'est aussi le début d'une ère nouvelle. Car s'il est vrai que, globalement, notre économie se porte bien, les temps ont changé. La concurrence s'est renforcée sur tous les fronts. Et BCI ne veut pas se contenter de faire aussi bien que l'an passé, elle veut se tailler la part du lion. Et c'est possible. A condition d'aller chercher l'argent là où il se trouve. Vous allez me dire que ce n'est pas facile. Certes, mais je vous répondrai que ça ne l'a jamais été. Ce n'est pas en me roulant les pouces que je suis arrivé là où j'en suis aujourd'hui. J'ai commencé comme beaucoup d'entre vous au bas de l'échelle. En faisant du porte-à-porte. En relançant les clients. En les relançant sans cesse et... et quand j'ai débuté... »

Il commençait à perdre le fil. Des clichés, rien que des clichés. En temps normal, son enthousiasme et le récit de ses prouesses auraient suffi pour composer un discours susceptible de captiver son auditoire. Mais, ce matin, une pensée l'obsédait : *Ils vont m'écouter d'une oreille distraite en se demandant comment j'ose pérorer ainsi après ce que j'ai fait à mon fils.*

Pour la première fois de sa vie, il se sentit incapable de se rendre au bureau. Il s'arrêta dans une station-service pour prendre un café. Une fois à l'intérieur de la cafétéria, il réalisa qu'il n'avait pas envie de café. Ce qu'il voulait, non, ce qu'il lui fallait, c'était une bonne rasade de whisky. Pas question, il ne céderait pas. Il commanda un café dans lequel il mit beaucoup de sucre pour l'adoucir. Mais impossible de le boire.

Il sortit son portefeuille et fouilla frénétiquement parmi toutes les cartes de visite et les documents qui se trouvaient à l'intérieur, à la recherche d'un petit bout de papier. Il le trouva enfin et le déplia. Un nom : Hector, accompagné d'un numéro de téléphone.

Tout en remuant son café, il luttait intérieurement. Sans doute s'agissait-il d'un de ces moments critiques dont il était souvent question pendant les réunions des A.A. Il avait besoin d'un soutien moral. Il avait entendu dire qu'un simple coup de fil pouvait vous sauver de la rechute fatale. N'empêche qu'il avait bigrement envie d'un whisky. Rien qu'un seul. Juste de quoi trouver la force de se rendre au bureau pour prononcer ce satané discours.

Il jeta un regard autour de lui, à la recherche d'un téléphone. Il en avisa deux à l'autre bout de la salle, mais tous deux étaient occupés. Pepper se leva et alla attendre son tour. Au même moment, son regard tomba sur le bar, dont les enseignes lumineuses vantaient différentes marques de bière.

Fermement décidé à ne pas craquer, Pepper détourna les yeux, s'obligeant à écouter la conversation du routier qui était au téléphone. Le type discutaillait avec son expéditeur. Au bout de quelques minutes, qui semblèrent interminables à Pep, le type raccrocha en hurlant : « Va te faire foutre ! »

Pepper s'empara aussitôt du combiné comme d'une bouée de sauvetage. Tenant le papier d'une main, il composa le numéro.

La sonnerie retentit à l'autre bout de la ligne. Une fois, deux fois, trois fois. A la quatrième sonnerie, il entendit la voix d'Hector. C'était un répondeur. « Bonjour, vous êtes bien chez Hector. Désolé mais je ne peux pas vous répondre pour l'instant. Veuillez laisser votre nom et votre numéro de téléphone et je vous rappellerai dès que possible. Surtout ne vous découragez pas. Tenez bon jusqu'à mon retour. »

Pepper Young raccrocha, hésita un instant, puis, ayant trouvé l'excuse dont il avait besoin, se dit : *J'ai essayé. Dieu m'est témoin que j'ai essayé. Ce n'est pas ma faute s'il n'était pas là. D'ailleurs, je ne vais boire qu'un verre. Rien qu'un seul pour trouver la force d'aller jusqu'au bureau et de prononcer ce fichu discours.*

Il s'approcha du bar et commanda un bourbon. Au moment où le barman allait remplir son verre, il précisa :

— Double, s'il vous plaît.

Le garçon comprit immédiatement à quel genre de client il avait affaire.

Pepper descendit le double bourbon cul sec et prit une profonde inspiration. *Bon, maintenant je peux y aller* ! Mais il était incapable de partir. Il fit signe au garçon de le resservir. Un geste que le barman connaissait par cœur. Il lui servit aussitôt un autre verre, double, naturellement, et laissa la bouteille sur le comptoir.

Ce fut le hurlement de son propre klaxon qui le réveilla, ainsi qu'un coup sec frappé contre la vitre. Il releva la tête et vit le visage furibond d'un homme qui l'invectivait derrière la portière.

— Non mais ça va pas la tête !

Tout en émergeant lentement, Pep essaya de se rappeler ce qui s'était passé. Il avait bu un verre... ou deux... puis il se souvint vaguement d'une bouteille... et de rien d'autre. Il avait dû regagner sa voiture à l'aveuglette, et s'être assoupi sur son siège. Pour finir, il était tombé la tête sur le volant, et les hurlements du klaxon l'avaient réveillé.

Quelle heure... quelle heure est-il... ? Il jeta un coup d'œil à l'horloge digitale. *Seize heures quarante. Il fait déjà nuit. Ai-je passé la journée ici ? Et le bureau ? Est-ce qu'ils ont appelé ? Est-ce qu'ils me cherchent ? Et l'hôpital ? Lily ? Bud ?*

Il réussit tant bien que mal à s'extraire de la voiture et à regagner le bar. Une visite indispensable aux toilettes et il pourrait téléphoner.

Peut-être qu'un dernier bourbon... Non, il fallait qu'il téléphone d'abord. Il appela le bureau. Parla à Sheila, sa secrétaire.

— Dites à l'équipe que je suis vraiment navré. Une urgence à l'hôpital, ils m'ont demandé de venir.

— Bud... ça ne va pas ? demanda la secrétaire, affolée.

— Si... si, tout va bien maintenant, Dieu merci. Mais nous avons frôlé la catastrophe.

— Ah, bon, j'aime mieux ça. Je vais prévenir l'équipe. Je suis sûre qu'ils comprendront.

Ouf, de ce côté-là tout est arrangé. Mais quel mensonge indigne! Utiliser Bud comme excuse, et remercier Dieu de l'avoir sauvé d'une catastrophe qui n'a jamais eu lieu. Bien, à présent, l'hôpital. Et Lily.

Il dut s'y reprendre à trois fois pour composer le numéro et perdit deux pièces de monnaie par la même occasion. Mais il finit par y arriver. Ce fut Lily qui décrocha.

— Lil... chérie... je suis vraiment désolé, impossible de t'appeler avant. Le bureau est un vrai capharnaüm depuis que je suis parti...

Elle ne le laissa pas finir.

— Pepper! coupa-t-elle sèchement, avant d'ajouter à voix basse, comme si elle ne voulait pas qu'on l'entende : Tu n'étais pas au bureau!

— Tu as appelé là-bas? demanda-t-il, craignant qu'elle n'ait démoli du même coup son alibi.

— Tu sais très bien que je ne ferais jamais une chose pareille. Même si j'ai tort de te protéger.

— Écoute, je vais passer te prendre, et on va aller dîner...

— Pas question, dit-elle. Tu vas aller à ta réunion, et tu vas leur raconter ce qui s'est passé. Tu vas leur dire que tu t'es servi de ton fils comme excuse et que tu as cherché à me berner!

Puis elle lui raccrocha au nez et éclata en sanglots. Elle essuya furtivement ses larmes lorsqu'une infirmière entra dans la chambre sans prévenir.

Pepper Young retourna aux toilettes pour se passer un peu d'eau sur la figure. En voyant son reflet dans la glace, son col de chemise froissé, sa cravate de travers, ses yeux larmoyants, il fut pris de dégoût. Son propre regard semblait l'accuser, au nom de Bud, au nom de Lily, au nom de chaque personne dont il s'était servi.

Tout au long du trajet, il ne cessa de se répéter : *Il faut que je sois tombé bien bas pour en arriver à inventer des histoires aussi énormes. Mais cela ne se reproduira plus. Plus jamais.*

Lorsqu'il entra dans la salle de réunion, il sentit tous les yeux se tourner vers lui. Ils avaient deviné. Ils sentaient quand l'un d'eux avait flanché. Leurs regards le rebutèrent, mais, curieusement, il trouva la force de prendre la parole et de leur avouer dans les moindres détails ce qui s'était passé.

A la fin de la séance, Hector s'excusa de n'avoir pas été disponible quand il avait téléphoné. Il avait passé toute la journée avec un autre membre du groupe qui l'avait appelé à l'aide. Ce dernier traversait une passe difficile et était fortement tenté de recommencer à boire.

— J'ai réussi à l'en dissuader. Il va bien à présent. Mais en ce qui vous concerne, Willard, et du fait que votre problème risque de se prolonger pendant plusieurs semaines encore... voire plusieurs mois... je crois qu'il serait bon d'accélérer la procédure. Tenez, lui dit-il en lui remettant un petit document de deux pages.

Pep l'ouvrit et jeta un coup d'œil au titre : *Douze consignes.*

— C'est la bible des A.A. J'en ai entendu parler, dit-il.

— Compte tenu du problème particulier qui est le vôtre, je vous conseille d'étudier les consignes 8 et 9. Essayez de les mettre en pratique. Cela devrait vous aider.

Pepper Young sortit de la réunion avec la ferme intention de ne plus jamais recommencer. Puis il se souvint qu'il se faisait le même serment après chacune de ses cuites.

Lorsqu'il rentra à la maison, il fut soulagé de voir que Gwen et Lily étaient allées se coucher. Il n'aurait pas pu les regarder en face, même si Lily ne l'avait pas rabroué. Sa propre culpabilité était suffisante.

Il alla dans son bureau et se laissa tomber dans son fauteuil. Puis il alluma la lampe et étudia les consignes 8 et 9 comme le lui avait recommandé Hector.

8. Dressez la liste de toutes les personnes à qui vous avez fait du tort et à qui vous voudriez présenter des excuses.

9. Faites des excuses à ces personnes chaque fois que possible, sauf si vous savez que cela risquerait de les blesser ou de nuire à des tiers.

Pep considéra un moment le petit feuillet qui avait aidé tant d'individus à se sortir de l'enfer de l'alcool. Il se mit à faire une liste des gens à qui il avait fait du tort... sans oublier personne... et à qui il voulait faire des excuses... Lily ? Gwen ? Bud ?

Dans le cas de Lily ou de Gwen la chose était possible, mais comment aurait-il pu faire des excuses à Bud ?

Hector cherche-t-il à me punir d'avoir craqué ? Ne comprend-il pas que je souffre déjà suffisamment sans qu'il soit besoin d'en rajouter ?

Bon, voilà que ça recommence. Je m'en prends à Hector au lieu de m'en prendre à moi-même.

Il relut les consignes 8 et 9.

11

Le matin du dixième jour, de bonne heure, Lily Young se rendit comme d'habitude à l'hôpital.

Et, comme d'habitude, elle poussa la porte de la chambre 302 en s'écriant d'une voix enjouée :

— Bonjour, Bud. C'est maman !

S'il ne l'avait pas entendue hier, il l'entendrait peut-être aujourd'hui. Et s'il ne l'entendait pas aujourd'hui, il l'entendrait peut-être demain. Un jour... oui, un jour il se réveillerait et il l'entendrait.

Il lui sourirait, et le monde recommencerait à tourner comme avant. C'est pourquoi elle le saluait chaque matin d'un : « Bonjour, Bud. C'est maman ! »

Mais, alors qu'elle prononçait ce dernier mot, elle se figea, car l'espace occupé en temps normal par le lit de Bud était vide, le respirateur débranché, silencieux et immobile...

Son sang se glaça dans ses veines. Elle songea : *Il est mort... il est mort pendant la nuit.* Puis l'horreur fit soudain place à la révolte. *Pourquoi ne m'ont-ils pas prévenue ?... comment est-ce possible ?*

Lorsqu'elle retrouva enfin l'usage de la parole, elle se mit à hurler :

— Docteur Newman ! Je veux voir le docteur Newman ! J'exige de le voir immédiatement ! Où est-il ?

Ameutées par ses cris, infirmières et aides-soignantes accoururent de toutes parts.

Le docteur Newman, qui était en train d'examiner un patient à l'autre bout du service, sortit lui aussi précipitamment dans le couloir. Reconnaissant Lily Young au premier coup d'œil, il s'approcha d'elle. Au même moment, les portes de l'ascenseur s'ouvrirent et Pepper Young en sortit.

Lily l'accueillit avec un cri déchirant.

— Pep... Pep... il est parti... parti...

Pep s'élança vers elle et la prit dans ses bras.

— Là, là... pleure, ma chérie, cela fait du bien... pleure... dit-il en refoulant ses propres larmes.

Entre-temps, Newman les avait rejoints.

— Madame Young... il n'y a aucune raison de pleurer, dit-il.

— Bud est mort et il n'y a aucune de raison de pleurer?

— Comment? s'exclama Newman, ils ne vous ont pas prévenue? Bud a fait une pneumonie. C'est assez fréquent dans des cas comme celui-là. Nous avons jugé plus prudent de le renvoyer en service de soins intensifs. J'avais demandé à ce que vous soyez prévenue. Venez, nous allons le voir.

Newman prit doucement Lily par la main et l'entraîna. Une fois devant le box vitré, il lui dit :

— Le voici. Comme vous pouvez le voir, sa fréquence cardiaque est régulière. Je l'ai mis sous antibiotiques. D'ici quarante-huit heures la température devrait être tombée et tout devrait rentrer dans l'ordre.

Lily essuya ses larmes en hoquetant et jeta un regard suppliant à Newman.

— Mais oui, bien sûr, madame Young, vous pouvez entrer.

Elle se précipita aussitôt au chevet de son fils. Sachant qu'il fallait toucher le malade le moins possible, elle se contenta de lui effleurer légèrement la main. Le contact de sa peau douce et chaude la réconforta.

A l'extérieur du box, Newman dit à Pepper Young :

— Quand j'aurai fini ma visite, j'aimerais vous voir, ainsi que votre épouse.

Pep et Lily restèrent un long moment à observer Bud en silence. Au bout d'un moment, rassurés, ils commencèrent à parler.

— Tu n'es pas allé au bureau?

— Je n'ai pas pu. Il m'a semblé plus important d'être ici, expliqua-t-il.

— Mais que va dire Beecham?

— Il me doit bien ça... après tous les week-ends que j'ai passés à remonter le moral des troupes. Il me semble que j'ai le droit de souffler un peu. Sans quoi c'est moi qui vais craquer.

— Tu l'as dit à Beecham? demanda Lily.

— Non, mais je vais le faire, déclara Pepper d'une voix ferme. Mon fils passe avant tout.

Une jeune femme noire portant une sacoche à la main entra dans le box. Elle leur sourit en s'excusant poliment, puis se faufila jusqu'au lit de Bud. Sans dire un mot, elle commença à l'examiner.

Lily et Pep l'observèrent attentivement. Ils avaient vu faire ces tests plusieurs fois déjà et en connaissaient le déroulement par cœur. L'examen des yeux avec une lampe électrique. Les pincements. Les petites piqûres administrées à l'aide d'une aiguille. Les mots prononcés à voix haute dans l'oreille du malade.

Cette fois encore, comme toutes les précédentes, les réponses furent négatives. Lily se souvenait néanmoins parfaitement de la fois où une de ces jeunes femmes avait piqué Bud avec une aiguille et où sa jambe gauche avait légèrement tressailli. Aujourd'hui, cela ne s'était pas produit.

Quelque chose ne tourne pas rond. Son état se détériore, pensa-t-elle. *Il faut que j'interroge le docteur Newman à ce sujet!*

A peine étaient-ils entrés dans le bureau du médecin que Lily déclara de but en blanc :

— Inutile de nous cacher la vérité, docteur. Je sais que son état s'est aggravé. Je l'ai vu de mes yeux.

— Que pensez-vous avoir vu au juste, madame Young?

— Je ne « pense » pas l'avoir vu. Je l'ai vu. Et si vous ne me croyez pas, demandez à la jeune femme qui lui a fait ses premiers tests.

— Mais qu'avez-vous vu au juste? insista Newman.

— L'autre jour, quand on lui a piqué la jambe avec une aiguille, il a réagi. Et aujourd'hui, rien. Aucun mouvement. Pas la moindre réaction.

— Naturellement, confirma Newman. La pneumonie et les médicaments ont diminué ses réflexes. Je ne m'attendais pas à ce qu'il réagisse.

— Tu vois bien, Lily, dit Pep pour l'encourager, ce n'est pas aussi grave que tu le croyais.

— Bien, reprit le docteur Newman. Je crois que le moment est venu de faire le point. Je vais vous dire tout ce que je sais concernant l'état de votre fils. Ensuite, vous pourrez me poser toutes les questions qui vous préoccupent.

Pep se pencha légèrement de côté pour se rapprocher de Lily.

— L'état de Bud s'est stabilisé, continua le médecin. La pneumonie était une complication prévisible. Nous l'avons maîtrisée, et je pense qu'il va s'en remettre.

« Néanmoins, je ne vous cacherai pas que d'autres complications, plus graves, peuvent survenir. Une embolie, par exemple. Du fait que le patient est alité, il se pourrait qu'un caillot se forme et bouche une artère. Si le caillot remonte jusqu'au cœur, nous ne pouvons rien. De plus, lorsque le patient est sous perfusion, il y a toujours des risques d'infection. Nous prenons toutes les précautions nécessaires, mais cela ne suffit pas toujours. Ainsi, en cas d'hydrocéphalie — un afflux trop important de liquide céphalorachidien dans les cavités du cerveau —, il ne nous est pas toujours possible d'intervenir. Avez-vous des questions ?

Pepper Young demanda à brûle-pourpoint :

— Docteur, combien y a-t-il de chances... pour que... pour que ce genre de complications surviennent ?

— On ne peut pas raisonner en termes de « chances », répondit Newman. Chaque cas est différent. Nous avons beau prendre toutes les précautions, les complications survenant à la suite de traumatismes crâniens demeurent inexplicables.

« Néanmoins, il y a certains aspects de la pathologie que nous connaissons mieux. Ainsi, un patient qui passe le cap des premières soixante-douze heures de coma a de bonnes chances de rester en vie. Et Bud a largement dépassé ce cap. Ses derniers scanners sont encourageants.

« Bien, venons maintenant au problème du coma proprement dit. En règle générale, un patient qui sort du coma au cours de la première semaine a des chances non négligeables de guérir et de recouvrer presque toutes ses facultés physiques et mentales.

— Dans ce cas, il faut absolument le sortir de son coma ! s'écria Lily.

— Madame Young, nous n'avons aucun moyen de tirer un patient du coma. Nous pouvons lui parler pour essayer de susciter une réponse. Nous pouvons provoquer des stimuli sensoriels — pincer ou piquer le patient avec une aiguille —, lesquels peuvent entraîner des réponses-réflexes involontaires. Mais il n'y a que le patient lui-même qui puisse sortir de son coma, expliqua Newman à contrecœur.

— Docteur, dit Pep, vous nous avez parlé des patients qui émergeaient du coma au bout d'une semaine. Mais que se passe-t-il pour les autres ?

— Nous ne savons qu'une chose : plus le coma persiste et moins le patient est susceptible de s'en sortir, répondit simplement Newman.

— Mais alors, que suggérez-vous ? demanda Pepper.

— Il faut attendre, dit Newman avec gravité. Attendre.

Le menton de Lily se mit à trembler. Pep crut qu'elle allait se mettre à pleurer. Mais elle redressa la tête, fermement décidée à ne pas s'effondrer.

— Il me semble, conseilla Newman, que vous devriez faire plus ample connaissance avec le docteur Curtis. C'est elle qui va prendre le relais désormais.

— Vous voulez dire que vous avez renoncé ? s'écria Lily.

— Non, bien sûr que non. Mais en tant que neurochirurgien je ne peux plus rien pour votre fils. Il a besoin d'un autre type de traitement à présent.

— De quoi s'agit-il au juste ? demanda Pep, que ce changement n'enchantait guère, car lui et sa femme avaient appris à apprécier le docteur Newman et le tenaient en haute estime.

— Le docteur Curtis est physiothérapeute. C'est une spécialité relativement nouvelle.

— Physio... thérapeute... ? répéta Pep.

— Le physiothérapeute supervise toute la partie postopératoire de A jusqu'à Z. Il se charge de la rééducation des patients victimes de traumatisme.

— De la rééducation ? s'écria Lily, de nouveau affolée.

— Je pense qu'elle saura vous l'expliquer mieux que moi, dit Newman. Je vais lui demander un rendez-vous. (Il décrocha le téléphone et enfonça une touche.) Phyllis ? Newman à l'appareil. Je suis avec M. et Mme Young. Oui, oui, le jeune homme que vous avez vu ce matin. Pourriez-vous les recevoir... tout de suite ? Parfait. Je vous les envoie immédiatement.

Newman griffonna un numéro de salle sur son bloc-notes, puis déchira la page et la tendit à Pep.

— Docteur, demanda Pep, au cas où, par hasard, nous... nous voudrions vous parler?

— Je suis à votre disposition. Je vais suivre Bud tout au long de sa rééducation.

En entrant dans le bureau du docteur Curtis, Pepper reconnut la jeune femme qui avait examiné Bud juste après son opération. En la voyant à nouveau, sa première pensée fut : *Elle est beaucoup trop jeune. Elle n'a pas assez d'expérience. Newman a dit qu'il s'agissait d'une spécialité relativement nouvelle. Peut-être est-ce pour cela qu'elle est si jeune? J'aurais tout de même préféré quelqu'un de plus mûr, et un homme si possible. Enfin, puisque Newman nous l'a chaudement recommandée, nous verrons bien.*

— Monsieur et madame Young, je suppose, dit le docteur Curtis en désignant deux chaises devant son bureau.

Frêle et de petite taille, elle paraissait plus jeune que ses trente-quatre ans. Cependant, elle parlait avec beaucoup d'assurance.

— Vous allez certainement entendre toutes sortes de rumeurs, des choses du style : le cousin de mon cousin a eu le même genre d'accident, et un médecin l'a guéri avec un remède miracle. Je vous déconseille vivement de prêter foi à ce genre de balivernes.

« La rééducation est un travail de longue haleine. Les progrès ne se font que très lentement. Quant aux miracles, ils n'arrivent qu'à la télévision.

« Il va falloir vous armer de patience... de beaucoup de patience, insista la jeune femme.

— Je suis prête à m'armer de patience s'il rouvre les yeux... ou s'il prononce un mot, rien qu'un mot... dit Lily.

— Madame Young, la patience consiste précisément à attendre qu'il rouvre les yeux. Nous avons des techniques pour l'aider, mais ce ne sont que des pis-aller. Il n'y a que le patient lui-même qui puisse sortir de son coma.

— N'y a-t-il rien que nous puissions faire pour lui...? insista Lily.

— Si, bien sûr. Ce que vous faites déjà, en venant à l'hôpital, en passant du temps avec lui, en coopérant avec nous, en nous fournissant des informations utiles à son sujet — les choses qu'il aime ou qu'il n'aime pas — afin que nous essayions de susciter des réactions chez lui. Et puis il y a autre chose... (Le docteur Curtis fit une pause pour donner plus de poids à ce qu'elle allait dire.) Une chose que vous ne devez absolument pas faire : nous tenir pour responsables en cas d'échec. Nous ne sommes pas comme les chirurgiens à qui il suffit d'opérer pour remettre les choses en place. Nous ne prescrivons pas non plus de médicaments qui, à plus ou moins long terme, assurent la guérison du malade. Nous naviguons à vue. Le cerveau est un organe dont nous ne connaissons pas encore complètement le fonctionnement. Donnez-nous du temps. Coopérez avec nous. Et, surtout, comprenez que nous faisons tout ce qui est en notre pouvoir, dans les limites des connaissances actuelles de la science, bien entendu. Pour ma part, je vous ferai une promesse en retour : nous ne ménagerons aucun effort pour aider votre fils à recouvrer un maximum de ses facultés physiques et mentales.

Ils crurent qu'elle en avait fini, mais elle ajouta soudain :

— Autre chose, j'ai chargé Marcia Ethridge de suivre votre fils. C'est une personne très compétente. Et elle sera aussi franche avec vous que je l'ai été moi-même.

A présent, Pepper Young avait une tout autre opinion du docteur Phyllis Curtis. En parlant ainsi, elle avait forcé son respect.

12

Il y avait déjà plusieurs jours que Bud avait quitté le service de soins intensifs pour réintégrer la chambre 302.

Sitôt après avoir expédié Pepper au bureau et Gwen à l'école, Lily Young se rendit à l'hôpital. Elle entra dans la chambre de Bud en s'écriant :

— Bonjour, Bud, c'est mam...

Mais elle n'acheva pas sa phrase, car elle tomba nez à nez avec la jeune métisse qui avait examiné son fils quelques jours auparavant. Penchée au-dessus de Bud, celle-ci était en train de faire tourner son bras droit selon un lent mouvement rotatoire. La silhouette compacte et musclée de la jeune femme trahissait une force et une agilité physiques considérables.

Cette rencontre inattendue provoqua chez Lily une réaction inhabituelle.

— Qui êtes-vous? Et que faites-vous à mon fils?

La jeune femme fit tourner une dernière fois le bras de Bud avant de répondre à Lily.

— Je suis Marcia Ethridge. Le docteur Curtis ne vous a pas prévenue?

— Eh bien, si... elle a mentionné une certaine Marcia Ethridge... mais je ne m'attendais pas à trouver...

— Une Noire?

Désarçonnée par une réplique aussi directe, Lily se récria.

— Oh, mais non, je... je voulais dire quelqu'un d'aussi jeune. Vous ne semblez guère avoir plus de vingt-trois ou vingt-quatre ans...

— Vingt-sept, rectifia la jeune femme.

— Oh, mais vous faites beaucoup plus jeune, fit remarquer Lily. Ainsi donc, c'est vous qui allez tirer mon Bud de son coma.

— Madame Young, je ne peux vous promettre qu'une chose : je vais faire tout ce que je peux pour aider votre fils à sortir du coma. En attendant, nous devons faire travailler ses muscles de façon à le garder dans la meilleure forme physique possible.

— Et c'est ce que vous êtes en train de faire, c'est ça?

— Oui, acquiesça Marcia en reprenant ses exercices. Elle abaissa le drap et commença à faire faire à Bud une série de flexions de la jambe gauche. Puis elle fit la même chose avec la jambe droite.

— Ce n'est que le début, expliqua-t-elle à Lily. Il faut y aller progressivement. Un peu à la fois, mais plusieurs fois par jour.

Elle avait espéré que Lily saisirait la perche qu'elle était en train de lui tendre, mais, voyant qu'elle ne réagissait pas, Marcia Ethridge se sentit obligée d'ajouter :

— En regardant attentivement vous finirez par apprendre.

Une expression de profonde perplexité se peignit sur le visage de Lily.

— Madame Young, il se peut qu'un jour vous soyez appelée à faire la même chose. Lorsque Bud sortira de l'hôpital, par exemple.

— Lorsqu'il sortira... allait demander Lily quand elle réalisa soudain : Vous voulez dire... qu'ils vont le laisser sortir de l'hôpital alors qu'il est encore dans le coma?

— Ce n'est pas impossible, confirma Marcia. Si nous sommes débordés. Cela nous ôterait un poids si vous pouviez prendre de temps à autre le relais. Les gens s'esquintent à une telle cadence de nos jours que nous n'avons pas le temps de former suffisamment de spécialistes.

Pendant près d'une demi-heure, Marcia Ethridge fit travailler les bras et les jambes de Bud, en les soulevant l'un après l'autre et en leur imprimant les mouvements qu'ils auraient faits en temps normal. Lily observait attentivement chacun de ses gestes, prenant mentalement note de la façon dont la jeune femme procédait.

Lorsque Marcia eut remonté le drap de Bud et se fut assurée que les perfusions étaient bien en place, Lily pensa qu'elle avait fini.

— Vous faites ça tous les matins? demanda-t-elle.

— Deux fois par jour. Et parfois plus quand les infirmières n'ont pas le temps de s'en occuper. C'est très important. Cela permet d'entretenir les muscles et d'éviter les infections pulmonaires. Les patients dans le coma qui ne font aucun exercice sont sujets à la pneumonie.

— On me l'avait déjà dit, expliqua Lily, avant d'ajouter, croyant que la jeune femme avait terminé : Merci pour votre aide. Je vous promets que je vais apprendre. A quelle heure pensez-vous revenir?

— Oh, mais je n'ai pas fini.

La jeune femme se retourna et prit une sacoche noire, qu'elle posa sur la table de chevet.

Sous l'œil intrigué de Lily, elle en sortit une douzaine de compresses ainsi que plusieurs petites fioles de différentes couleurs. Lorsqu'elle ouvrit la première fiole, une violente odeur d'ail se répandit brusquement dans la pièce.

Marcia trempa une compresse dans l'extrait d'ail et l'approcha du nez de Bud en la promenant lentement d'avant en arrière, afin de permettre au patient de réagir à l'odeur, si toutefois il en était capable.

Il n'eut aucune réaction. Pas le moindre mouvement ni la moindre grimace.

Lily ne put s'empêcher de demander :

— Comment se fait-il... qu'une odeur aussi forte... ?

Voyant sa déception manifeste, Marcia songea soudain que Newman et Curtis n'avaient peut-être pas été assez clairs dans leurs explications. A moins qu'ils l'aient été et que Lily n'ait pas voulu entendre ce qu'ils avaient à dire.

Tout en continuant à présenter différents flacons à Bud, Marcia expliqua :

— Voyez-vous, madame Young, notre premier objectif est de rendre le patient réceptif à nos stimulations. Il n'y a qu'une façon d'y parvenir : solliciter ses sens.

— Comme l'odorat...

— Oui, et le toucher, le goût et l'ouïe. En espérant que l'un de ces sens va réagir.

— En espérant... répéta gravement Lily.

Marcia essaya de l'encourager.

— Parfois cela arrive. Il se peut aussi que toutes nos tentatives échouent...

— Comme c'est le cas présentement, fit remarquer Lily, tandis que Marcia rebouchait la dernière fiole, de laquelle s'échappait une odeur chimique particulièrement nauséabonde.

— Oui, fut forcée de reconnaître Marcia, comme c'est le cas présentement. Mais nous n'avons échoué qu'avec l'odorat. Et nous avons encore une longue route à parcourir.

Sur ces mots, elle quitta la chambre, pour revenir quelques minutes plus tard avec un petit seau de glace et un plateau en acier sur lequel reposait un objet inconnu de Lily. On aurait dit une sorte de petite bouée de sauvetage en liège, à ceci près qu'il s'en dégageait une abondante vapeur qui laissait supposer que l'objet était brûlant. Au moyen de pinces, Marcia le souleva et l'enveloppa successivement dans trois épaisses serviettes.

Puis elle posa le tout sur la poitrine de Bud, dont elle prit le bras pour le mettre dessus.

— Attention ! s'écria Lily. Il est très sensible à la chaleur. Vous allez le brûler.

Mais bien vite, hélas, elle constata que la chaleur intense ne provoquait pas la moindre réaction chez son fils. Bud ne fit pas le moindre geste pour essayer d'ôter son bras.

Marcia répéta deux fois le même exercice. En vain. Bud ne réagissait pas. Elle passa ensuite à un autre test, qui consistait à apposer des glaçons sur différentes parties du corps : les bras, les jambes et même l'aine, zone particulièrement sensible.

Elle n'obtint aucun résultat. Pas le moindre mouvement d'hostilité ou de rébellion.

— Rien... murmura Lily. Absolument rien...

Imperturbable, Marcia Ethridge se lança ensuite dans une série de stimuli physiques. Elle le pinça, le piqua avec une aiguille, lui comprima fortement le bout des doigts. Sans succès.

Voyant que la mère du patient commençait à perdre son sang-froid, Marcia décida de changer de tactique. Elle avait le choix entre la renvoyer de la chambre ou l'inviter à coopérer. L'expérience lui avait appris que les parents qui secondaient activement le thérapeute surmontaient généralement mieux leur désarroi que ceux qui se contentaient d'observer sans réagir.

— Madame Young, pouvez-vous me rendre un service ?

— Mais bien sûr. Tout ce que vous voudrez, si j'en suis capable, s'empressa de répondre Lily.

— Pouvez-vous venir ici ? Approchez-vous aussi près que possible de Bud. Placez votre bouche contre son oreille et dites à voix haute : « Bud, le dîner est prêt ! »

— Le dîner est prêt ? demanda Lily perplexe.

— *Bud*, le dîner est prêt, rectifia Marcia.

Lily fit ce qu'on lui demandait. Elle posa sa joue contre celle de son fils de façon que ses lèvres soient le plus près possible de son oreille.

— Bud, le dîner est prêt !
— Plus fort, dit Marcia.
— Bud, le dîner est prêt ! !
— Encore plus fort, insista Marcia.
— Bud, le dîner est prêt ! ! ! hurla Lily, avant de se relever en disant : J'espère que je n'ai pas ameuté tout le service.
— Ça n'a pas la moindre importance, la rassura Marcia afin de ne rien laisser paraître de sa propre déception.
Elle craignait qu'il ne s'agisse d'un de ces cas de coma dépassé qui résistent à toutes les tentatives et finissent de façon dramatique.

Penchée au-dessus du patient, elle se mit à frapper violemment dans ses mains. Elle répéta cet exercice six fois de suite. Six claquements de mains explosifs qui restèrent sans effet.

Plongeant une fois de plus la main dans sa sacoche, elle en sortit une cloche à vache qu'elle agita directement au-dessus de la tête de Bud. Toujours pas de réaction.

Lily, qui l'observait en silence, sentit tous ses espoirs s'envoler en fumée. Marcia, en revanche, ne semblait nullement abattue. Au contraire, chaque nouvel échec semblait la stimuler. Elle fouilla à nouveau dans sa sacoche et en ressortit une crécelle comme celles qu'on agitait le soir du nouvel an et qui produisaient un vacarme infernal. Elle se mit à la faire tournoyer énergiquement au-dessus de la tête de Bud, produisant un bruit assourdissant.

Cette fois, il va sûrement réagir, songea Lily. Mais Bud demeurait inerte, impassible, ne répondant qu'au stimulus du respirateur artificiel qui l'aidait à respirer de façon lente et régulière.

La thérapeute sembla enfin s'avouer vaincue. Mais ce n'était que partie remise, car elle demanda :
— Madame Young, quel est le plat favori de Bud ?
— Son plat favori ? demanda Lily, désarçonnée par cette question dont le manque de pertinence la choqua.

— N'y a-t-il pas un plat qu'il aime particulièrement et qui le fait s'exclamer : « Humm, ça sent bon, qu'est-ce que tu as fait pour dîner ? »

— Il y en a plusieurs... Certains sont des plats tout simples, mais il prétend que je les prépare mieux que personne, répondit Lily.

— Comme quoi, par exemple ?

— Comme mes biscuits au chocolat. Quand j'en fais, il les sent à des kilomètres.

— Eh bien, vous allez en faire !

— Comment ? s'exclama Lily.

— Avant de venir demain, préparez quelques biscuits au chocolat. En doublant les doses de chocolat et de vanille, les ingrédients qui donnent aux biscuits cet arôme auquel il est si sensible. Et amenez-en quelques uns avec vous.

— Vous pensez que les biscuits au chocolat peuvent le faire revenir à lui ?

— Madame Young, si nous savions ce qui peut le faire revenir à lui, nous le ferions. Mais nous ne le savons pas. C'est pourquoi nous devons essayer tout ce qui est susceptible de provoquer une réaction. Des odeurs familières, des bruits, des mots, des chansons. N'importe quoi.

— Des chansons... répéta Lily, rêveuse. Il y a l'hymne de son école. Et son groupe de rock...

— Un groupe de rock ? l'interrompit Marcia. Bud joue dans un groupe de rock ?

— Oh, ce ne sont pas des professionnels. Juste des garçons de sa classe, expliqua Lily.

— On s'en contentera, fit Marcia. Croyez-vous qu'ils accepteraient de venir ?

— Certainement. Ils feraient n'importe quoi pour Bud, précisa fièrement Lily.

— Dans ce cas, dites-leur de venir avec tout leur matériel. Guitares, synthés, amplis et tout le fourbi, dit Marcia, littéralement transportée d'enthousiasme.

— Je suis sûre de pouvoir les faire venir d'ici un jour ou deux.

— Et s'il y a autre chose qui pourrait le faire réagir, par l'odorat, le toucher, l'ouïe...

— Je vais y réfléchir, promit Lily.

— Madame Young... si je puis me permettre... mais surtout ne le prenez pas mal. Rester assise ici du matin au soir ne sert à rien. Et puis, vous avez certainement d'autres obligations familiales.

— Mais s'il se réveille et qu'il n'y a personne... protesta Lily.

— Madame Young, s'il sort de son coma, je vous promets de vous en avertir dans la minute qui suivra, dit Marcia, en ajoutant avec le plus de tact possible qu'une telle éventualité était hautement improbable dans l'immédiat.

Les yeux bleus de Lily croisèrent un instant les yeux bruns de Marcia. Elles échangèrent un regard que seules deux femmes peuvent comprendre. L'une s'efforçant de dire : *Cela ne sera pas facile, ni rapide, mais je vous promets de faire tout ce que je peux.* Et l'autre répondant : *Je comprends. Même si j'ai du mal à l'accepter. Et je sais que vous faites de votre mieux.*

Lily dit doucement :

— Je... (Elle se pencha au-dessus de son fils et déposa un baiser sur sa joue fraîche.) Je reviendrai cet après-midi.

— Très bien, approuva Marcia.

Lily alla à la porte, puis s'arrêta et se retourna comme si elle avait changé d'avis. Mais Marcia l'encouragea d'un petit hochement de tête.

Une fois seule avec son patient, la jeune femme se laissa aller à ses réflexions : *Ce beau jeune homme au seuil de la vie — quel dommage!* Elle connaissait le pronostic. Il n'était pas fameux. Depuis quatre ans qu'elle faisait ce métier, quatre longues années d'un travail rigoureux — même si aux yeux de certains c'était peu de chose —, elle avait vu des patients qui n'étaient jamais sortis du coma et dont les familles avaient fini par supplier les médecins de débrancher les appareils qui les maintenaient artificiellement en vie.

Lorsque cela se produisait, Marcia Ethridge rentrait chez elle la mort dans l'âme. Elle se regardait dans la glace et se demandait : *Pourquoi continuer à faire ce métier? Pourquoi ne pas m'engager dans une autre voie?*

Au lieu de trimer du matin au soir dans un service hospitalier, je pourrais faire de la médecine scolaire. Je serais mieux payée et je ne travaillerais que neuf mois par an au lieu de douze.

Ou bien je pourrais créer ma propre clinique d'amaigrissement. Ce serait un travail moins pénible et beaucoup plus lucratif.

De nos jours plus une chose est inutile et plus elle rapporte.

Cependant, pour Marcia, chaque nouveau patient était un défi. Et elle en avait déjà ramené suffisamment à la vie pour considérer que ses efforts n'étaient pas vains.

Elle reviendrait s'occuper de Bud dans l'après-midi. Et le lendemain. Et le surlendemain... et le jour suivant... Et mieux valait ne pas penser à l'échec possible.

Il n'y avait qu'une seule chose qui comptait : sortir coûte que coûte ce jeune homme du coma.

13

En dehors de Bud, Marcia avait six autres patients : un vieux monsieur de soixante-sept ans qui avait été victime d'une crise cardiaque ; un jeune homme de vingt-six ans dont la moto avait dérapé sur une plaque de verglas et percuté un poteau électrique ; un couple victime d'un accident de la route survenu trois semaines plus tôt ; une jeune femme qui se retrouvait partiellement paralysée à la suite d'une embolie ; et un petit garçon de quatre ans qui était tombé accidentellement du cinquième étage de son immeuble.

Le petit était toujours dans le coma, de même que l'une des deux victimes de l'accident de la route. Mais les autres étaient en voie de guérison, tous ayant encore une longue route à parcourir avant de pouvoir retrouver leur autonomie.

Après leur avoir prodigué ses soins, Marcia revint au chevet de Bud. Dès qu'elle ouvrit la porte de la chambre 302, elle sut que Mme Young était de retour. Assise au chevet de Bud, le corps tendu dans une attitude farouche, elle tenait sur ses genoux un sac en plastique transparent rempli de biscuits au chocolat.

A en juger par l'arôme qui s'en dégageait et embaumait toute la pièce, elle n'avait pas lésiné sur les doses de vanille et de chocolat.

— Re-bonjour, madame Young! lança gaiement Marcia pour détendre l'atmosphère.

Mais, au lieu de lui rendre la politesse, Lily Young s'écria sur un ton de reproche :

— Ça n'a pas marché!

— Qu'est-ce qui n'a pas marché?

— J'ai fait exactement ce que vous m'aviez demandé. J'ai doublé les doses de vanille et de chocolat. Mais ça n'a pas marché.

— Comment le savez-vous?

— J'ai essayé. Je les lui ai mis sous le nez pendant plusieurs minutes. Ensuite, je les ai brisés pour laisser échapper l'arôme. Mais ça n'a rien donné.

— Laissez-moi essayer, dit Marcia, qui savait pertinemment qu'elle n'avait guère plus de chances de réussir.

Saisissant un biscuit, elle le mit sous le nez de Bud. L'espace d'un instant, elle crut détecter une légère réaction, mais comprit bien vite que ce n'était qu'une illusion.

— Je crains que vous n'ayez raison, madame Young. Ça ne marche pas, dit-elle en songeant : *C'est le moment ou jamais de mettre les pendules à l'heure*. Madame Young, vous ne devez surtout pas prendre mes suggestions pour des gages de réussite. Je ne vous ai fait aucune promesse. Il faut essayer, essayer et essayer encore jusqu'au jour où, je l'espère, nous obtiendrons des résultats. Au fait, avez-vous réussi à joindre le groupe de rock?

— Ils seront là à quatre heures, sitôt après la fin des cours.

— Parfait! dit Marcia avant de se lancer dans une série de manipulations, Lily l'observant attentivement, à l'affût d'une réaction de la part de Bud.

Marcia était en train de lui pincer vigoureusement le bout des doigts quand on frappa un coup à la porte. Puis un jeune homme demanda d'une voix timide :

— Madame Young?

Quatre jeunes gens se tenaient dans le couloir. Ils

avaient apporté leurs amplis, une guitare et un clavier. Tous les quatre arboraient des jeans délavés et troués aux genoux, ainsi que des tee-shirts d'un goût assez douteux. Le chef du groupe portait une queue-de-cheval retenue par un élastique rouge.

Ils entrèrent sans un mot, en marchant sur la pointe des pieds et en regardant Bud à la dérobée, comme si le seul fait de poser les yeux sur lui avait constitué une intrusion.

— On peut brancher le matos, m'dame ? interrogea le garçon à la queue-de-cheval.

— Bien sûr, dit Marcia. Vous êtes venus pour cela, il me semble.

Lorsqu'ils eurent déballé et branché tout leur matériel, le chef demanda :

— Et maintenant, qu'est-ce qu'on fait ?

— Vous connaissez les airs préférés de Bud ?

— Il y en a au moins une dizaine. Il aime quand ça déménage.

— Dans ce cas, allez-y. Et n'ayez pas peur de mettre la gomme, ordonna Marcia.

— Vous êtes sûre ? On est quand même dans un hôpital, fit remarquer le chef.

— J'ai dit : Mettez la gomme !

— Bon, bon, très bien, fit le garçon tout en battant la mesure pour donner le départ à ses musiciens.

Dès les premières notes, Lily crut que ses tympans allaient se rompre. Mais Marcia hochait la tête en rythme pour les encourager, tout en regardant du côté de son patient pour voir si ce tintamarre le faisait réagir. Ils jouèrent quatre airs d'affilée sans obtenir le moindre résultat. Juste au moment où ils reposaient leurs instruments pour demander s'ils devaient continuer, on frappa un coup vigoureux à la porte.

Marcia ouvrit et se retrouva nez à nez avec le docteur Phyllis Curtis.

— Marcia, voulez-vous sortir un instant? ordonna la jeune femme sur un ton comminatoire.

Une fois dans le couloir, Phyllis demanda :

— Pouvez-vous m'expliquer la raison de ce vacarme? Nous avons reçu des plaintes. Il paraît qu'on vous entend jusqu'au troisième étage.

— Stimulation auditive en vue de susciter une réaction chez le patient, répondit calmement Marcia.

— Votre zèle vous honore, même si, personnellement, je n'apprécie guère cette musique de sauvages, dit le docteur Curtis d'une voix courroucée et suffisamment forte pour être entendue des infirmières et des visiteurs qui étaient sortis dans le couloir. (Puis, abaissant la voix, elle ajouta :) Avez-vous obtenu des résultats?

— Aucune réaction visible, malheureusement.

— Essayez encore. Je serai à nouveau obligée de faire semblant de vous rappeler à l'ordre, mais c'est une excellente initiative, et qui mérite d'être menée à son terme.

Les quatre musiciens jouèrent un autre morceau, toujours à plein volume, en espérant susciter une réponse de la part de Bud. Mais rien ne se produisit, et, lorsqu'ils arrivèrent à la fin du morceau, ils comprirent qu'ils avaient échoué une fois de plus.

Tout en rangeant leur matériel, ils se répandirent en excuses.

— Désolé, madame Young. Si Bud n'a pas réagi à ce morceau, je crois bien qu'il ne... commença l'un d'eux.

Puis, réalisant brusquement qu'il venait de faire une gaffe, il devint écarlate et se mit à bredouiller : Je crois bien que... qu'il ne réagira pas aujourd'hui.

— Merci d'être venus, les enfants. Vous avez fait du bon travail, leur dit Lily malgré son immense déception.

Lorsqu'elles furent à nouveau seules, Marcia s'efforça de lui redonner courage.

— Madame Young, il faut garder la tête froide et persévérer. Nous ferons de nouvelles tentatives demain.

— Combien de temps...?

— Je l'ignore, malheureusement, avoua Marcia. Nous avançons à tâtons.

Pepper entamait sa deuxième semaine chez les A.A. Ce soir-là, plusieurs membres du groupe étaient absents et il y avait deux nouvelles têtes. La séance se déroula selon le même rituel que chaque soir.

Les membres du groupe se nommèrent chacun leur tour. Un à un, ils reconnurent leur difficulté à s'arrêter de boire, puis relatèrent les circonstances tragiques et parfois sordides qui les avaient poussés à rechercher le soutien des Alcooliques Anonymes. Une femme raconta qu'elle avait rechuté puis qu'elle s'était reprise en main et avait décidé de revenir dans le groupe.

Juste au moment où Pepper pensait que la séance était terminée sans qu'il ait eu à prendre la parole, Hector se leva et demanda, en le regardant droit dans les yeux :

— Y a-t-il quelqu'un d'autre qui ait pris des résolutions et qui souhaiterait nous en parler?

Furieux de se sentir ainsi visé ouvertement par Hector, Pep répliqua sèchement :

— En ce qui me concerne, je crains malheureusement de ne pas pouvoir suivre les consignes.

— En êtes-vous sûr? Pensez-vous que la personne que vous avez blessée refusera vos excuses? C'est une rengaine que nous entendons fréquemment. Mais jusqu'ici nous n'avons encore jamais vu personne refuser des excuses sincères et venues du fond du cœur.

Plusieurs membres du groupe acquiescèrent, en se basant sur leur propre expérience.

Pepper se sentit obligé de se justifier.

— Mon cas est particulier. Croyez-moi, je ne dis pas cela pour me défiler. Il m'est impossible de faire des excuses à la personne à laquelle je songe.

— Et pour quelle raison? demanda l'un des membres du groupe qui semblait particulièrement contrarié par l'entêtement de Pepper.

La femme qui s'était approchée de Pepper à l'issue de la première séance intervint pour prendre sa défense.

— Il y a du vrai dans ce que dit Willard. Son cas ne ressemble à aucun autre.

— Moi aussi! s'écria quelqu'un, j'ai eu du mal à reconnaître mes erreurs et à faire des excuses à mon fils que je n'avais pas vu depuis six ans. D'abord, il a fallu que je le retrouve et, ensuite, que j'arrive à le convaincre de m'écouter. Il ne voulait plus me voir à cause des choses que je leur avais faites, à lui et à sa mère, quand j'étais soûl. La situation de Willard ne peut pas être pire que la mienne.

— Pourtant, je vous assure... insista la femme qui avait pris la défense de Pepper.

Mais Pepper se leva.

— Bien, je crois qu'il est inutile de tourner plus longtemps autour du pot, déclara-t-il. Je suis prêt à me mettre à genoux pour demander pardon à mon fils, mais il ne peut pas m'entendre. Non pas parce qu'il refuse de m'écouter, mais parce qu'il est dans le coma, à cause de moi. Et s'il ne peut pas m'entendre, il ne peut pas me pardonner.

Le président de séance réfléchit mûrement à l'explication de Pepper avant de répondre :

— La question est de savoir ce qui est le plus efficace d'un point de vue thérapeutique. Reconnaître ses torts? Ou se faire pardonner? Je pense que nous devrions laisser à Willard le soin d'en décider tout seul.

Sur ces mots, il mit fin à la séance.

Mais, pour Pepper, le calvaire ne faisait que commencer.

Plusieurs jours s'étaient écoulés depuis cette réunion des A.A. Le défi lancé par Hector ne cessait de hanter Pepper. Lorsqu'il était au bureau ou qu'il prenait la parole devant ses collaborateurs, il y pensait, et même lorsqu'il déjeunait en compagnie de Beecham. Celui-ci était alors obligé de le rappeler à l'ordre.

— Pep, vous m'écoutez?

— Euh, oui, bien sûr, répondait-il, embarrassé.

Le plus pénible, c'était le soir, quand il se rendait à l'hôpital après une journée de travail particulièrement rude.

Comme toujours, il trouvait Lily assise au chevet de Bud. On aurait dit qu'elle ne le quittait jamais des yeux. Elle l'observait, le scrutait, l'étudiait sans cesse, à l'affût du moindre signe, de la moindre réaction.

Il y avait des fois où, en entrant dans la chambre de Bud, il avait l'impression qu'elle allait le traîner dans la boue.

Mais cela ne se produisait jamais.

Chaque soir, il essayait de la convaincre de descendre à la cafétéria pour se changer un peu les idées. Mais elle refusait catégoriquement. Elle restait clouée sur sa chaise à tricoter avec des gestes mécaniques, sans quitter un seul instant son fils des yeux.

La veille, après lui avoir proposé une fois de plus de faire une pause et essuyé un refus, il avait réalisé pour la première fois que l'entêtement de Lil était en fait pour lui un soulagement.

Cette idée l'avait poursuivi tout au long de la soirée et réveillé au beau milieu de la nuit. Pourquoi était-il soulagé lorsqu'elle refusait de quitter la chambre? Parce qu'ainsi il ne se retrouvait pas seul avec Bud.

La présence de Lily était une bonne excuse pour ne pas parler à Bud, et donc pour ne pas reconnaître ses torts.

Cette fois, il décida de prendre le taureau par les cornes. Il se rappela les paroles du juge, prononcées dans un autre contexte : on ne *trouve* pas le temps, on le *prend*.

En arrivant à l'hôpital, il posa un baiser sur la joue de Bud, comme il le faisait chaque soir. Puis il embrassa Lily et lui glissa à l'oreille :

— Lily! Ce soir, je tiens absolument à ce que tu descendes à la cafétéria.

— Mais je n'ai pas faim, protesta-t-elle.

— Vas-y quand même! dit-il sur un ton autoritaire qui ne lui était pas habituel.

— Pep? fit-elle, attendant une explication.

— Je voudrais être seul avec mon fils.

— Ah, non! s'écria-t-elle. Je sais exactement ce que tu as en tête.

— Vraiment? s'étonna Pepper en se demandant comment elle pouvait savoir.

— Le répondeur téléphonique est plein de messages d'amis ou de gens que tu ne connais même pas et qui prétendent détenir une recette miracle pour sortir Bud du coma. Et tu voudrais essayer pour voir si ça marche. Mais il n'en est pas question! J'appellerai Marcia Ethridge à l'aide, s'il le faut. Ou le docteur Curtis. Il est hors de question que tu te livres à des expériences sur mon fils!

— Lily... Lily... calme-toi. Il ne s'agit absolument pas de cela.

— Dans ce cas, pourquoi tiens-tu absolument à rester seul avec lui?

— Je... euh...

Il ne savait comment le lui avouer. Il craignait que sa démarche ne lui paraisse bizarre. Cependant il n'avait pas le choix.

— Je voudrais parler avec Bud, dit-il simplement.

— Parler avec Bud? Mais je ne fais que ça. Et Marcia aussi, du reste. Mais ça ne change rien. Tu peux me croire, ça ne marche pas.

Voyant qu'elle était sur le point de pleurer, il ajouta à voix basse :

— Lil... cela fait partie de mon traitement.

— Chez les A.A.?

— C'est une chose que je dois faire et qui ne regarde que mon fils et moi. S'il te plaît, Lil...

Sans un mot, Lily Young s'arracha à son étreinte et se dirigea vers la porte.

Resté seul avec son fils, Pepper Young s'approcha du lit et le regarda respirer.

Il tendit la main pour toucher son visage, dessiner son profil du bout de l'index. *Il est beau*, songea-t-il, *et si bon. Il a un cœur en or. Il est généreux. Tous ceux qui l'ont connu l'adorent. Et pourtant...*

Il ne savait pas par où commencer. Jamais Pepper n'avait eu à faire de tels aveux par le passé. Que dire... ?

— Bud... c'est papa. Je sais que tu ne peux pas m'entendre. Mais j'ai malgré tout le sentiment que les paroles que je vais te dire vont s'imprimer dans ta mémoire, et qu'un jour, quand tu... (Il se mit à bredouiller, ne trouvant pas le mot juste.) Un jour, quand tu... quand tu seras guéri... parce que tu guériras, je suis prêt à tout pour cela. Eh bien, quand tu seras guéri, tu sauras combien je suis navré pour tout ce qui est arrivé.

« Tout est ma faute, Bud. Entièrement ma faute. Aujourd'hui, je donnerais tout ce que j'ai de plus cher au monde pour que cela ne soit jamais arrivé. Mais, ce jour-là, je n'ai pas été fichu de te laisser prendre le volant. Quand un homme a trop bu, une espèce d'orgueil mal placé s'empare de lui. Il devient complètement idiot, il cherche à prouver à la terre entière qu'il est le meilleur. Peut-être parce qu'il a honte d'être soûl et qu'il cherche à le cacher bien que cela saute aux yeux.

« Je n'ai pas encore toutes les réponses à mes questions, mon fils, mais je cherche. Je vais chez les A.A. Cela m'aide énormément. Je me sens mieux, plus sûr de moi. Je n'ai pas touché une seule goutte d'alcool depuis... depuis ce jour-là. Enfin, à part une fois. Et puis je donne des cours deux fois par semaine à des jeunes des banlieues. Il y a des gosses épatants là-bas. Et ils m'admirent. Et ça fait mal de penser qu'ils admirent un type comme moi, un type qui a fait ça à son fils. Bud, je te donne ma parole que je vais tout faire pour te sortir de là. Je vais me battre à tes côtés jusqu'à ce que tu te réveilles, jusqu'au jour où tu pourras à nouveau parler à maman et à Gwen, et jusqu'au jour où tu pourras à nouveau me parler à moi aussi. Je ne vis que pour l'instant où tu me diras : « Je te pardonne, papa. » Ce sera le plus beau jour de ma vie.

Sans même s'en rendre compte, il avait pris la main de Bud dans la sienne. Doucement, délicatement, il la reposa sur le lit.

Puis il détourna la tête et essuya les larmes qui lui venaient aux yeux. Il fut soulagé d'entendre la porte s'ouvrir et Lily demander :

— Pepper?

— Tout va bien, Lil, tout va bien.

14

Les jours où ses obligations professionnelles ne lui permettaient pas de faire autrement, Pepper Young avait obtenu l'autorisation de passer voir son fils en dehors des heures normales de visite.

Ce matin-là, avant de se rendre à l'hôpital, Pepper se rendit chez un bijoutier de Broad Street. Il avait dans les bras un objet volumineux enveloppé dans une couverture. M. Eisenstadt, le bijoutier, était en train d'ouvrir la grille de son magasin.

Pepper attendit que ce dernier ait fini de débrancher le système d'alarme qui verrouillait la porte.

Confus, le vieil homme s'excusa.

— Autrefois, il n'y avait pas besoin de prendre toutes ces précautions. Mais par les temps qui courent...

Le bijoutier ne termina pas sa phrase, laissant à son interlocuteur le soin de tirer lui-même les navrantes conclusions qui s'imposaient.

Lorsqu'ils furent à l'intérieur, le vieil homme demanda :

— Que puis-je faire pour vous?

Pepper déroula la couverture et en sortit une coupe en argent complètement cabossée.

— Eh bien, commenta Eisenstadt, elle en a pris un sacré coup.

— Oui, c'est le moins qu'on puisse dire.

— N'allez pas me raconter que quelqu'un a délibérément cherché à esquinter ce merveilleux trophée!

— Écoutez, ce n'est pas le problème. Je veux simplement savoir s'il est possible de la réparer. Je voudrais qu'elle soit comme neuve.

— Comme neuve? répéta le vieil homme, l'air dubitatif, en saisissant la coupe pour l'examiner sous tous les angles. Je ne crois pas que ce soit possible. Mais je pourrais la renvoyer chez le fabricant. Peut-être pourra-t-il la réparer mieux que moi. Mais j'en doute. Quoi qu'il puisse faire, il ne vous la rendra jamais comme neuve.

— Vous en êtes absolument certain? insista Pepper.

— Absolument certain? on n'est jamais certain de rien. Mais depuis quarante-six ans que je fais ce métier, je n'ai encore jamais vu une coupe esquintée à ce point revenir intacte de l'usine. Comment est-il possible de bousiller un objet de cette manière? C'est incroyable.

— Peu importe! répliqua Pepper sur un ton de plus en plus agressif. Je veux juste savoir s'il est possible de la réparer.

— Vous pourriez en faire faire une copie, suggéra Eisenstadt. Je vais appeler le fabricant pour lui en commander une autre. Après quoi, je me chargerai de graver moi-même l'inscription. Je vous garantis que vous ne verrez pas la différence.

— Combien de temps cela prendra-t-il? demanda Pepper.

— S'ils en ont en stock, une semaine ou deux. Sinon, il faut compter un mois. Même en précisant que c'est urgent. Et cela vous coûtera...

— Mais c'est beaucoup trop long! répondit Pepper, excédé.

— Je suis désolé, répondit le bijoutier. Mais je ne peux pas faire mieux. (Il examina à nouveau la coupe en marmonnant :) C'est incroyable, vraiment... même en admettant que le type se soit beaucoup énervé...

— Peu importe comment c'est arrivé! rugit Pepper.

— Holà, du calme, monsieur. Je ne voulais pas vous offenser, s'excusa le vieil homme. Si vous ne voulez pas que cela se sache, je vous conseille d'en acheter une neuve. Personne ne fera la différence.

— Sauf que tout le monde est au courant... finit par avouer Pepper.

— Dans ce cas... dit le joaillier, laissant entendre qu'il ne pouvait rien pour lui.

Après avoir enveloppé à nouveau la coupe dans la couverture, Pepper Young remercia le joaillier et, déçu, quitta la boutique.

Voyant qu'il était encore tôt, Pepper décida de faire un saut à l'hôpital avant de se rendre au bureau. Lorsqu'il entra dans la chambre de Bud, l'infirmière du matin était en train de lui faire sa toilette. Surprise, elle sursauta, mais se ressaisit aussitôt.

— Ah, c'est vous, monsieur Young! Je croyais que c'était Marcia, dit-elle, ajoutant aussitôt, sans attendre qu'il l'interroge sur l'état de son fils : Toujours rien. Mais ses fonctions vitales sont satisfaisantes. Il a... (Elle chercha quelque chose d'encourageant à dire.) Il a... il a de bonnes chances de... de s'en tirer. (Puis, voyant qu'elle continuait à accumuler les gaffes, elle essaya de se rattraper.) J'ai déjà vu d'autres personnes dans son cas qui sortaient brusquement du coma. Tant que les fonctions vitales sont intactes, il y a... il y a de l'espoir.

Sur ces mots, elle se hâta de terminer la toilette du malade pour pouvoir quitter la chambre.

Pepper promena un regard circulaire autour de la pièce, cherchant des yeux un endroit où poser la coupe qu'il avait apportée avec lui.

La chambre était exiguë, avec juste un lit, un respirateur à présent débranché, une table de nuit encombrée de médicaments et deux chaises. Il n'y avait nulle part où mettre le trophée.

Un instant, il songea à le poser à terre près de la

fenêtre. Mais dans un coin aussi reculé il n'avait guère de chances de produire le résultat escompté.

Pour finir, il alla demander une petite table à roulettes aux infirmières. Mais celles-ci étaient trop occupées et lui conseillèrent de s'adresser au portier. Pep glissa à l'homme un billet de dix dollars, et, quelques minutes plus tard, la table à roulettes était dans la chambre.

Après l'avoir promenée tout autour de la pièce, Pepper décida de l'installer contre le mur qui se trouvait face au lit de Bud en se disant que, lorsqu'il se réveillerait, son regard se poserait forcément à cet endroit.

Ayant fait son choix, il astiqua la coupe avec la couverture, la plaça au centre de la petite table et alla se poster à la tête du lit pour juger de l'effet.

Parfait. A présent, il ne restait plus qu'à attendre que le charme de la coupe opère. Car Pepper Young était convaincu que Bud détecterait sa présence, et qu'elle réussirait là où toutes les autres tentatives avaient échoué.

Ayant le sentiment d'avoir accompli quelque chose d'important, il se rendit au bureau le cœur léger. Il allait d'abord passer voir quelques clients importants, après quoi il irait prendre un collègue qui l'avait appelé à la rescousse et l'accompagnerait dans sa tournée pour lui montrer comment faire pour conclure une vente, domaine dans lequel il excellait tout particulièrement.

Avec un peu de chance, il serait de retour suffisamment tôt pour pouvoir faire un saut à l'hôpital.

Cependant, la dernière visite qu'ils firent s'avéra plus ardue mais également plus prometteuse que prévue, si bien que Pepper persista. Il était sept heures et demie lorsque le client, le président d'une grosse firme, finit par se laisser convaincre de signer le contrat.

C'était un véritable tour de force, une brillante démonstration de talent et de persévérance. C'était également la preuve qu'il était possible de décrocher un marché même quand celui-ci semblait perdu d'avance.

Pepper savait que son collègue allait le claironner sur tous les toits et ajouter ainsi à son prestige.

Il était beaucoup trop tard pour repasser à l'hôpital. Lorsqu'il rentra à la maison, Lily et Gwen dormaient déjà à poings fermés. Lily lui avait laissé un petit mot sur la table de la cuisine, avec des instructions pour le dîner.

Curieusement, elle ne faisait nulle mention de la coupe. Sans doute était-elle trop fatiguée pour rentrer dans les détails, fussent-ils aussi importants que celui-là.

Il alla se coucher aussitôt, avec la ferme intention de se rendre à l'hôpital le lendemain à la première heure, afin de compenser la visite manquée de ce soir.

Il se leva plus tôt qu'à l'ordinaire après une nuit agitée. Il prit sa douche, se rasa et s'habilla en silence pour ne pas réveiller Lily qui, après quatre semaines de visites quotidiennes à l'hôpital, commençait à donner des signes d'épuisement.

Il était huit heures passées de quelques minutes lorsqu'il arriva à l'hôpital. Il alla immédiatement dans la chambre de Bud. L'infirmière avait déjà terminé les soins du matin : les flacons des perfusions étaient pleins, le lit fait, Bud lavé et coiffé. Ses cheveux commençaient à être un peu longs.

Il faut que je fasse venir un coiffeur, décida Pepper. *J'imagine que ce doit être autorisé dans des cas comme celui-là... Mais où est la coupe de Bud? Ne me dites pas qu'ils ont volé la coupe d'un gosse dans le coma! Bon sang, il n'y a donc plus rien de sacré?*

Furieux, il sortit comme une flèche dans le couloir pour aller porter plainte. Juste au moment où il allait pénétrer dans le bureau des infirmières, il entra en collision avec Marcia Ethridge. Il la percuta avec une telle force que sa sacoche lui en tomba des mains. Tout en se mettant à quatre pattes pour ramasser ses ustensiles éparpillés, elle demanda :

— Il y a quelque chose qui ne va pas ce matin, monsieur Young? A moins que...

Elle se releva d'un bond, en s'écriant d'une voix pleine d'espoir :

— Il y a du nouveau? Bud a bougé!

— Non, non. Mais il y a un salopard qui a volé sa coupe de foot! Je veux le retrouver! Et je veux qu'il soit puni!

— Monsieur Young, personne n'a volé cette coupe, dit Marcia.

— Je comprends que vous ne vouliez pas ternir la réputation de cet hôpital, mais j'exige qu'on retrouve le coupable et qu'on remette cette coupe à sa place. Dans la chambre de Bud!

— Monsieur Young, répondit Marcia, la coupe n'a pas été volée, elle a été déplacée.

— Comment ça, déplacée?

— Déplacée, confirma-t-elle, par moi-même.

— Par vous-même? répéta-t-il.

Il avait prononcé ces mots avec une telle véhémence que Marcia le prit par le bras pour l'entraîner vers la chambre de Bud.

— Bien, dit-elle calmement. Je pense que nous pourrions en discuter calmement et intelligemment.

— Vous n'avez pas le droit... commença-t-il, accusateur.

— Monsieur Young, le patient a été placé sous ma responsabilité. J'ai tous les droits, répliqua Marcia. Et, tout d'abord, pourquoi avez-vous apporté cette coupe ici?

— Je veux qu'elle soit ici. Il se peut qu'elle ait... une certaine influence sur Bud... à cause de tout ce qu'elle représente pour lui... Il se peut qu'il sente sa présence... et qu'il se réveille. (Il marqua une pause.) A vrai dire, je n'en sais trop rien. Mais je me suis dit que ce serait bien si c'était la première chose qu'il voyait en ouvrant les yeux... J'ai l'impression que Lily commence à se décourager. Elle ne le dit pas... mais moi, je sais... qu'elle est en train de perdre espoir.

— Elle? Ou vous, monsieur Young? demanda Marcia.

— Qu'est-ce que ça peut bien faire ? Quoi qu'il en soit, je veux que cette coupe reste ici. Je veux qu'il la voie quand il ouvrira les yeux.

— Et moi, je ne veux pas, répliqua-t-elle.

— Et pourquoi ?

— D'abord, parce que je ne crois pas aux amulettes, ensuite et surtout, parce que s'il ouvre les yeux je ne veux pas qu'il voie une coupe toute cabossée.

— Vous avez dit « si » ?

— En effet, car tant qu'il ne les a pas ouverts, on ne peut rien dire d'autre. Mais « si » il ouvre les yeux je ne veux pas qu'il ait de son passé une image négative en voyant sa coupe dans cet état. Je ne pense pas que ce soit bon pour lui.

— Mais il l'a gagnée, cette coupe...

— Il n'a pas besoin de cela pour se souvenir, déclara Marcia d'un ton ferme.

— Si cette coupe n'est pas à sa place quand je repasserai ce soir, je vous garantis qu'il y aura du grabuge !

— Si vous tenez absolument à vous rendre utile, monsieur Young, il y a une chose que vous pouvez faire.

— Ah oui, et quoi donc ?

— Apporter un ballon de football.

— Un ballon de foot ?

— Oui, un ballon de foot.

— Mais un ballon de foot ne remplacera jamais la coupe de Bud ! protesta Pepper.

— Un ballon de foot, monsieur Young. Quant au grabuge, sachez que vos menaces ne m'impressionnent nullement.

La prenant au mot, Pep s'en fut trouver sa supérieure hiérarchique, le docteur Curtis, avant de quitter l'hôpital. Faisant appel à tous ses talents de vendeur, Pepper lui exposa la situation, sans rien omettre de la discussion qu'il avait eue avec Marcia Ethridge. Il s'efforça d'être persuasif tout en ayant l'air raisonnable.

— Monsieur Young, répondit le docteur Curtis,

lorsque ce genre de différend survient entre un parent qui a les nerfs à vif et un thérapeute qui a traité des centaines de cas comme celui-là, je prends toujours parti pour le thérapeute.

— Mais en quoi une coupe de football pourrait-elle être néfaste? s'insurgea Pepper, commençant de nouveau à perdre patience.

— Si Marcia Ethridge estime que cela pourrait avoir des effets néfastes sur le patient, je suis obligée de m'incliner, répondit le médecin avec une fermeté de ton qui laissait entendre que le sujet était clos.

Lorsque Pepper Young quitta son bureau, le docteur Curtis songea qu'il était bien à plaindre. Son sentiment de culpabilité ne faisait qu'aggraver les choses et le rendait entêté au point qu'il en devenait irrationnel.

N'importe qui d'autre en serait resté là, mais pas Pepper Young, pas l'homme qui avait la réputation de pouvoir renverser n'importe quelle situation, fût-elle désespérée, à son avantage. Il connaissait au moins une personne intelligente dans cet hôpital, un homme raisonnable, toujours prêt à dialoguer d'égal à égal avec les familles.

Il alla trouver le chirurgien qui avait opéré Bud, l'homme qui l'avait maintenu en vie tout en s'efforçant de limiter au maximum les risques de détérioration du cerveau.

— Docteur Newman, je sais que vous êtes très occupé et je ne voudrais surtout pas abuser de votre temps. Mais je me trouve confronté à un mur d'incompréhension. Je me heurte à l'obstination de deux femmes particulièrement entêtées.

— Vraiment? dit Newman, qui avait l'habitude de recueillir les doléances des familles quand le miracle tant espéré tardait à venir.

Pepper lui exposa brièvement les faits, tandis que le docteur Newman hochait la tête d'un air compatissant.

— En ce qui concerne cette jeune femme... Marcia

Ethridge... n'allez surtout pas croire que j'aie quoi que ce soit contre les femmes. Deux de mes meilleurs vendeurs sont des femmes. Mais cette Marcia Ethridge ne m'a pas l'air très efficace. Depuis quatre semaines qu'elle le suit, l'état de Bud n'a pas progressé d'un iota.

— Je ne suis pas d'accord, dit le médecin. Son état physique s'est grandement amélioré. Il n'a pas fait de rechute de pneumonie et il a retrouvé son tonus musculaire.

— Mais il n'a pas ouvert les yeux! Il n'a eu aucune réaction. Il ne s'est pas réveillé. Elle a échoué. Écoutez, je ne suis pas du genre à pleurnicher pour un oui ou pour un non et je ne suis pas sectaire.

Sachant par expérience que les gens sectaires commençaient généralement par ce genre de préambule, Newman s'attendait au pire. C'est pourquoi il répondit :

— J'en suis convaincu, monsieur Young.

— Mais je me demandais si... remarquez, ce n'est qu'une suggestion... mais je pense que cette jeune femme devrait être remplacée par quelqu'un d'autre.

— Une femme blanche, par exemple? ironisa Newman.

— Oh, ce n'est pas une question de couleur de peau. Mais je préférerais quelqu'un de plus expérimenté, et qui n'ait pas été parachuté là au nom de l'égalité des chances, si vous voyez ce que je veux dire. N'allez pas vous méprendre. Je n'ai rien contre l'égalité des chances. Mais je n'ai pas envie que mon fils serve de cobaye.

— Je vois.

— Croyez-moi, ce n'est pas un problème de race ou de religion. Je vous dirais même que j'ai été soulagé et même content lorsque j'ai su que Bud avait été placé dans votre service. J'ai toujours dit que les Juifs étaient les meilleurs médecins du monde. Notre médecin de famille est le docteur Solomon. Un homme remarquable. Vous le connaissez peut-être?

— Oui, oui, je le connais, répondit Newman.

— Alors, vous voyez bien que je ne suis pas raciste.

Newman sourit d'une façon si provocante et ironique que Pepper Young ne put s'empêcher de demander :

— Quel est le problème, docteur ?

— Monsieur Young, je crains qu'il n'y ait un petit malentendu.

— Comment cela ?

— Vous vous trompez, déclara Newman, tout en cherchant à formuler sa pensée avec tact. Le docteur Solomon et moi-même ne sommes pas de la même confession.

— Vous voulez dire que vous êtes plutôt réformateur et lui traditionaliste, conclut Pepper. Et alors ?

— Non, je veux dire que nous ne pratiquons pas la même religion.

— Sans blague... mais Newman, c'est un nom... je veux dire que tous les Newman que j'ai connus étaient...

— Monsieur Young, lorsque vous alliez au lycée, n'y avait-il aucun de vos camarades de classe qui fréquentait la Newman Society ?

— Si, mais ils étaient tous... oh, ça alors, vous faites partie de ceux-là. Vous êtes...

— Catholique, monsieur, en effet.

Pepper Young était tellement confus qu'il aurait voulu disparaître dans un trou de souris.

— Bien, à présent revenons-en à nos moutons, monsieur Young. Et oubliez tout ce qu'on a pu vous raconter sur l'égalité des chances. Savez-vous ce qu'il faut faire pour être admis dans le service de rééducation de l'hôpital Mercy ? Quatre années en fac de sciences, un diplôme de spécialisation en rééducation fonctionnelle qui se prépare pendant deux ans, plus une année de formation en milieu hospitalier sous la direction d'un physiothérapeute qualifié. Après quoi, il faut passer un concours pour obtenir le diplôme d'État. Outre qu'elle a suivi ce cursus, Marcia a obtenu les félicitations du jury à la fois pour son diplôme universitaire et pour son diplôme d'État.

« Nous avons beaucoup de chance de l'avoir avec nous. Je suis sûr que ce qui l'a décidée à venir travailler chez nous, c'est notre système de garderie. De nos jours, pour attirer et garder les meilleurs thérapeutes, les hôpitaux sont obligés de mettre en place des garderies pour accueillir les enfants du personnel.

« Or, il se trouve que Marcia a un petit garçon de six ans dont le papa est... (En voyant l'expression sur le visage de Pepper, le docteur Newman s'empressa d'ajouter :) Non, non, monsieur Young, ce n'est pas ce que vous croyez. Elle était mariée mais a divorcé, et depuis elle élève seule son enfant. Et, bien entendu, le bien-être de son fils passe avant tout le reste. Fort heureusement pour nous, et pour Bud, notre hôpital dispose d'une garderie.

« J'ai personnellement demandé au docteur Curtis de nommer Marcia au chevet de votre fils. Car si quelqu'un est capable de le faire sortir du coma, c'est bien elle. Tout en gardant à l'esprit, naturellement, que nous ne pouvons pas faire de miracles, monsieur Young. Il ne suffit malheureusement pas de vouloir pour pouvoir. Cela arrivera ou cela n'arrivera pas. Mais je pense que, avec quelqu'un comme Marcia, Bud a toutes ses chances.

Pepper ne put s'empêcher d'essayer de justifier encore une fois sa position.

— Mais en quoi une coupe de football pourrait-elle être néfaste ?

— Monsieur Young, je suis obligé de m'en remettre au jugement de Marcia, dit le docteur Newman pour conclure un entretien qui n'avait été facile ni pour l'un ni pour l'autre.

Sur ce, Pepper alla récupérer la coupe et quitta l'hôpital.

15

Il y avait déjà presque six semaines que Bud Young avait été admis en urgence à l'hôpital Mercy.

Chez les Young la vie continuait, morose et routinière. Pepper se levait chaque matin aux aurores pour pouvoir faire un saut à l'hôpital avant de filer au bureau. Chaque matin, Lily s'assurait que Gwen avait fait ses devoirs et qu'il ne lui manquait rien, puis elle l'expédiait à l'école et faisait un peu de ménage pour garder la maison à peu près propre et accueillante. Elle préparait les repas à l'avance de façon que tout soit prêt quand ils rentraient le soir. Il s'agissait de plats simples, qu'il suffisait de faire réchauffer, car manger avait cessé d'être un plaisir pour les Young. Et le dîner familial n'était plus un rituel.

Aucun d'eux ne rentrait à la maison à la même heure que les deux autres. Lily passait le plus clair de son temps à l'hôpital. Pepper, qui voulait rattraper le temps perdu, s'attardait plus que de coutume au bureau et se rendait ensuite à sa réunion chez les A.A. Gwen passait la journée à l'école et la soirée chez des amies. Mais, à force de s'entendre dire « ma pauvre Gwen » par les mères de ses copines, elle se repliait de plus en plus sur elle-même, détestant être prise en pitié.

Cependant, elle n'en parlait jamais à sa mère, laquelle, trop préoccupée par l'état de son fils, ne remarquait rien.

A la fin de la troisième semaine, Lily avait commencé à être submergée de coups de fil : sa mère, la mère de Pepper, la tante Harriet ainsi que des amies de l'association des parents d'élèves. Toutes voulaient lui venir en aide. « Lil, si tu as besoin de quoi que ce soit, surtout... » Ou bien : « Lily, tu devrais prendre le temps de souffler un peu. Veux-tu que j'aille te remplacer à l'hôpital demain ? » Ou encore : « Lily, ce n'est pas en allant au bout de vos forces que vous allez arranger les choses, laissez-moi prendre le relais pendant un jour ou deux. »

Lily savait que cela partait d'un bon sentiment mais elle rejetait chaque fois poliment leurs propositions, convaincue que personne n'aurait pu la remplacer au chevet de son fils. « Tout au fond de moi-même, j'ai la conviction qu'il sait que je suis là », expliquait-elle.

Deux fois par jour, Marcia se rendait au chevet de Bud. Elle faisait travailler ses bras et ses jambes, puis les massait avec ses mains vigoureuses. Toujours en douceur pour ne pas provoquer de contractures musculaires. Chaque jour, elle travaillait à stimuler ses sens de façon à susciter des réponses. Et chaque jour elle échouait.

Lily commençait à perdre espoir. Elle ne disait rien. Marcia non plus. Mais toutes deux éprouvaient une amère déception.

Leur seule consolation était que Bud était encore en vie, qu'il respirait seul et que son état n'empirait pas.

Mais Marcia savait que si le patient ne donnait aucun signe d'amélioration dans les jours à venir, il risquait, au pire, de ne jamais sortir du coma, au mieux, de ne recouvrer que partiellement ses facultés physiques et mentales.

Chaque semaine, les médecins se réunissaient pour faire le point sur l'état du patient. Et, chaque fois, la décision était la même : continuer la rééducation de façon à entretenir le tonus musculaire et à éviter une rechute de pneumonie, augmenter le niveau des stimuli, même si Marcia affirmait que le niveau maximum avait déjà été dépassé.

Et, bien qu'aucun d'eux ne l'exprimât avec des mots, tous songeaient : *Que pouvons-nous faire de plus?*

C'est pourquoi, chaque jour, Marcia s'efforçait de ramener un peu de gaieté dans cette chambre morose en saluant Lily d'un joyeux : « Bonjour, madame Young! » avant de commencer à prodiguer ses soins au malade.

Elle parlait le moins possible, étant à cours de paroles réconfortantes ou d'anecdotes relatant des guérisons spectaculaires.

L'infirmière-chef avait suggéré à Marcia d'interdire l'accès de la chambre à Mme Young pendant les séances de rééducation. Ce à quoi la thérapeute avait répondu :

— Sa présence ne me gêne pas vraiment. En revanche, je sais qu'elle ne supporterait pas d'être tenue éloignée de son fils. Laissez-la entrer.

— Comme vous voudrez, Marcia. Mais personnellement j'ai du mal à supporter la présence d'un tiers quand je suis en train de travailler.

La sixième semaine touchait presque à sa fin; l'état de Bud ne donnait aucun signe d'amélioration. Comme chaque matin, Marcia poussa la porte de la chambre 302. Elle allait souhaiter le bonjour à Mme Young quand elle s'arrêta net, la main posée sur la poignée, en apercevant Lily Young agenouillée à côté du lit, en train de prier à voix basse, les yeux fermés.

— ... mon Dieu, il est si gentil, si généreux... si tendre. Il n'a rien fait pour mériter cela. Je vous en supplie, mon Dieu, faites qu'il guérisse, faites-le pour lui et pour son père. Vous seul le pouvez, car le temps passe et les efforts des médecins restent vains.

Marcia ressortit à pas de loup en refermant doucement la porte derrière elle.

Elle attendit plusieurs minutes dans le couloir, puis,

d'un geste plus énergique cette fois, elle ouvrit la porte en lançant d'un ton enjoué :

— Bonjour, madame Young!

Lily, qui était en train de retoucher son maquillage pour effacer les traces de larmes, lui répondit aussi gaiement qu'elle le put :

— Ah! Marcia. Bonjour.

La jeune femme commença la séance. D'abord les exercices des bras et des jambes, puis le massage. Cette fois, elle y mit plus de vigueur qu'à l'accoutumée. Elle ponctuait chacun de ses gestes de courtes exclamations : « Oui! Bien! » ou « Allez, on recommence ». Ou encore « Parfait », quand elle était satisfaite du résultat.

Postée au pied du lit, Lily observait. Elle remarquait chaque geste de Marcia et chaque absence de réaction de la part de son fils, qui devenait de plus en plus pâle au fil des jours.

Lorsque Marcia eut terminé, Lily leva vers elle un regard suppliant.

— Toujours rien, malheureusement, dit la jeune femme.

— Toujours rien, répéta Lily, résignée.

Marcia procéda ensuite aux tests neurologiques : faisceau lumineux sur les pupilles, pincements, piqûres sur les bras et les jambes. Tout en l'examinant, elle marmonnait comme le font parfois les gens absorbés par une tâche de routine.

— Ah, si seulement il était là... dit-elle en poussant un gros soupir. S'il savait... oh, s'il savait... poursuivit-elle, en se parlant à elle-même comme quelqu'un qui cherche à se libérer de ses soucis.

Ne pouvant y résister, Lily demanda :

— Qui donc?

Comme si elle avait brusquement pris conscience de sa présence, Marcia s'excusa :

— Oh, euh, rien... c'est sans intérêt... un vieux monsieur. Mon arrière-grand-père. En dehors de sa petite congrégation de fidèles, rien ne comptait pour lui en ce bas monde.

— Il était prêtre? demanda Lily.

— Prédicateur, rectifia Marcia. Pour être prêtre il faut avoir été au séminaire. Mais grand-père Ezra s'était autoproclamé prédicateur. Il connaissait la Bible sur le bout des doigts. L'Ancien et le Nouveau Testament. Et c'était un remarquable prédicateur. Quand il...

Marcia interrompit un instant sa tâche pour se tourner vers Lily.

— Quand il racontait l'histoire de Noé et du déluge, on aurait dit que l'église tout entière se mettait à flotter sur les vagues. Il avait un don pour raconter la Bible.

« Une fois... je devais avoir cinq ou six ans... j'étais loin de me douter que j'irais un jour à l'université et que j'étudierais la rééducation fonctionnelle... Bref, c'était le dimanche des Rameaux. Grand-père racontait le chemin de croix. Il était tellement convaincant quand il mimait Jésus portant son lourd fardeau que trois hommes de l'assistance se sont brusquement levés pour aller l'aider à porter sa croix. Oui, mon grand-père était vraiment quelqu'un d'exceptionnel, dit Marcia, avant d'ajouter tout en reprenant l'examen : Il était tellement exceptionnel que tous les gens lui demandaient d'intercéder en leur faveur auprès de Dieu.

— Pour demander quoi, par exemple? demanda Lily.

— Des choses qu'ils étaient incapables d'obtenir par eux-mêmes. Et grand-père répondait à chaque fois : « Avec joie », sauf quand quelqu'un lui demandait d'inverser un processus naturel. Dans ces cas-là, mon grand-père Ezra répondait : Mon enfant... — même si la personne avait cinquante ans passés, il l'appelait comme ça —, on ne peut pas demander au Seigneur d'inverser le cours de la nature. Parce que c'est une chose qu'il ne peut pas faire. Même quand Josué lui a demandé de laisser le soleil briller dans le ciel pour que les Israélites puissent gagner la bataille de Gabaon. Bien sûr, le Seigneur a réussi à faire briller le soleil un certain temps dans le ciel. Mais au bout d'un moment la nature a repris ses droits. Et le soleil s'est couché. Et le Seigneur n'a rien pu y faire. Alors, ne me demande pas de prier pour une chose impossible. Ce ne serait pas juste, ni pour le Seigneur ni pour toi-même. Parce que si cette chose ne se produit pas tu vas perdre la foi. Il faut laisser faire la nature. Et accepter son sort. »

« Voilà ce qu'il disait, conclut Marcia, qui avait terminé son examen et commençait à ranger ses instruments dans sa sacoche noire.

Comme elle se levait pour partir, Lily demanda :

— Vous m'avez entendue prier, n'est-ce pas?

— Oui, madame Young. Et vous n'êtes pas la première. Mais les prières n'y changeront rien. Il n'y a que Bud qui puisse se tirer de là. Avec notre aide. Mais si nous échouons, il ne faudra pas en rejeter la faute sur Dieu.

— Marcia... dites-moi... honnêtement... cela fait presque six semaines... A-t-il des chances de s'en sortir?

— Seul le docteur Curtis peut répondre à cela.

— Non, je voudrais votre opinion à vous. Vous connaissez Bud mieux que personne. Vous êtes plus proche de lui qu'aucun de nous. Dites-moi la vérité.

— Madame Young... je ne peux pas vous dire pourquoi ni comment, mais j'ai l'impression — on peut appeler ça l'intuition ou l'instinct professionnel — que Bud va s'en tirer.

— Vraiment? Vous le croyez sincèrement? demanda Lily.

— Oui, dit Marcia. Seulement, il faut trouver le moyen... il faut trouver le moyen...

Elle saisit sa sacoche et alla vers la porte.

— Marcia... (La jeune femme s'arrêta et se retourna). Marcia, voulez-vous faire quelque chose pour moi...?

— Si je le peux.

— Je voudrais que vous m'appeliez Lily.

— Si vous y tenez.

— J'y tiens. J'y tiens absolument.

— Entendu. Va pour Lily.

— Marcia... ce que vous m'avez dit... au sujet de votre grand-père...

— Eh bien?

— C'était vraiment un excellent prédicateur, n'est-ce pas?

— Oh, oui. Je n'en ai jamais connu de meilleur ni de plus émouvant. Il disait des choses... des choses que je n'ai jamais oubliées.

— Pas étonnant que vous soyez vous aussi quelqu'un d'exceptionnel, dit Lily Young.

16

Comme chaque matin, Marcia poussa la porte de la chambre 302 en s'écriant : « Bonjour, Lily ! »

Mais, une fois n'est pas coutume, Lily n'y était pas.

Elle a sans doute eu un empêchement, pensa Marcia en se mettant aussitôt au travail. *C'est peut-être un coup de fatigue. Après toutes les journées qu'elle a passées ici, à l'affût du moindre progrès...*

Elle avait terminé les exercices des bras et des jambes. L'état général du patient était bon et donnait même des signes d'amélioration. Non seulement il respirait tout seul, sans l'aide d'une machine, mais, mis à part la sonde gastrique qui continuait à l'alimenter, toutes ses autres fonctions organiques se faisaient normalement. Le respirateur avait été remisé dans un coin de la chambre, prêt à servir en cas de problème.

Elle passa ensuite aux stimuli sensoriels. Si seulement il pouvait réagir et donner enfin la preuve qu'il pouvait émerger de son coma. La course contre la montre avait commencé : au-delà de soixante jours de coma, les chances de guérison, même partielles, étaient gravement compromises.

Comme elle le faisait désormais chaque jour depuis que M. Young avait apporté un ballon de football, Marcia posa la main droite de Bud sur le ballon en pressant fermement ses doigts sur la surface de cuir bosselée. Elle la tint appuyée ainsi pendant un petit moment, mais, dès qu'elle relâcha la pression, la main de Bud retomba, inerte.

Elle passa aux autres tests. La lumière dans les yeux. Les pincements. Les piqûres d'aiguille dans les bras et les jambes. Aucune réaction.

Elle lui présenta ensuite diverses odeurs, tantôt appétissantes, tantôt repoussantes, mais n'obtint rien. Elle allait commencer à ranger ses instruments dans sa sacoche quand, prise d'une soudaine impulsion, elle lui pinça la joue.

Il détourna la tête d'un geste brusque. Rien qu'un tout petit mouvement rapide.

Il avait bougé ! Certes, ce n'était pas une réaction affirmative, juste un petit mouvement pour s'esquiver, mais il avait bel et bien réagi !

Elle se pencha au-dessus de lui et scruta attentivement son visage. Elle le pinça à nouveau. Il détourna à nouveau brièvement la tête.

Ainsi donc ce n'était pas une illusion. Ni une réaction isolée.

Il avait bougé.

Toutefois, il allait falloir encore beaucoup de réactions comme celle-là avant de pouvoir affirmer qu'il était sur la bonne voie. Elle essaya une fois de plus de lui faire tenir le ballon de foot. Mais en vain ; sa main retomba comme la fois précédente.

C'est normal, pensa-t-elle, *on ne peut pas s'attendre à des miracles. C'est une bataille de longue haleine, qu'il faut mener pas à pas.*

Cependant, son enthousiasme était tel qu'elle ne put s'empêcher d'annoncer la nouvelle au docteur Curtis qui venait d'entrer dans la chambre pour effectuer à son tour des tests neurologiques sur le patient. Elle pinça la joue de Bud, mais, voyant qu'elle n'obtenait qu'une réaction très modérée, elle songea que Marcia s'était peut-être montrée un peu trop optimiste.

Plus tard, lorsque Marcia revint dans la chambre 302, Lily s'y trouvait.

— Désolée, je n'ai pas pu venir ce matin. Je suis allée chez le médecin, expliqua-t-elle. (Voyant le regard inquiet de Marcia, elle ajouta :) Hier soir... je... j'allais me mettre à table... Mais, vous savez comment c'est, les gens appellent à n'importe quelle heure pour demander des nouvelles de Bud. Remarquez, je ne leur en veux pas. Leur sollicitude me touche. Je réponds : « Il n'y a toujours rien de nouveau, mais c'est gentil d'avoir appelé. » Bref, hier soir, Gwen était allée potasser sa géométrie chez une copine. Pepper était à sa réunion des A.A. et moi, je n'arrêtais pas de faire la navette entre la table de la cuisine et le téléphone... Marcia, promettez-moi de n'en rien dire à personne, et surtout pas à mon mari... A un moment, je me suis levée un peu brusquement pour aller répondre au téléphone et... et j'ai perdu connaissance... Quand je suis revenue à moi, j'étais étendue sur le carrelage de la cuisine. Ce matin, je suis passée voir le docteur Solomon.

— C'est probablement une chute de tension, conclut Marcia. Une perte de poids, ajoutée à la fatigue générale.

— C'est ce qu'il pense, en effet. Il m'a prescrit des vitamines, une meilleure alimentation et davantage de sommeil. Je lui ai dit que je ne voulais surtout pas prendre de somnifères, mais il a insisté pour que je prenne un calmant le soir, pendant quelque temps au moins. J'ai horreur des médicaments. Je ne supporte pas la dépendance. C'est pour cela que j'ai arrêté de fumer quand j'attendais Bud.

Marcia se demandait si elle devait lui dire. Elle hésita, ne voulant pas lui donner de fausses espérances. Puis, pour finir, elle décida que le jeu en valait la chandelle.

— Lily... il y a une chose qui pourrait vous aider, je crois.

— Je sais. Faire de l'exercice. Le docteur Solomon m'a dit la même chose.

— Non, non, il ne s'agit pas de cela. C'est autre chose. Mais vous devez me promettre de rester calme. Et de n'en parler à personne.

Lily tourna vers Marcia un regard perplexe et légèrement inquiet.

— Promis ? insista Marcia.

— Promis, dit Lily.

Marcia s'approcha de la tête du lit. Elle se pencha au-dessus du malade et lui pinça la joue brièvement et énergiquement.

Bud détourna brusquement la tête.

Lily Young écarquilla les yeux, sa respiration s'accéléra. Comme si elle n'arrivait pas à y croire, elle murmura :

— Pouvez-vous le refaire ?

Marcia le pinça à nouveau. Bud détourna la tête en un petit mouvement rapide.

— Oh, mon Dieu ! s'exclama Lily, tandis que les larmes jaillissaient de ses yeux. Pep ! Il faut absolument que je l'appelle pour le lui dire !

— Non, dit Marcia. Pas encore, c'est trop tôt.

Elle saisit la main de Bud et commença à lui masser doucement les doigts en les pliant, les étirant, les pliant à nouveau. Elle prit ensuite le ballon de foot et posa la main de Bud dessus, en lui écartant les doigts. Lorsqu'elle relâcha la pression, la main de Bud retomba mollement.

L'expression de joie de Lily retomba, elle aussi.

— C'est ce que je voulais dire, Lily. Il faut attendre des réactions plus positives. Des gestes volontaires, et pas uniquement des réponses à des stimuli. C'est ça, le vrai test.

Lily Young passa le reste de l'après-midi au chevet de son fils. De temps à autre, elle lui écartait les doigts et posait sa main sur le ballon, ce ballon qu'il saisissait autrefois d'une main si énergique pour faire des passes d'une longueur spectaculaire. Mais chaque fois sa main refusait de coopérer et retombait, inerte, sur le lit.

Elle se consola en songeant : *Aujourd'hui était mieux qu'hier. Et demain sera mieux qu'aujourd'hui. Il le faut. Il le faut absolument !*

Chaque fois que son travail l'obligeait à se déplacer, Pepper Young appelait l'hôpital de la ville où il se trouvait et prenait rendez-vous avec le directeur du service de neurochirurgie. En fin de journée, lorsqu'il avait terminé sa tournée, il se rendait à l'hôpital pour rencontrer le chirurgien.

Il lui faisait un rapport détaillé sur l'état de santé de Bud, sans omettre les circonstances de l'accident. Puis demandait : « Docteur, y a-t-il une chose que les gens de l'hôpital Mercy n'auraient pas faite, soit par omission, soit par ignorance ? Docteur, je vous en supplie, y a-t-il quelque chose que vous puissiez faire pour mon fils ? »

Mais Pep avait beau supplier, la réponse était chaque fois la même. Tout ce qui pouvait être fait avait été fait.

Ce soir-là, en se rendant à l'hôpital Mercy, Pep avait le cœur gros, car le matin même il avait reçu un coup de fil du docteur Solomon.

« Pep, lui avait-il dit, arrangez-vous pour tenir votre femme à l'écart de l'hôpital. Il faut qu'elle fasse au moins un bon repas par jour. Et qu'elle y prenne du plaisir. Un verre ou deux ne lui feraient pas de mal. Je peux compter sur vous ? »

Pep s'était aussitôt précipité à l'hôpital dans cette intention, mais Lily ne s'y trouvait pas. Il demanda aux infirmières si elles l'avaient vue. Oui, répondirent-elles. Mais elle était partie. Elle était rentrée pour préparer le dîner, apparemment.

Il appela aussitôt à la maison.

— Lil ? Tu vas bien ?

— Mais oui. J'avais pensé qu'un bon repas te ferait plaisir en rentrant à la maison. Où es-tu?

— A l'hôpital.

Malgré les conseils de Marcia, Lily ne put résister à l'envie de lui dire :

— Pep, tu vas retourner au chevet de Bud.

— Mais j'y suis. Je t'appelle de sa chambre.

— Pep... tu vas... tu vas lui pincer la joue.

— Lui pincer la joue... répéta Pep. Mais pourquoi?

— Parce que, insista-t-elle.

Pepper Young avança la main et pinça tout doucement la joue de son fils. Aucune réaction.

— Pep? demanda Lily, pleine d'espoir.

Surpris, ne comprenant pas ce qu'elle attendait de lui, il ne sut que répondre.

— Pep? insista-t-elle.

— Rien. Lil... rien...

— Mais c'est impossible! Il a bougé cet après-midi. Essaye encore.

Il recommença, toujours avec la même délicatesse. En vain.

— Toujours rien, fut-il forcé de reconnaître.

— Ce n'est pas possible, tu ne l'as pas fait comme il faut! s'écria-t-elle d'une voix soudain perçante.

— Lil... Lil... supplia Pep.

Ayant en tête les recommandations du docteur Solomon, il se demanda : *Serait-elle en train de flancher?*

— Pep! Essaye encore. Mais pince-le fort, cette fois. Bien fort! insista-t-elle.

Moins par conviction que pour lui faire plaisir, il recommença, en y mettant plus de vigueur.

Cette fois, son fils détourna la tête. Juste un petit mouvement de côté. Mais un mouvement quand même.

— Lil! s'exclama-t-il. Lil... je l'ai vu. Il a bougé. Bud a bougé!

— Ce n'est qu'un début, Pep. Marcia a dit que ce n'était qu'un début. On ne peut pas trop en demander.

— Non, je sais bien, acquiesça-t-il. Mais c'est tout de même un événement. Nous allons fêter ça. J'arrive tout de suite, nous allons ouvrir une des bouteilles que Beecham a... (Il s'interrompit soudain.) J'arrive tout de suite, et je vais emmener ma bien-aimée dîner en ville!

Soulagée, Lily répondit avec enthousiasme.

— Si c'est une invitation, j'accepte.

— A tout de suite, Lil.

Pep raccrocha. Il regarda un instant son fils, puis le ballon de foot qui se trouvait à côté de lui. Saisissant la main de Bud, il la posa sur le ballon et la maintint ainsi pendant un petit moment, espérant lui transmettre ainsi un peu de sa propre énergie. Mais au même moment la porte s'ouvrit et l'infirmière entra pour préparer Bud pour la nuit.

Légèrement confus, Pepper Young relâcha la main de son fils.

— Je ne vais pas vous déranger, fit-il. Je m'en allais de toute façon.

Il embrassa Bud sur la joue et sortit.

17

En entrant dans la chambre 302, Marcia Ethridge trouva Lily debout au chevet de son fils. Elle se tenait de dos, cachant Bud à sa vue. Soudain, elle se retourna et s'écria :

— J'ai une bonne nouvelle, Marcia !

Puis, se reculant, elle désigna la main gauche de Bud, posée sur le ballon de foot.

— Regardez ! Regardez ! s'écria fièrement Lily.

Marcia s'approcha du lit pour examiner la main du patient. Celle-ci tenait le ballon fermement agrippé. D'un geste enthousiaste, Lily invita Marcia à se rendre compte par elle-même. Lorsque Marcia voulut lui prendre le ballon, la main de Bud offrit une résistance considérable. C'était la première fois en cinquante-deux jours qu'il avait une réaction positive.

Marcia demanda doucement à Lily de reculer, puis, se penchant au-dessus de Bud, elle lui dit à haute voix dans l'oreille :

— Bud... tu m'entends, Bud ?

N'obtenant pas de réponse, elle essaya à nouveau.

— Bud ! Je te parle. Est-ce que tu m'entends ? Ouvre les yeux. Ouvre les yeux, Bud !

Toujours pas de réponse. Mais il sembla à Marcia que

sa main s'était resserrée autour du ballon. D'une certaine façon, il avait répondu.

Marcia fit signe à Lily de s'approcher, et de lui parler.

— Bud... commença Lily.

— Plus fort ! ordonna Marcia.

— Bud, c'est maman. Je suis ici, Bud. Je suis avec toi depuis le début. Si tu m'entends, réponds-moi, Bud. Parle-moi. Je t'en prie ! Bud ? Bud !

Voyant qu'il ne réagissait pas, Marcia ouvrit sa sacoche et en tira la cloche à vache, qu'elle se mit à agiter vigoureusement au-dessus de sa tête. Le son produit par le battant de la cloche le fit remuer légèrement.

Profitant de cette réaction, Marcia se pencha sur lui et lui ordonna :

— Si tu m'entends, Bud, parle-moi. Bud ! Si tu m'entends et que tu ne peux pas parler, ouvre les yeux ! Ouvre les yeux, Bud !

Ses paupières frémirent légèrement, puis se plissèrent.

— Ouvre les yeux, Bud, ouvre les yeux ! Maintenant !

Tout doucement les paupières du garçon se détendirent, puis s'ouvrirent un très court instant avant de se refermer aussitôt.

Lily allait dire quelque chose, mais Marcia l'en empêcha d'un petit geste impérieux. Les deux femmes attendirent. Puis, au bout d'un laps de temps qui leur sembla interminable, Bud ouvrit les yeux et les garda ouverts pendant une seconde, pour les refermer à nouveau, exténué par l'effort.

Au bord des larmes, Lily s'exclama dans un murmure émerveillé :

— Il a ouvert les yeux... il a ouvert les yeux... il est sauvé. Il faut absolument que j'appelle Pep !

Marcia Ethridge devait prendre rapidement une décision : laisser Lily Young savourer pleinement son triomphe ou lui expliquer que ses espérances étaient démesurées.

Laissons-la savourer ce moment de bonheur, décida Marcia, *le premier depuis l'accident.*

Au téléphone, Lily insista auprès de la secrétaire de Pep.

— Sheila, où qu'il soit et quoi qu'il fasse... Il est avec M. Beecham? Ça m'est égal, allez le chercher! Allez le chercher je vous dis!

Quelques instants plus tard, Pep arrivait au téléphone.

— Lil! Que se passe-t-il? C'est Bud... il n'a pas...

Il s'arrêta net, en proie à un doute horrible.

— Il l'a fait, Pep. Il l'a fait!

— Il a fait quoi? Quand?

— Il y a cinq minutes, chéri. Et je n'ai jamais rien vu d'aussi beau.

— Lil, mais de quoi parles-tu?

— Il a ouvert les yeux, Pep. Il a ouvert les yeux!

— Dieu soit loué... Dieu soit loué, répéta Pepper Young, incapable de dire autre chose. Attends-moi, je te rejoins dès que je peux me libérer!

Lorsqu'elle regagna la chambre 302, Lily trouva le docteur Curtis, qui observait Marcia, en train de donner de petits ordres à Bud afin de tester ses réactions.

— Bud... ouvre les yeux.

Bud ouvrit les yeux. Marcia attendit une seconde et reprit :

— Ferme tes yeux, Bud.

Il y eut un moment d'hésitation, comme si le garçon prenait le temps de comprendre l'ordre qui lui était donné. Puis il ferma les yeux, et les garda fermés.

S'approchant encore un peu plus de lui, Marcia ordonna :

— Bud, lève la main. Bud... lève... la... main, répéta-t-elle plus lentement.

Les doigts de la main gauche de Bud commencèrent à frémir légèrement, un doigt après l'autre, bien que son poignet reposât immobile sur le lit. Au bout d'un moment, il réussit à lever trois doigts sans toutefois parvenir à faire bouger sa main tout entière.

L'enthousiasme de Lily commençait à retomber lentement. Elle tourna un regard inquiet vers Marcia, puis vers le docteur Curtis. Mais les deux femmes étaient trop absorbées par ce qu'elles étaient en train de faire pour s'occuper d'elle.

Sur une injonction silencieuse du médecin, Marcia continua, lentement, à donner des ordres. Lorsqu'elle n'obtenait pas de réponse, elle accompagnait ses paroles d'un geste pour donner l'exemple.

— Bud... mets... ta... main... sur... ta... poitrine.

Les yeux de Bud clignèrent en signe d'incompréhension.

Marcia répéta son ordre, encore plus lentement. Bud fit bouger très légèrement sa main droite en direction de sa poitrine, mais ne réussit pas à la lever.

Pour Marcia et le docteur Curtis, cette tentative, si minime fût-elle, était encourageante. Car, s'il ne répondait pas complètement, il semblait comprendre les ordres qui lui étaient donnés.

Marcia continua. En hochant la tête, cette fois, elle ordonna :

— Bud... hoche la tête... oui.

Après un petit moment d'hésitation, Bud réussit à hocher très légèrement la tête deux fois de suite.

— Très bien, Bud... très très bien. Maintenant... secoue... la... tête... non.

Bud n'avait répondu que par un vague mouvement de tête à droite.

Marcia interrogea le docteur Curtis du regard.

— Essayez toujours, on verra bien, dit le médecin.

— Bud... ouvre... la... bouche.

Au bout d'un moment, la mâchoire du garçon se mit à trembler imperceptiblement, mais il ne réussit pas à ouvrir la bouche.

Marcia et le docteur Curtis échangèrent un regard entendu. Mais Lily semblait consternée.

— Vous voulez dire que... qu'il n'est pas capable de faire une chose aussi simple que d'ouvrir la bouche... ?

— Il est fatigué, madame Young, expliqua le docteur Curtis. Les patients qui souffrent d'un traumatisme crânien se fatiguent très vite quand ils commencent à émerger du coma. Il ne faut surtout pas les surmener. Marcia, vous essaierez à nouveau plus tard.

— Oui, docteur.

— Madame Young, ne perdez pas espoir. C'est un processus très lent, et votre fils a fait de gros progrès aujourd'hui. Il a fait de très gros progrès.

Le docteur Curtis sortit. Puis Marcia quitta la chambre à son tour en murmurant :

— Je serai de retour à deux heures, Lily.

Lily Young s'assit au chevet de son fils, qui semblait dormir à présent. D'une certaine façon, elle arrivait à faire la différence entre le coma et un sommeil paisible. C'est pourquoi, en dépit de sa relative déception, elle était prête à accepter ce que lui avait dit le docteur Curtis : son fils avait fait de très gros progrès aujourd'hui.

Une heure plus tard, la porte de la chambre 302 s'ouvrit brusquement. Pepper entra en s'exclamant d'une voix enjouée :

— Eh bien, comment va mon fiston ?

— Chuuut, murmura Lily.

Baissant aussitôt le ton, il demanda :

— Qu'est-il arrivé ? Quelque chose ne va pas ? Il est retombé dans le coma ?

— Non, il dort... Il est épuisé.

— Épuisé d'avoir ouvert les yeux ? s'étonna Pep, dont toutes les espérances volèrent subitement en éclats.

— Chuuut, Pep. Baisse la voix, tu veux ?

— Il a ouvert les yeux, oui ou non ?

— Oui, il a ouvert les yeux. Il a même répondu à différents ordres du médecin. Mais très lentement.

— Je veux en avoir le cœur net.

— Pep, elles m'ont dit qu'il était très fatigué, essaya de le dissuader Lily.

— Taratata, je connais mon fils. Ce gamin a de l'énergie à revendre. Lui demander d'ouvrir les yeux ne relève pas du tour de force, déclara Pep, en s'approchant de la tête du lit.

Avec un geste de la main à l'intention de sa femme, Pep se pencha au-dessus de son fils.

— Bud. C'est papa. Tu m'entends, fiston? C'est papa! Maintenant, fiston, tu vas ouvrir les yeux et regarder ton vieux père.

Il attendit, sûr de lui. Bud tourna légèrement la tête dans la direction de Pep, lequel décocha un sourire triomphal à Lily, comme pour lui dire : « Tu vois, je te l'avais dit. »

— Et maintenant, fiston, tu vas ouvrir les yeux. Je sais que tu peux le faire. J'en suis sûr. Tu peux tout faire!

Pendant un court instant qui sembla une éternité à Pepper, Bud hésita, ses paupières frémirent, puis il finit par ouvrir les yeux.

— Oh, Lil... je n'ai jamais rien vu de plus beau au monde. Salut, fiston!

Pour toute réponse, Bud referma les paupières. Déçu de n'obtenir aucune autre réaction, Pep insista. Il prit le ballon de foot et le tendit à son fils.

— Tiens, mon garçon, voyons si tu peux tenir ce ballon. Vas-y, serre-le bien fort. Comme si tu allais faire une passe de cinquante mètres. Allez, fiston. Vas-y.

La main de Bud bougea vaguement. Pep la lui prit et la posa sur le ballon. Cette fois, les doigts de Bud s'agrippèrent fermement autour du ballon.

— Tu vois? dit Pep à Lily. Il faut l'aider un petit peu, voilà tout. Mais il peut le faire!

— Pep, je t'en prie, elles ont dit qu'il ne fallait pas le fatiguer.

— Elles ont dit, elles ont dit... Mais moi, je connais

mon fils. Pas vrai, fiston? Regarde ton vieux papa dans les yeux comme tu sais si bien le faire. Et souris, fiston. Souris! Tu es imbattable. Tu es le meilleur, Bud. Tu sais que j'ai reçu un coup de fil de Turk Hingle, l'entraîneur de l'équipe d'Iowa. Il a appris que tu avais eu un accident et il voulait savoir comment ça allait. Tu vois, ils t'ont à l'œil, fiston. Il ne te reste plus qu'à sortir d'ici, à reprendre l'entraînement, et bientôt toute cette histoire ne sera plus qu'un mauvais rêve.

Puis Pep se lança dans un discours qui se voulait encourageant, mais auquel son fils ne comprenait strictement rien. Il reposait, les yeux fermés, immobile, tandis que dans sa tête idées et questions tourbillonnaient dans une confusion totale.

Les mots, des mots sans queue ni tête se succédaient sans fin.

— Ah, et puis autre chose, fiston... Fiston, tu m'écoutes? Bud? implora Pep. Ouvre les yeux. Bud? Bud?

Lentement, laborieusement, Bud s'exécuta. Puis il referma les yeux tout aussi lentement.

— Fiston, réitéra Pep. C'est moi, c'est papa qui te parle. Regarde-moi. Écoute-moi.

Lily voulut intervenir.

— Pep, arrête! Elles ont dit qu'il ne fallait pas forcer.

— Lily, ne t'en mêle pas, tu veux? Fiston, regarde-moi. (Il se rapprocha encore un peu.) Fiston, tu m'entends?

Lentement, Bud tourna la tête vers le visage de son père, qui ne se trouvait plus qu'à quelques centimètres du sien.

Reprenant confiance, Pep murmura gentiment :

— Bud... regarde-moi... Ouvre les yeux et regarde-moi...

Bud ouvrit les yeux. Il regarda la personne qui se tenait au-dessus de lui et lui parlait d'une voix suppliante. Mais son regard ne donnait pas le moindre signe de reconnaissance.

Consterné, Pep se tourna vers sa femme et murmura :

— Il ne me reconnaît pas. Il ne reconnaît plus son propre père. Il faut faire quelque chose. Il faut absolument appeler le médecin. Ou Marcia. Vite !

Pris de panique il s'élança vers la porte en hurlant :

— Docteur Curtis ! Madame Ethridge ! Venez, venez vite !

18

Ameutées par ses cris, Phyllis Curtis et Marcia accoururent aussitôt.

— Monsieur Young! ordonna sèchement le médecin. Suivez-moi, je vous prie. Et en silence!

Une fois dans son bureau, Pepper se lança dans une violente diatribe.

— Il y a quelque chose qui ne tourne pas rond! Je n'accuse personne...

Il avait beau dire, pour Marcia, il était évident qu'il allait s'en prendre à elle.

— Je sais que les reproches ne servent à rien. Mais je constate que mon fils ne me reconnaît plus. Il m'a regardé dans les yeux et il ne m'a pas reconnu. Je suis un parfait étranger pour lui. Il faut faire quelque chose!

Lorsqu'il eut vidé son sac, le docteur Curtis se tourna vers Marcia.

— Bud Young est votre patient. C'est donc à vous qu'il incombe de régler cette affaire.

— Bien entendu, répondit Marcia. Monsieur Young, vous avez raison, tout cela est ma faute. J'aurais dû vous prévenir.

Pep et Lily échangèrent un regard ahuri. Où la jeune femme cherchait-elle à en venir?

— J'aurais dû être plus franche avec vous, poursuivit

Marcia. Si je ne l'ai pas été, c'est parce que je voulais vous ménager, vous et surtout votre femme.

« Mais l'heure est venue de jouer cartes sur table. Au début, nous ne savions pas si Bud allait s'en sortir. Nous l'espérions. Nous avons tout fait pour cela, sans être sûrs de rien. Alors, je me suis dit : « Rien ne presse, je le leur dirai le moment venu. » Eh bien, ce moment est venu.

Pepper prit la main de Lily dans la sienne pour se donner du courage.

— Monsieur Young... Lily... si vous pensiez qu'une fois que Bud aurait ouvert les yeux tout recommencerait comme par le passé, que Bud serait à nouveau l'étudiant brillant et l'athlète hors pair qu'il avait été, je suis obligée de vous décevoir.

— Mais, protesta Pepper, je croyais que les soins, tous les tests pour le faire réagir, pour lui faire ouvrir les yeux...

— Ce n'est qu'une première étape, expliqua Marcia, afin de pouvoir entreprendre la rééducation proprement dite. Mais il faudra des mois, voire des années pour le tirer de là.

Lily, qui n'était pas sûre d'avoir bien saisi le sens de ces paroles, demanda :

— Que voulez-vous dire par « le tirer de là »?

Marcia regarda Phyllis Curtis avant de répondre :

— Je crois que nous serions mieux dans la chambre de Bud pour en parler.

— Naturellement, approuva le médecin. (Puis elle ajouta à l'intention des Young :) Si après cela vous avez d'autres questions, je suis à votre entière disposition.

Marcia fit entrer M. et Mme Young dans la chambre 302, puis ferma la porte derrière elle. Bud était exactement dans la position où ils l'avaient laissé, étendu sur le dos, les yeux clos.

Marcia s'assit au chevet du malade et commença sa démonstration.

— Bud, lève la main, ordonna-t-elle.

Après un petit moment, au prix d'un effort considérable, Bud leva la main de manière presque imperceptible, puis la laissa retomber lourdement sur le lit.

— Bud, montre ton nez avec ton doigt, dit Marcia.

Le garçon ne réagit pas tout de suite, mais, au bout d'un moment, il pointa un index dans une direction assez vague.

— Bud, montre-moi le plafond. (N'obtenant pas de réponse, Marcia répéta :) Le plafond, Bud.

— Bud, ouvre la bouche. Ouvre-la. Juste un peu.

Elle attendit. Le patient fit plusieurs tentatives pour contracter les lèvres, mais sans parvenir à faire ce qui lui était demandé.

Lily Young était de plus en plus pâle et tendue. Craignant qu'elle ne s'évanouisse, Pepper la prit dans ses bras pour la soutenir.

— Bud, si tu m'entends, ouvre les yeux, reprit Marcia.

Bud ouvrit lentement les paupières et les dévisagea tous les trois sans avoir l'air de les reconnaître.

— Bud... c'est papa... regarde-moi. Si tu me reconnais, cligne des yeux. Bud? Bud! C'est papa! Cligne des yeux, Bud!

Aucune réponse.

Pep tourna vers Marcia un regard implorant, qui semblait dire : « Vous voyez ce que je vous disais. Faites quelque chose, pour l'amour du ciel! »

— Bud, continua Marcia, Bud, ouvre la bouche.

Voyant qu'il n'y arrivait pas, la jeune femme lui ouvrit elle-même la bouche. Puis elle ordonna :

— Tire la langue. Bud, tire la langue.

Le garçon sembla faire un effort, ce qui laissait supposer qu'il avait compris l'ordre, bien qu'il fût incapable d'obéir.

— Vous voulez dire que... qu'il ne peut même pas tirer la langue! s'écria Pepper Young, refusant de se résigner. Il est paralysé?

— Il n'est pas paralysé, monsieur Young. Mais il doit réapprendre à se servir de ses muscles. Il doit réapprendre tous les gestes que vous faites sans réfléchir et sans effort.

— Mais tirer la langue est une chose élémentaire... protesta Pepper. Même un bébé pourrait le faire.

Marcia fit signe aux Young de s'éloigner du lit. Puis elle chuchota :

— Sa capacité d'écoute est très limitée. Et le sera encore pendant un certain temps. C'est pourquoi il est préférable que nous ne parlions pas tous en même temps.

« Maintenant, pour ce qui est des gestes qui vous semblent élémentaires, comme ouvrir la bouche ou tirer la langue, sachez qu'ils résultent d'un processus complexe. Il lui faudra recouvrer la maîtrise et la coordination de tous ses muscles faciaux ainsi que de nombreuses autres facultés avant de pouvoir recommencer à parler.

— Mon Dieu... je n'aurais jamais imaginé... murmura Lily, le cœur serré.

— Et il en va de même pour toutes les autres fonctions qui nous semblent aller de soi. C'est un peu comme s'il était devenu quelqu'un d'autre. Ses besoins et ses émotions ont changé. S'il était exubérant et chaleureux par le passé, rien ne nous dit qu'il le sera à nouveau. Il aura peut-être des accès de colère. Et, pour ce qui est de ses facultés mentales, il se peut qu'il ait du mal à se concentrer, ou à raisonner. Par exemple, il se peut qu'il lise une page entière de texte sans la comprendre. Ou qu'il ait des troubles de mémoire. Il va falloir qu'il réapprenne à s'asseoir. A se mettre debout. A marcher. A écrire. A lire.

— Lui qui était toujours parmi les meilleurs de sa classe... toujours si brillant... si vif, s'indigna Pepper.

— Monsieur Young, notre travail consiste à réparer et à remettre ensemble toutes les pièces défectueuses, afin de produire un nouveau Bud Young, aussi vigoureux et autonome que possible, répliqua Marcia sans y aller par quatre chemins.

— La chose est donc possible, dit Pepper, espérant lui arracher une promesse.

— Oui, mais il est encore trop tôt pour dire dans quelles proportions, répondit Marcia sans s'avancer. Il faut essayer chaque jour quelque chose de nouveau et voir s'il réagit. Il y a malgré tout une chose qui joue en faveur de Bud : il est jeune, et un cerveau jeune guérit mieux et plus vite qu'un cerveau âgé. Mais c'est tout ce que je peux vous dire.

— Marcia, demanda Lily, y a-t-il autre chose que vous et le docteur Curtis ayez omis de nous signaler?

— Lily... nous n'avons rien « omis » de vous signaler. Nous avons simplement attendu le moment propice pour vous en parler.

— Et le moment propice est arrivé, conclut tristement Lily.

— Et c'est une bonne chose! s'écria Marcia. Cela veut dire que nous avons progressé. Que Bud a progressé. Maintenant, il est prêt à affronter la rééducation, un travail long et difficile.

Pepper contempla un instant son fils étendu immobile sur son lit d'hôpital, puis tourna vers Marcia un regard interrogateur.

— Y a-t-il une chance pour qu'il redevienne un jour celui qu'il était jadis? Un gosse plein de vie, de gaieté, de tendresse? dit Marcia, formulant sa question à sa place. Le docteur Curtis a exigé que je sois honnête avec vous, et je le serai. Personne ne le sait dans l'état actuel des choses.

Cherchant une parole réconfortante, si petite soit-elle, Pepper insista :

— Mais vous avez certainement vu d'autres cas comme celui-là, où tout a fini par s'arranger?

— Oui. Et le contraire également, répondit Marcia en toute franchise.

— En quoi pouvons-nous être utiles ? demanda Lily.

— Montrez-vous coopératifs. Encouragez-le. Faites taire vos angoisses. Applaudissez chacun de ses efforts. Ne lui transmettez pas vos craintes ou vos déceptions. Quant au reste, je m'en charge. Et maintenant, si vous n'avez pas d'autres questions, nous allons commencer le travail de rééducation.

— Et en quoi cela consiste-t-il ? demanda Pepper.

— Nous allons lui apprendre à répondre aux ordres, à parler et à manger.

— Lui apprendre à manger ?

— Une fonction de base, tout à la fois élémentaire et étonnamment complexe. Et qu'il va devoir réapprendre depuis le début. Mâcher, déglutir, parler, autant de choses que vous et moi faisons sans y penser, mais qui exigent de Bud un effort de concentration considérable.

— N'y a-t-il vraiment rien d'autre que nous puissions faire ? insista Lily.

— Apportez-moi des objets personnels. Des photos de famille ou d'amis.

— Des photos de l'équipe de foot ? demanda Pepper. Comme celle qu'ils ont prise après le championnat ?

— Par exemple, approuva Marcia. Tout ce qui peut l'aider à se souvenir et à faire travailler son cerveau de façon cohérente.

— Et la coupe ? rappela Pepper. Le moment est venu, il me semble...

Mais Marcia secoua vigoureusement la tête.

— Vraiment pas ? dit Pepper, déçu.

— Pas celle-là en tout cas.

— Et une photo de Bud et Marylyn ?

— Qui est cette Marylyn ?

— La petite amie de Bud. Ça faisait un an qu'ils sortaient ensemble, expliqua Lily.

— Parfait. Cela pourra nous être utile. A condition de bien noter le nom de la personne qui figure sur chaque photo, précisa Marcia.

— Pourquoi cela ? demanda Lily.

— Parce qu'il y a de fortes chances pour qu'il ne les reconnaisse pas.

— Il ne reconnaîtra pas sa... sa petite amie? s'étonna Pepper.

— Il ne vous a pas reconnu, lui rappela Marcia.

— C'est vrai.

— Il faut que je sache le nom de chaque personne pour pouvoir le lui dire, expliqua Marcia, c'est un processus très lent.

Pepper et Lily hochèrent tristement la tête. Les paroles de Marcia commençaient à prendre une résonance inquiétante.

Ayant deviné leurs pensées, Marcia prit un air détaché pour ajouter :

— Et, bien sûr, si vous avez des films de famille, cela pourrait nous aider. Et vous pouvez également lui apporter une radio. Il est bon de brancher la radio de temps en temps. Pour stimuler les fonctions auditives. Nous lui parlons chaque fois que nous en avons l'occasion. Même les aides-soignantes et les garçons de salle lui parlent. Il est important de garder le contact le plus possible.

A chaque nouvelle suggestion, le visage de Lily se renfrognait davantage. La question qu'elle n'osait pas poser se lisait sur son visage et dans ses yeux.

Marcia lui tendit la perche :

— Combien de temps cela va-t-il prendre? Et quel sera le résultat final? Il est encore trop tôt pour le dire. Mais nous allons faire de notre mieux.

Pepper Young se tenait près du lit de son fils, silencieux et songeur.

Rien de tout cela ne serait jamais arrivé si... si seulement... Mais c'est arrivé et il est trop tard pour avoir des regrets. Il faut songer au présent, à mon fils qui sort tout juste du coma. Et à l'avenir.

Une fois seule avec son patient, voyant qu'il ouvrait les yeux l'espace d'un court instant, Marcia pensa : *Pauvre gosse. Voilà presque soixante jours qu'il est coupé du monde, sans pensées et sans émotions. Rien que du vide et de l'obscurité. Il se réveille et il ne sait pas où il est. Ni comment il est arrivé là. Il ne peut bouger ni les bras ni les jambes, lui qui était si actif. Il y a sûrement des choses qu'il essaie de dire ou de faire. Mais en vain. Le pauvre, comme je le plains.*

Mais ce n'était pas le moment de s'apitoyer.

Il était temps de s'appliquer à raccommoder ce corps et cet esprit, en commençant par les fonctions les plus élémentaires : mâcher et avaler.

Elle alla chercher un bol rempli de glace pilée, puis se mit au travail tout en parlant au patient, afin de stimuler son cerveau.

— Bon, nous allons faire une petite expérience, Bud. Ça ne fait pas mal, et je crois même que ça va te plaire. A présent, ouvre la bouche.

Elle attendit puis, voyant qu'il ne réagissait pas, elle lui entrouvrit légèrement la bouche pour y introduire un petit morceau de glace.

— C'est froid, c'est très froid. Mais tu vas le laisser fondre dans ta bouche et glisser au fond de ta gorge.

Mais de l'eau se mit à couler au coin de sa bouche inerte. Elle lui essuya le menton.

— Il ne faut pas te décourager, Bud. Nous allons arranger ça.

Elle posa le bol de glace et enfila une paire de gants en caoutchouc. Puis elle lui ouvrit à nouveau la bouche et se mit à lui masser les lèvres, la langue et les autres muscles de la cavité buccale. Lentement, patiemment, elle le massait, sans cesser de lui parler.

— Ne t'inquiète pas, Bud. Nous allons remettre toute la machine en marche. Et tu vas pouvoir recommencer à manger et à avaler comme par le passé.

Peut-être était-elle un peu trop optimiste en prononçant ces mots, car personne n'aurait su dire encore quelles étaient les chances de Bud de s'en sortir. Marcia ne savait même pas s'il l'entendait ou s'il comprenait ce qu'elle lui disait. Mais elle espérait qu'une partie au moins de ses paroles arrivait jusqu'à lui, afin que le contact puisse s'établir entre eux.

Quant à déglutir, ne serait-ce qu'un tout petit peu de glace fondue, ce n'était pas pour aujourd'hui.

19

Maintenant que Bud était sorti du coma et que son état général s'était stabilisé, Marcia décida que le moment était venu d'entamer la rééducation fonctionnelle et psychomotrice. Le patient allait devoir réapprendre à faire des choses aussi élémentaires que s'habiller, faire sa toilette ou écrire pour pouvoir retourner à la vie active. Mais il y avait deux choses qu'il devait réapprendre en priorité : manger et parler.

Marcia décida de le faire lever. Craignant que la tentative ne se solde par un échec, elle demanda à Lily de quitter la chambre, puis fit venir deux aides-soignantes pour lui prêter main-forte.

— Bud, nous allons t'aider à te lever, dit-elle à son patient. Mais il va falloir coopérer.

Elle lui expliqua étape par étape comment elle allait procéder, afin de le mettre en confiance.

— Bien, nous allons commencer par te tourner tout doucement de côté. Voilà. Comme ça. N'aie pas peur. Tout doucement... c'est bien.

Lorsqu'il fut allongé sur le côté droit, elle reprit :

— Tu vois, ce n'était pas bien difficile. Et maintenant, les jambes. Tu vas laisser retomber tout doucement tes jambes au bord du lit. Voilà. Parfait. Maintenant tu n'as plus qu'à pivoter pour pouvoir t'asseoir et le tour est joué. Bravo, Bud. Tu es assis !

Tandis qu'elle le maintenait fermement par les jambes pour l'obliger à se tenir droit, les deux aides-soignantes se tenaient derrière lui, prêtes à le rattraper.

A présent, le plus dur, songea Marcia. *Une fois debout sa tension artérielle va chuter...*

Elle le saisit sous les aisselles en faisant signe aux deux aides-soignantes de se tenir prêtes à le rattraper, puis elle l'aida à se lever. Aussitôt, pris de vertige, Bud leur tomba dans les bras : après des semaines passées au lit, le changement de position était trop brutal.

Il était néanmoins indispensable de le faire lever afin de prévenir une nouvelle pneumonie et de faire remonter sa tension artérielle très basse.

Marcia savait qu'il faudrait plusieurs jours avant d'y arriver. Mais, du moment qu'il était sorti du coma, il ne fallait pas se décourager.

Deux jours passèrent. Bud ne cessait de faire des progrès, même s'il n'était pas encore capable d'accomplir des gestes aussi complexes que mâcher ou articuler.

Il existait différentes techniques pour faciliter la position debout, prélude à la marche. Deux fois par jour, Marcia aidait Bud à se lever. Mais chaque fois, pris de vertige, il retombait dans les bras des aides-soignantes.

— Après tout, dit l'une d'elles, il est resté couché près de huit semaines.

— Je sais, dit Marcia. Mais j'aurais tout de même préféré me passer du plan incliné. Les jeunes patients n'aiment pas se sentir dépendants. Surtout en présence de tiers. Malheureusement, nous n'avons pas le choix.

Ce matin-là, en apprenant que son fils s'y trouvait, Lily se rendit immédiatement dans la salle de rééducation fonctionnelle. Marcia était en train d'installer Bud sur une table d'exercice capitonnée. Celle-ci était munie de trois grosses sangles et terminée à une extrémité par une sorte de plate-forme métallique.

Au moyen des trois sangles, Marcia arrima solidement Bud sur la table à la hauteur du bassin, de la poitrine et des genoux pour l'empêcher de se débattre ou de glisser. Puis, après s'être assurée que ses pieds reposaient fermement sur la plate-forme métallique, elle actionna un levier. La table bascula légèrement en avant, de façon à former un angle de dix degrés par rapport à l'horizontale.

Aussitôt après, Marcia prit la tension de Bud.

Au même moment, elle aperçut Lily qui les observait derrière la porte, à travers le vasistas. Elle lui fit signe d'entrer et lui expliqua dans un murmure :

— C'est un plan incliné. Pour lui apprendre à s'asseoir et à se tenir debout.

Elle prit à nouveau la tension du patient. Jugeant le résultat satisfaisant, elle releva la table de dix degrés supplémentaires.

Bud manifesta son mécontentement en poussant quelques grognements inarticulés.

— Faites-le redescendre, protesta Lily.

— Non, dit Marcia. Ce n'est pas la réaction du patient qui compte, mais sa tension artérielle. C'est elle qui nous indique s'il est apte ou non à supporter le degré d'inclinaison.

Elle prit une fois de plus la tension de Bud, qui continuait à protester. Elle fit basculer la table un peu plus. Cette fois, sa tension s'effondra. Lentement, elle revint au degré d'inclinaison antérieur, et le maintint ainsi en dépit de ses grimaces et de ses protestations. Au bout d'une demi-heure, elle remit la table à l'horizontale.

Voyant qu'il continuait à faire la grimace, elle se pencha au-dessus de lui.

— Je sais que tu m'en veux, lui dit-elle. Mais ce n'est que le début, Bud. Et je sens que d'ici peu tu vas te mettre à me haïr. D'ailleurs, plaisanta-t-elle, c'est un excellent stimulant. Ça va te donner envie de guérir plus vite pour pouvoir me donner une bonne raclée. Eh bien, à nous deux, mon vieux. Nous allons voir ce que nous allons voir !

Sur ces mots, elle le remit sur le brancard et chargea les aides-soignantes de le ramener dans sa chambre.

Bud étant un sujet jeune et de constitution robuste, Marcia décida de renouveler la séance dans l'après-midi. Elle voulait accélérer les choses, car elle était impatiente de savoir s'il pourrait un jour remarcher.

Bud, qui semblait avoir vaguement compris ce qui l'attendait, commença à se rebiffer. Son regard devint farouche, une expression d'hostilité se peignit sur son visage. Mais pour Marcia c'était bon signe, car cela prouvait que le patient était conscient et qu'il était capable d'éprouver des émotions et de riposter.

Dès qu'il fut installé sur le plan incliné, elle le rehaussa de dix degrés. Voyant qu'il le supportait sans problème, elle augmenta l'inclinaison de dix autres degrés et le maintint dans cette position pendant vingt minutes. Puis, voyant que sa tension artérielle se stabilisait, elle fit basculer la table jusqu'à parvenir à un angle de trente degrés.

Cinq minutes s'écoulèrent, ponctuées par les grognements de Bud. Puis la tension artérielle du patient chuta brusquement, et il commença à avoir des sueurs froides. Soudain, il fut pris de nausée et une bile verte s'échappa de ses lèvres.

Il ne s'adapte pas aussi vite que je l'avais espéré, mais si je ne le pousse pas un peu nous n'arriverons jamais à rien, se dit Marcia, ajoutant pour se redonner du cœur à l'ouvrage : *Bah, nous verrons bien, demain est un autre jour.*

20

Le lendemain, en entrant dans la chambre de Bud, Marcia trouva Pepper en train d'accrocher un panneau de liège au mur.

— J'ai le même au bureau, expliqua-t-il en commençant à y fixer des photos, chacune accompagnée d'un petit autocollant jaune sur lequel figuraient des noms. La famille et les amis. Ça, c'est la famille au grand complet chez ma mère, le soir du réveillon. En fait, nous devions... mais peu importe, s'interrompit-il brusquement.

Lorsqu'il eut accroché la dernière photo, il se recula pour admirer le résultat.

— Eh bien, qu'en dites-vous ?

— C'est parfait, approuva Marcia.

— Ah, j'oubliais, dit Pepper en attrapant un sac en plastique, dont il tira un maillot de sport rouge portant le numéro 11 et le nom de YOUNG écrit en toutes lettres. Ça va lui faire plaisir. Il va le reconnaître au premier coup d'œil. Vous verrez.

Comprenant qu'il cherchait des yeux un endroit où l'accrocher, Marcia tendit la main.

— Laissez-le-moi pour l'instant.

— Mais... protesta Pepper.

— Je le lui montrerai le moment venu. Mais pas maintenant.

Elle lui prit le maillot des mains, le replia et le remit dans le sac en plastique.

Pepper allait se rebiffer quand il réalisa qu'elle était venue pour s'occuper de Bud et que sa présence la dérangeait.

— Bien, il faut que je me sauve... (Il alla à la porte puis se retourna brusquement.) Au fait, la radio... je pensais l'apporter demain.

— Parfait, dit Marcia.

Lorsque Pepper eut quitté la chambre, Marcia s'adressa à son patient :

— Bonjour, Bud, fit-elle d'une voix ferme et sonore.

Le garçon ouvrit lentement les yeux. Il avait un regard absent, ce matin-là.

— Aujourd'hui, nous allons tenter la grande aventure, Bud. Nous allons commencer à parler.

Il fixa sur elle un œil vide et hagard, indiquant qu'il n'avait pas compris.

— Bien, nous allons commencer par ouvrir la bouche. Tu m'entends, Bud? Tu m'entends? Ouvre... la... bouche!

Il n'eut aucune réaction, son regard demeurait totalement inexpressif.

Elle ouvrit sa sacoche et en sortit un abaisse-langue. Lorsqu'elle se pencha sur lui, il essaya de la repousser d'un geste vague et totalement inefficace.

Elle lui entrouvrit les lèvres et appuya sur sa mâchoire inférieure pour l'obliger à ouvrir la bouche. Puis, s'aidant de son instrument, elle lui souleva la langue pour essayer de la faire remuer.

Ses mâchoires se refermèrent d'un seul coup, avec une telle violence que la palette se cassa en deux, une moitié lui restant dans la bouche.

— Bud! Ouvre la bouche! Ouvre la bouche, Bud! Tu m'entends?

Mais les mâchoires de Bud restaient obstinément closes. Sans perdre une seconde, Marcia enfila une paire de gants en caoutchouc et, s'aidant des deux mains, l'obligea à desserrer les mâchoires. Puis elle glissa un doigt à l'intérieur de la bouche de Bud et en ôta délicatement le morceau de bois resté prisonnier.

Tout en lui maintenant les mâchoires entrouvertes, elle lui ordonna :

— Bud, tire la langue. Montre-moi ta langue, Bud. Tu m'entends ? Tire... la... langue.

Voyant qu'il ne réagissait pas, elle lui enroula une compresse autour de la langue et tira.

— Bud... voilà ce que je veux que tu fasses quand je te dis « tire la langue ».

Mais, dès qu'elle lâcha prise, la langue de Bud rentra instinctivement dans sa bouche et ses mâchoires se refermèrent.

— Bud, ouvre la bouche. Ouvre... la... bouche, répéta-t-elle en prenant le temps de prononcer chaque mot bien distinctement.

Cette fois, il eut un semblant de réaction. Sa bouche ne s'ouvrit pas mais ses mâchoires remuèrent de façon significative.

— Tire... la... langue ! ordonna Marcia.

Les lèvres du garçon frémirent imperceptiblement. Puis sa mâchoire inférieure remua et, au prix d'un effort considérable, sa bouche s'entrouvrit imperceptiblement.

— Bravo, Bud ! Tu y es presque. Allez, encore un effort. Tire... la... langue, insista Marcia avec flamme.

Les yeux de Bud lui répondirent, mais sa bouche refusait de lui obéir. Marcia lui écarta les mâchoires.

— Tire... la... langue, dit-elle une fois encore.

La langue de son patient remua légèrement, mais il n'était pas encore capable de faire ce qu'elle lui demandait.

Tout au moins était-il lucide et partiellement capable

de réagir, même si elle était obligée de faire seule le plus gros du travail. C'était déjà une consolation.

Tout en lui maintenant les mâchoires entrouvertes, Marcia se mit à faire bouger la langue de Bud, vers la droite, puis vers la gauche. Elle lui massa la cavité buccale pour stimuler les muscles de la parole et de la mastication.

Elle passa ensuite à la rééducation motrice. Elle lui fit travailler les bras et les jambes, ainsi que les muscles des épaules et du dos en prenant soin de ne pas déranger la sonde gastrique.

Ses muscles répondaient bien. Il était en bonne condition physique, ce qui devrait grandement faciliter les choses une fois que son cerveau se serait remis à fonctionner normalement.

Lorsqu'elle eut terminé ses exercices, elle lui prit la main et ordonna :

— Serre... moi... la... main... Bud.

La main de Bud effleura la sienne, mais sans plus.

— Bud... tourne... la... tête... à... droite, suggéra Marcia.

Voyant son air désemparé, elle répéta :

— Tourne... la... tête... à... droite.

Toujours pas de réaction.

— Tourne... la... tête... à... gauche, dit-elle cette fois.

A grand-peine, il esquissa un tout petit mouvement. Puis, au bout d'un moment, il réussit à tourner légèrement la tête de côté, comme elle le lui avait demandé.

La séance était terminée. Elle se félicita de ce que ni son père ni sa mère n'aient été présents. Car ce qu'elle considérait comme un grand pas en avant leur eût semblé un échec fracassant.

Certes, on était encore loin du compte, mais Bud avait tout de même fait des progrès.

Elle referma sa sacoche et dit :

— Bud... regarde ce que ton papa a apporté.

Elle attendit qu'il ouvre les yeux, puis elle lui montra les photos accrochées au mur.

Il les regarda un court instant, et referma les yeux, incapable de soutenir un effort prolongé.

Elle saisit sa sacoche et se dirigea vers la porte.

— Nous nous reverrons tout à l'heure, Bud! lança-t-elle. Après déjeuner.

Juste au moment où elle allait sortir, il émit un son. Ce n'était pas un son articulé et certainement pas une parole, mais ce n'était plus tout à fait un grognement. Elle revint aussitôt sur ses pas.

— Bud... redis... le... Bud. Re...com...mence...

Mais sans succès. Elle était déçue mais nullement surprise. Ces choses arrivaient sans qu'on sache pourquoi ni comment. Mais si cela se produisait une fois, il y avait de fortes chances pour que ce ne soit pas la seule. Elle avait bon espoir.

Demain tout ira mieux, se promit-elle. Puis elle se morigéna : *Voilà que tu commences à parler comme sa mère. Demain, nous continuerons la stimulation orale conformément au protocole, et pas question de faire du sentiment.*

L'après-midi, lorsque Marcia revint pour la deuxième séance, elle trouva Lily Young au chevet de son fils, en train de lui montrer les photos accrochées au mur.

— Bud, disait-elle, tu te souviens de grand-mère Young? Le réveillon du jour de l'an? L'oncle Bill... la tante Tess... tu te rappelles?

En voyant entrer Marcia, Lily s'interrompit et hocha tristement la tête.

— Depuis combien de temps essayez-vous? demanda Marcia.

— Cela fait près d'une demi-heure... en pure perte...

— Mais c'est beaucoup trop long. Quelques minutes

suffisent. Cinq minutes tout au plus. Il en est encore à un stade où il se fatigue très vite.

Lily hocha la tête, confuse.

— Désolée... je ne savais pas.

Marcia enfila une paire de gants en caoutchouc et ouvrit la bouche de Bud. Elle commença à lui masser tout doucement les gencives. Cette fois, il semblait plus coopératif.

— Bud... tire la langue ! ordonna la jeune femme.

Le garçon sembla ne pas comprendre d'emblée ce qu'on lui demandait, mais, après quelques secondes, il entrouvrit péniblement les lèvres.

— Bien. A présent, montre-moi ta langue. Bud, tire la langue.

Voyant qu'il ne réagissait pas, Marcia tira elle-même sa langue pour lui montrer ce qu'elle attendait de lui.

— La langue... tire la langue.

Il semblait avoir compris. Il essaya d'imiter Marcia, mais ne parvint qu'à faire sortir légèrement sa langue entre ses dents.

— Très bien. Maintenant fais bouger ta langue, d'abord d'un côté puis de l'autre. Comme ceci... (Une fois encore, elle lui montra comment faire.) Tu as vu ? Vas-y, Bud. Essaie !

Il la regardait fixement. Elle n'aurait su dire s'il ne l'avait pas comprise ou s'il se concentrait pour pouvoir faire ce qu'elle lui demandait.

Il finit par faire bouger tout doucement sa langue vers la droite, puis plus lentement encore vers la gauche.

— Essaie encore, Bud. Allez, d'abord d'un côté puis de l'autre.

La seconde tentative fut à peine meilleure.

« Il est temps d'essayer à nouveau de le faire déglutir », décida Marcia. Elle alla chercher de la glace pilée et lui ordonna d'ouvrir la bouche. Puis elle lui mit un peu de glace dans la bouche et attendit. Au bout d'un moment, il émit un son qui ressemblait à un gargouillement.

Elle versa un peu de glace fondue dans une tasse et la porta aux lèvres de Bud. Cette fois, il les ouvrit sans qu'elle le lui demande. Marcia lui laissa couler un petit peu de liquide dans la bouche et observa sa réaction. Il émit un autre petit gargouillement, suivi d'une quinte de toux.

Il n'était pas encore capable de déglutir. L'eau avait dû passer dans la trachée, or, si elle arrivait dans les poumons, elle risquait d'entraîner une nouvelle pneumonie ou d'autres complications.

Il n'y avait qu'une seule façon de s'en assurer. Elle hissa Bud sur un chariot et fila au service de radiologie.

Là-bas, Marcia et le radiologue installèrent Bud dans un fauteuil et l'attachèrent solidement au moyen de sangles.

Le radiologue prépara une potion de baryum, qu'il versa ensuite dans la bouche de Bud.

Sur l'écran vidéo Marcia observa attentivement la langue de Bud. Celle-ci se débattait avec le baryum. *La langue ne se positionne pas suffisamment vers l'arrière, si bien que l'épiglotte ne joue pas son rôle et que la trachée communique avec l'œsophage. Résultat : le liquide passe dans les poumons.*

Conclusion : il va falloir tout reprendre de zéro...

Bud allait devoir réapprendre le B.A.-BA des fonctions naturelles.

De retour dans la chambre, Marcia prépara tout le matériel dont elle avait besoin : un verre de jus d'orange et une demi-douzaine de compresses, puis elle installa Bud en position assise et trempa une compresse dans le jus d'orange.

— Ouvre la bouche, Bud.

Lentement, il s'exécuta. Elle plaça un coin de la compresse sur la langue du garçon en ayant soin de ne pas lâcher l'autre extrémité, puis elle lui dit :

— A présent, Bud, tu vas sucer la compresse... Fais bouger ta langue. Tu n'as rien à craindre, je la tiens. Tu vois ? Tout ce que je te demande, c'est d'essayer d'avaler. Allons, n'aie pas peur, suce la compresse... C'est parfait. Bravo. Maintenant, repos.

Marcia recommença l'exercice trois fois de suite, et, à chaque fois, malgré son air renfrogné et ses protestations, Bud faisait des progrès. C'était un début. Mais il allait falloir plusieurs jours avant qu'il ne parvienne à contrôler parfaitement son réflexe de déglutition. Aussi Marcia décida-t-elle de consacrer la séance de l'après-midi à cet unique problème.

Elle passa ensuite au test de Mendelson. Plus compliqué parce qu'il nécessitait une participation active de la part du patient, ce test consistait à stimuler tous les muscles de la déglutition au moyen d'une préparation plus dense. Marcia ajouta de la fécule au jus d'orange pour l'épaissir.

— Bien, cette fois, je vais te demander de retenir ta respiration. Tu m'entends ? Retiens ta respiration.

Montrant l'exemple, elle inspira et retint son souffle.

— Vas-y, Bud. Inspire et retiens ton souffle !

Il fit ce qu'elle lui demandait.

— A présent, tu vas contracter les muscles de ta gorge...

Joignant une fois de plus le geste à la parole, elle fit saillir les muscles de son cou.

— Allons... essaie d'en faire autant.

Il essaya une première fois, sans succès.

Elle insista.

— Essaie encore une fois !

La deuxième tentative s'avéra plus probante mais malgré tout insuffisante.

— Encore, Bud.

Il essaya à nouveau d'avaler la bouillie. Cette fois, il réussit.

— A présent, nous allons faire la même chose avec du jus d'orange.

Elle lui versa un petit peu de jus d'orange dans la bouche. Il contracta les muscles de sa gorge de façon à déglutir.

Ils recommencèrent la même opération plusieurs fois.

Satisfaite du résultat, Marcia redescendit Bud en service de radiologie.

Le regard fixé sur l'écran vidéo, elle put observer clairement le résultat de leurs efforts. Bien qu'encore imparfait, le réflexe de déglutition commençait à se mettre en place. L'épiglotte bloquait la trachée, obligeant le baryum à se diriger vers l'œsophage.

Marcia décida de passer sans délai à l'étape suivante.

— Combien de temps m'accordez-vous? demanda-t-elle au radiologue.

— Une demi-heure.

— Parfait.

Marcia fouilla alors dans la poche de sa blouse blanche pour en sortir deux biscuits fourrés, dont elle ôta délicatement la garniture, pour la remplacer par du baryum. Puis elle cassa un petit morceau de biscuit qu'elle plaça dans la bouche de Bud.

— Mâche, Bud...

Partie en mâchant, partie en remuant la langue, il réussit tant bien que mal à amener le biscuit ramolli vers le fond de sa gorge. Puis il contracta les muscles de sa gorge. L'épiglotte recommençait à fonctionner normalement.

Le biscuit était passé dans l'œsophage.

Il avait avalé son premier morceau de nourriture solide sous l'œil fasciné de Marcia, qui avait suivi toute l'opération étape par étape sur l'écran vidéo. Petit à petit, elle réussit à lui faire avaler la totalité du biscuit.

Certes, ils n'avaient parcouru qu'un tout petit bout de chemin, mais pour Bud c'était une immense victoire car il serait bientôt capable de s'alimenter tout seul, sans l'aide d'une sonde gastrique.

Ils venaient de franchir une étape importante, mais il y en aurait bien d'autres.

Et pour commencer il allait devoir réapprendre à manger, seul.

21

Une semaine plus tard, Bud commençait à pouvoir se servir de ses bras et de ses mains, bien que de façon encore limitée. En revanche, il tardait à retrouver l'usage de la parole et ne parvenait à s'exprimer qu'au moyen de sons inarticulés.

Ce matin-là, Marcia avait apporté avec elle différents objets usuels qu'elle montra à Bud en lui demandant de les identifier. Elle tenait un stylo dans la main droite et une lampe de poche dans la gauche.

— Bud... montre-moi... le stylo. Le stylo, Bud.

Il souleva lentement la main droite. Elle attendit patiemment, la patience étant le maître mot dans ce métier. La patience et la persévérance.

— Le stylo, Bud... montre-moi le stylo.

Au prix d'un gros effort, il réussit à lever légèrement l'index et à le pointer en direction du stylo.

— Bravo ! applaudit Marcia, transportée d'enthousiasme en songeant qu'hier encore il n'avait pas réussi à reconnaître un seul objet.

Elle lui présenta ensuite un verre d'une main et un bloc-notes de l'autre.

— Montre-moi le verre, Bud. (Il ne répondit pas.) Le verre, Bud. Où est-il ?

Il semblait hésiter. Elle attendit, pour lui laisser le

temps de se décider, puis, après quelques secondes, il fit un petit geste de la main en direction du verre.

— Super! s'écria Marcia avec un large sourire d'encouragement.

Non seulement il avait progressé mais ses performances semblaient corroborer ce qu'elle avait appris la veille en allant consulter son dossier scolaire. Tout d'abord, le proviseur s'était montré réticent, puis, lorsqu'elle lui avait expliqué la raison de sa visite, il avait aussitôt accédé de bonne grâce à sa requête.

Elle voulait connaître ses résultats scolaires de façon à savoir ce qu'elle pouvait attendre de lui, et elle avait eu l'heureuse surprise de découvrir qu'il était un excellent élève.

Mais il s'agissait d'une épée à double tranchant, car, le sachant brillant, les gens, et son père en particulier, avaient tendance à le surestimer.

Le comble de l'ironie, se dit Marcia, *c'est que s'il n'avait pas été aussi brillant ses parents ne se montreraient pas aussi exigeants avec lui. De toute façon, même dans le meilleur des cas, il ne sera jamais plus ce qu'il a été.*

Ainsi, par exemple, il n'était toujours pas capable de manger tout seul ni de parler.

Elle lui présenta divers autres objets. Il ne parvint à en identifier que quelques-uns.

Elle commença à lui masser tout doucement la langue, après quoi, au moyen d'une spatule, elle la fit bouger d'un côté à l'autre dans un mouvement de va-et-vient jusqu'à ce qu'elle sente une résistance.

Assise sur le lit en face de lui, tout en exagérant les mouvements de ses lèvres et de sa langue, elle énonça lentement :

— *Bud*... ton nom est *Bud*... *Bud*... tu peux dire *Bud*?

Elle savait qu'il n'en était pas capable, mais elle voulait savoir s'il pouvait faire les mouvements nécessaires pour articuler.

Ses lèvres tressaillirent, mais il ne réussit pas à ouvrir la bouche malgré tous ses efforts.

Elle l'encouragea :

— Vas-y. *Bud*... essaie encore, je sais que tu peux le dire... *Bud.*

Il essaya à nouveau, puis finalement abandonna, à bout de forces.

Cet après-midi peut-être... ou demain, songea Marcia en passant aux exercices de rééducation physique.

Constatant que son tonus musculaire était bon, elle lui passa deux petits bracelets de musculation aux poignets. Puis elle lui souleva les bras plusieurs fois de suite.

— A toi, maintenant, dit-elle. Lève les bras, Bud!

Ses bras reposaient, inertes, sur la couverture. Le garçon les regarda, ainsi que les poids. Voyant qu'il avait peur de ne pas réussir, Marcia l'encouragea :

— Allons, Bud, essaie. Je suis sûre que tu peux le faire. Essaie. Fais-le pour moi.

Il plongea ses yeux dans les yeux bruns de Marcia et essaya. Il réussit à soulever le bras gauche d'un centimètre environ.

— Excellent! s'exclama la jeune femme. L'autre bras, à présent. Le bras droit, Bud. Essaie.

Il fit un effort visible pour obéir, mais sans succès. Il essaya à nouveau, redoublant d'efforts cette fois, puis, frustré de voir qu'il n'y arrivait pas, il fit un mouvement brusque pour se libérer du bracelet. Son bras partit brusquement de côté, manquant de peu Marcia, qui s'était reculée juste à temps pour esquiver le coup.

Bien, pensa-t-elle, *ce n'était pas exactement ce que j'avais en tête, mais c'est tout de même un fameux uppercut.*

Dans son métier, la colère, la frustration et la rébellion avaient leur utilité.

— Félicitations, Bud. Tu es mon meilleur élève, le complimenta-t-elle en espérant qu'il comprenait le sens de ses paroles et l'intention qu'elle y mettait.

Elle rassembla son matériel, referma sa sacoche et annonça :

— A tout à l'heure. (Puis elle répéta, plus lentement cette fois, en articulant soigneusement chaque mot :) A... tout... à... l'heure, Bud.

Étendu dans son lit, Bud Young scrutait le panneau de liège accroché au mur. Les photographies ne lui évoquaient rien. Il ne pouvait même pas les reconnaître.

Après quelques instants, exténué par l'effort, il ferma les yeux et sombra dans un sommeil troublé, qui ne dura que quelques minutes.

Lorsqu'il se réveilla, il essaya de remuer les lèvres. Sans savoir pourquoi ni comment, il éprouvait une envie irrésistible de le faire.

Il humecta ses lèvres et essaya à nouveau de les bouger. Sentant qu'elles commençaient à lui obéir, il inspira profondément, puis exhala en essayant d'émettre un son. Et il y parvint.

Il n'avait pas dit *Bud...* mais, malgré tout, il avait produit un son qui, s'il avait réussi à l'articuler correctement, aurait été *Bud.*

Bien qu'incapable de réellement mesurer l'importance de son geste, il en fut malgré tout satisfait.

Phyllis Curtis lui ayant expliqué avec tact que la présence des parents risquait de ralentir les progrès du patient, Lily Young avait pris l'habitude d'aménager ses heures de visite en fonction des séances de rééducation.

Si bien qu'en revenant à la chambre 302, cet après-midi-là, Marcia trouva Bud seul.

Pour engager la conversation, ce qui faisait partie de la thérapie, elle dit sur un ton dégagé :

— Ta maman est venue te voir? Qu'a-t-elle dit? Pas grand-chose, j'imagine. Sans quoi tu me le répéterais.

Tout en parlant, elle avait commencé à sortir ses instruments, de façon à ne pas regarder dans sa direction au cas où il essayerait de parler.

Puis elle entendit :

— ... uh... uud...

Elle fit aussitôt volte-face. Puis, rapprochant ses lèvres l'une de l'autre pour lui montrer comment articuler, elle dit :

— B... ud... B... ud... Bud.

Les lèvres du garçon frémirent. Concentrant tous ses efforts, il essaya à nouveau.

— Uh...

— Bud, répéta Marcia.

— ... uuhd... essaya-t-il à nouveau.

— B... B... Bud...

— B... uud, réussit-il enfin à dire.

— Oh, mais c'est merveilleux, Bud ! Comme je suis fière de toi !

Elle l'embrassa sur la joue, puis fit mine de lui décocher un coup de poing à la mâchoire en riant.

— Et maintenant, encore plus fort, déclara Marcia avec un regain d'enthousiasme. Voyons si nous reconnaissons certains de ces visages.

Elle attira son attention sur les photos : la photo de famille, celle de son équipe de foot, celle de Marylyn. Il ne parvint à en identifier aucune. Puis, sans lui laisser le temps de finir, il ferma les yeux et sombra dans le sommeil.

C'est ma faute, se reprocha-t-elle. *J'étais tellement emballée que j'ai dépassé les limites. Enfin, demain est un autre jour.*

Et je ne suis pas franchement mécontente de ma journée d'aujourd'hui.

22

Quatre jours s'étaient écoulés : huit séances de soins dispensés d'une main ferme mais bienveillante par Marcia. Bud passait par des moments de triomphe et d'abattement. Ses yeux reflétaient tantôt la gratitude, tantôt la colère et la frustration, notamment lorsqu'elle lui imposait de longues séances sur le plan incliné.

Les autres exercices, en revanche, lui semblaient plus familiers.

Chaque matin et chaque après-midi, Marcia lui passait les bracelets de musculation aux poignets et lui ordonnait de lever les bras. La première fois, il réussit à lever le bras droit juste assez pour que Marcia puisse glisser une main entre lui et la couverture.

Une expression d'immense déception se peignit sur son visage. Comment ce bras, dont il se servait jadis pour lancer le ballon, pouvait-il refuser de lui obéir ? C'était un véritable supplice. Et plus il s'acharnait, moins il y arrivait.

Tout le temps que dura la séance, Marcia essaya de l'encourager.

— On ne peut pas réussir du premier coup. Il faut un petit peu de patience.

Elle ne voulait pas se lancer dans des explications compliquées, lui dire par exemple que l'exercice des bras n'était en réalité qu'une infime partie d'un vaste programme de rééducation au terme duquel on saurait s'il pourrait un jour remarcher ou non.

Lorsqu'il était fatigué de soulever des poids, elle lui faisait faire des exercices destinés à lui muscler les biceps et les épaules.

Petit à petit, elle l'amenait vers une autre étape de la rééducation, l'une des plus difficiles : retrouver l'usage de ses mains.

Un jour, elle lui présenta un plateau sur lequel elle avait disposé divers objets usuels en lui demandant de les identifier.

— Bud, montre-moi le verre. Le verre, Bud.

C'était comme si elle avait pu lire sur son visage chaque étape de son processus mental. D'abord la compréhension, puis l'identification de l'objet, et enfin l'exécution de l'ordre en désignant l'objet du doigt.

Un à un, il réussit à identifier les objets : une épingle à nourrice, un élastique, une agrafe, une cuillère.

Elle continua avec un exercice destiné à exercer la mémoire, mais dans un but bien précis cette fois.

Le dernier objet resté sur le plateau était un stylo à plume dont le capuchon avait été ôté.

— Bud, montre-moi le stylo, ordonna Marcia.

Son esprit se débattit un moment avec le mot *stylo*, sans réaliser qu'il s'agissait du dernier et unique objet restant sur le plateau. Puis il étira légèrement l'index et le pointa vers le stylo.

— Bravo, Bud. Excellent! s'exclama Marcia, ajoutant aussitôt : Et maintenant, Bud, prends le stylo.

Il regarda le stylo, puis Marcia, puis à nouveau le stylo, et étira un doigt dans sa direction. Marcia rapprocha le plateau afin de mettre l'objet à sa portée.

— Prends-le, Bud. Prends-le, l'encouragea-t-elle.

Ayant réussi à poser l'index sur le stylo, Bud essaya d'approcher son pouce suffisamment près pour pouvoir le saisir. Il réussit à le soulever mais le stylo lui échappa et retomba sur le plateau.

Furieux et déçu, il jeta un œil noir à sa main déficiente. Il voulut essayer encore une fois, mais la peur d'échouer le fit renoncer et il retira sa main.

Il semblait épuisé par l'effort qu'il avait fourni.

Afin de le récompenser et de l'encourager, Marcia tira un autre stylo de sa poche. Celui-là était différent de tous ceux qu'elle lui avait montrés jusqu'ici. Il s'agissait d'un stylo à bille rouge gainé de plusieurs épaisseurs de sparadrap afin d'en faciliter la prise.

Elle posa le stylo à plat dans la paume de Bud.

— Vas-y, Bud. Prends celui-ci.

Le garçon regarda le stylo, puis Marcia, qui l'encourageait du regard.

— Vas-y, Bud. Tu peux y arriver. Essaie.

Il étira la main, son index effleura le sparadrap. Sans cesser de garder l'index posé sur le stylo, il rapprocha lentement son pouce de façon à former une pince. Il saisit l'objet aussi fermement qu'il le pouvait et le souleva.

Une expression de triomphe et de joie illumina un instant son visage, puis, à bout de forces, il lâcha prise.

La joie se transforma en amertume.

— Bravo, s'écria Marcia pour le réconforter. Tu as réussi ! Tu as pris le stylo avec ta main droite. Demain nous allons pouvoir faire des choses extraordinaires avec ce stylo.

Avait-elle réussi à vaincre son sentiment d'échec ? Elle l'ignorait. Mais une chose était certaine : elle avait ouvert la voie vers la prochaine étape.

A la différence des paraplégiques qui ne souffrent que de handicaps moteurs, les victimes de traumatismes crâniens perdent de surcroît leurs fonctions cognitives les plus élémentaires.

Avec Bud, Marcia allait devoir recommencer de zéro. Elle allait non seulement devoir lui apprendre à se servir de sa main droite mais également lui apprendre à écrire comme à un petit enfant.

Qu'il le veuille ou non, il lui faudrait en passer par là. C'est pourquoi elle décida de faire de ces séances une compensation à un autre aspect de la rééducation que son patient avait en horreur : le plan incliné.

Chaque fois qu'il voyait arriver le brancard, son visage prenait une expression hostile.

Bien qu'il fût à présent capable de supporter des inclinaisons de plus en plus proches de la verticale, et pendant des laps de temps de plus en plus longs, il détestait ces séances.

Il allait probablement détester tout autant, sinon plus, la prochaine phase de sa rééducation, car elle n'était guère différente des exercices que fait un enfant de deux ou trois ans pour apprendre à coordonner les mouvements de ses mains.

Comme chaque jour, le brancard tant haï fit son apparition dans la chambre 302. Aidée du brancardier, gentiment mais fermement, Marcia fit glisser Bud de son lit sur le brancard. Une fois dans la salle de rééducation, elle l'attacha sur la table basculante et l'amena progressivement à une position proche de la verticale. La tête de Bud se mit à tourner et il eut une légère sensation de nausée qui finit peu à peu par s'estomper.

Il semblait résigné, bien qu'il continuât à protester pour la forme; sans quoi il aurait eu l'impression de perdre le peu de liberté qu'il avait conquise.

Marcia jugea le moment venu de passer à un exercice plus gratifiant. Elle présenta à Bud un plateau qu'elle installa devant lui, à hauteur de sa taille. Il lui jeta un regard suspicieux, auquel Marcia répondit par un sourire.

— Allez, vas-y. Fais la grimace si tu veux, insulte-moi. Mais nous allons jouer à un petit jeu. As-tu jamais joué aux billes quand tu étais petit?

Elle renversa une timbale pleine de billes sur le plateau. Puis elle posa la timbale vide à côté.

— Maintenant, Bud, voyons si tu es capable de remettre ces billes dans la timbale?

Il lui décocha un regard plein de haine et de mépris en marmonnant des paroles qu'elle préféra ne pas essayer de comprendre.

— Une vieille sorcière, c'est ça? N'empêche que tu vas remettre toutes ces billes dans la timbale.

Il la foudroya du regard, refusant de faire le moindre effort. Elle laissa tomber d'un ton désinvolte :

— Bon, c'est comme tu voudras. Mais tu vas rester ici jusqu'à ce que tu aies fini. Même si nous devons y passer la journée.

Sur ces mots, elle s'adressa à l'infirmière.

— Tess, j'ai d'autres malades à voir. Tiens-le à l'œil. Tu m'appelleras quand il aura fini.

Puis elle tourna les talons et quitta la salle de rééducation. Mais, une fois à l'extérieur, elle épia la réaction de Bud à travers le vasistas.

Le garçon, furieux, continuait de bouder. Ses lèvres remuaient, mais Marcia ne pouvait pas entendre ce qu'il marmonnait. L'instant d'après, elle vit l'infirmière qui secouait la tête et comprit que Bud lui avait demandé de le faire redescendre. Naturellement, l'infirmière s'y était refusée.

Ligoté ainsi sur le plan incliné, Bud n'avait d'autre choix que de relever le défi qui lui avait été lancé. Pour finir, il leva lentement le bras droit et posa la main sur le plateau. Il essaya de plier les doigts. Ceux-ci lui obéirent plus ou moins, mais, lorsqu'il voulut la saisir, la première bille se mit à rouler et lui échappa. Il voulut la rattraper, mais réalisa bien vite qu'elle était hors d'atteinte. Il essaya d'en prendre une plus proche. Il réussit à la serrer entre le pouce et l'index mais un court instant seulement, car elle lui échappa également. Il décocha un regard furieux à la main qui l'avait trahi, puis détourna les yeux du plateau et des billes, refusant de se prêter plus longtemps à un jeu aussi frustrant.

Sa réaction ne surprit nullement Marcia. Ce n'était pas la première fois qu'il se décourageait. Elle attendit. Quelques minutes plus tard, Bud se sentit à nouveau attiré par les billes. Il les observa longuement, puis décida de faire une nouvelle tentative. Enfin, il réussit à en soulever une et à la porter jusqu'à la timbale. Mais, juste au moment où il allait atteindre son but, la bille lui échappa et alla faire de petits bonds sur le plateau.

Cependant, au lieu de se décourager et de manifester de la colère, il redoubla d'efforts. Sa main s'avança tout doucement vers la bille comme pour la prendre par surprise. Il la saisit lentement entre le pouce et l'index et la souleva précautionneusement. Cette fois, elle tomba dans la timbale. Une expression de triomphe illumina son visage.

Marcia rentra à nouveau dans la pièce. Elle feignit la surprise en voyant la bille au fond de la timbale.

— Tiens, tiens, tiens, mais on dirait une bille ? Et moi qui croyais que tu n'y arriverais pas. Tu veux jouer au plus malin, c'est ça ? Tu refuses de le faire devant moi, mais tu le fais dès que j'ai le dos tourné. A moins que tu n'aies réussi à convaincre Tess de le faire à ta place ?

Bud protesta.

— Je... non... non... je... bégaya-t-il.

— Dans ce cas, prouve-le, dit-elle, le mettant au défi. Vas-y, montre-moi comment tu fais !

Piqué au vif et convaincu de pouvoir le refaire une deuxième fois, Bud se concentra sur les billes. Il en saisit une, la tint fermement entre ses doigts, puis la déposa dans la timbale. Alors, avec un regard plein de morgue, il accomplit une nouvelle fois le petit miracle. Mais, à la troisième tentative, épuisé, il lâcha la bille et se renfrogna.

— Deux sur trois, fit Marcia. C'est un véritable record. Ce dont vous avez besoin, jeune homme, c'est d'entraînement. Nous allons rapporter les billes dans ta chambre pour que tu puisses t'exercer.

La rééducation des fonctions psychomotrices n'était qu'une étape qui, une fois franchie, allait permettre à Bud de se livrer à des exercices de plus en plus difficiles. Lorsqu'il aurait maîtrisé la manipulation des billes, on lui présenterait d'autres objets de petite taille, comme des boutons ou des haricots, puis le stylo à bille gainé de sparadrap. Et enfin, un beau jour, un stylo ordinaire.

Mais il fallait d'abord commencer avec le stylo à bille rouge. Le tenir. Le maîtriser. Apprendre à s'en servir pour qu'un jour, ayant recouvré ses autres aptitudes, il puisse réécrire. Peut-être pas avec la même aisance que par le passé, mais suffisamment bien pour pouvoir reprendre des études.

Mais chacune de ces étapes était un processus lent et parfois douloureux.

Les progrès enregistrés au cours des derniers jours encouragèrent Marcia à passer à la vitesse supérieure.

Cette fois, après l'avoir installé en position presque verticale sur la table basculante, elle lui présenta deux nouveaux objets.

Le stylo. Et un bloc de papier.

Il les observa longuement, puis tourna vers elle un regard qui semblait dire : « Que veux-tu que j'en fasse ? »

— Bud, prends ce stylo. (Voyant qu'il ne bougeait pas, elle répéta :) Bud, prends ce stylo. Très bien. Si ça t'amuse de rester ici jusqu'à ce soir...

— Es... pèce... de... réussit-il à articuler, en y mettant toute la fureur dont il était capable.

— Prends ce stylo. Sans quoi je vais te montrer de quel bois je me chauffe !

Sachant qu'elle mettait toujours ses menaces à exécution, Bud décida d'obtempérer. La chose s'avéra beaucoup plus simple qu'il ne l'avait imaginée.

Lorsqu'il eut saisi le stylo entre le pouce et l'index, Marcia ramena son majeur et lui mit la main en position d'écriture. Elle approcha le bloc de papier et le plaça directement sous le stylo.

— Dessine quelque chose, Bud. Une ligne. Un cercle. Ou même un demi-cercle.

Voyant qu'il ne comprenait pas ce qu'elle lui demandait, elle lui prit le stylo des mains et se mit à dessiner des lignes bien espacées en travers de la page. Puis elle lui tendit à nouveau le stylo, et, quand il l'eut bien en main, lui intima :

— A présent, fais la même chose.

Il lui décocha un regard plein de mépris : comment pouvait-elle lui demander de faire une chose aussi élémentaire ? Mais, lorsqu'il essaya d'imiter son gribouillage, il découvrit qu'il en était incapable. Il essaya à nouveau, puis renonça, dans l'impossibilité de diriger sa main.

Il laissa tomber le stylo et détourna la tête pour cacher les larmes de déception qui lui montaient aux yeux.

Marcia se pencha vers lui et lui murmura à l'oreille :

— Bud, je te promets qu'un jour tu pourras écrire à nouveau. Des mots, des phrases, et des paragraphes, même. Je te le promets.

23

Une nouvelle semaine passa. Bud progressait lentement mais sûrement. Comme il n'était pas encore apte à se servir d'une fourchette ou d'une cuillère pour s'alimenter, Lily s'arrangeait pour lui rendre visite aux heures des repas. Elle découpait sa nourriture en morceaux suffisamment petits pour qu'il puisse les mâcher et les avaler sans difficulté — même s'il mâchait lentement, de façon presque mécanique. Elle l'aidait à boire son lait ou son bouillon dans une timbale pour bébé munie d'un bec verseur.

Après déjeuner, elle l'aidait à dessiner des lignes ou des cercles, parfois avec succès, mais il se fatiguait trop vite pour pouvoir faire de réels progrès.

Sachant que Pep n'aurait pas supporté de voir son fils de seize ans manger comme un bébé, Lily s'efforçait de le tenir éloigné de l'hôpital aux heures des repas.

Tout en l'aidant à manger sa compote, Lily continuait à parler à son fils, comme on le lui avait recommandé. Elle lui racontait une épopée familiale.

— Et c'est ainsi que nous nous sommes retrouvés coincés... la vieille Buick de grand-mère, enfoncée dans la neige jusqu'au pare-chocs. Et ton père... ton père qui secouait ce maudit tacot en faisant jouer l'embrayage :

en avant, en arrière, en avant, en arrière, et vas-y que je te le secoue pour essayer de le faire bouger...

Bud avait fermé les yeux. Ne sachant pas s'il s'était endormi, Lily se pencha vers lui pour s'en assurer. Brusquement, il explosa en un torrent de paroles. Sa prononciation était défectueuse, certes, mais compréhensible, même si les paroles accolées les unes aux autres se déversaient en un chapelet interminable.

Tout d'abord, en le voyant parler si vite et si bien, elle en éprouva un immense soulagement. Mais cela ne dura pas, car, en écoutant attentivement ce qu'il disait, elle réalisa, horrifiée, que ses paroles n'avaient ni queue ni tête.

« ...fenêtresfontlejeupardessuslacollinehierdeux foisdeuxétéslesfeuillestuelesgensoùestmarylynvanille chocolatpistachelegoordinairelesailesendescendantla collinetroisièmeroundpasseleballondessineunecarte etvasyvascooter... »

Lily scruta attentivement le visage de Bud à demi plongé dans l'obscurité. Il avait les yeux ouverts, mais son regard était absent et comme vide de toute intelligence.

Et il continuait de déverser son flot de paroles insensées.

« vesteaissellescrêpestroisquatrecinq... »

Il avait l'habitude de dire des choses comme celles-là quand il était petit, songea Lily. Il avait les yeux plus gros que le ventre et réclamait toujours plus de crêpes qu'il ne pouvait en manger.

Est-ce que son cerveau est à ce point endommagé qu'il est retombé en enfance? Oh, mon Dieu!

Elle s'élança à toute vitesse dans le couloir en s'écriant :

— Marcia! Marcia! Venez vite!

Marcia arriva aussitôt en courant. Elle prit Lily par le bras et l'entraîna dans la chambre.

— Eh bien, que se passe-t-il? demanda-t-elle.

Ce fut Bud, dont le flot de paroles continuait à se déverser sans fin, qui lui fournit la réponse.

« Saucissesèchemanteaudepluietroisièmeetdernier tricyclepuréedepommesdeterrebattedebaseball... »

— Il n'a pas parlé de batte de base-ball depuis l'âge de neuf ans. Et il a parlé de crêpes... comme lorsqu'il était petit. Marcia... Marcia, vous ne m'aviez pas dit qu'il allait retomber en enfance. Il faut faire quelque chose... Marcia, faites quelque chose, je vous en supplie !

— Il n'y a rien à faire, et vous n'avez aucune raison de vous inquiéter, dit Marcia d'une voix calme et rassurante. Il s'agit d'une phase de développement parfaitement normale. Une logorrhée, un torrent de paroles apparemment sans queue ni tête, mais qui a son utilité pour le patient. Si vous écoutez attentivement, vous constaterez que sa diction est en train de s'améliorer.

— Mais sa prononciation reste très imparfaite, objecta Lily.

— Et le restera pendant un certain temps encore, répondit Marcia. Nous allons y travailler un peu chaque jour. Et pour ce qui est de l'incohérence de son discours, ne vous en faites pas.

Lily hocha la tête, l'air résigné, mais Marcia voyait bien qu'elle était inquiète.

— Que dois-je faire à présent ? demanda Lily.

— Faites ce que vous avez toujours fait jusqu'ici. Quand il se réveillera, achevez de le faire déjeuner. Et parlez-lui de gens ou d'incidents qui lui sont familiers.

Restée seule avec son fils, Lily Young se rassit à son chevet et l'écouta déverser son chapelet de paroles totalement décousues. *Heureusement que Pepper n'est pas là,* songea-t-elle, *sans quoi je ne sais pas comment il aurait réagi.*

Lorsque Bud retrouva son calme, Lily lui donna le reste de compote, puis elle lui fit faire ses exercices des bras et des jambes, comme Marcia le lui avait appris.

En même temps, pour stimuler sa mémoire, elle essayait d'attirer son attention sur les photos accrochées au mur.

L'espace d'un instant, elle crut déceler une lueur de conscience dans son regard lorsqu'elle lui présenta une photo de Marylyn. Elle prononça consciencieusement son nom « Marylyn... Marylyn... », en espérant qu'il essaierait de le répéter. Mais en vain.

N'empêche, songea-t-elle, pleine d'espoir, *je suis sûre qu'il l'a reconnue.*

Il était presque quatre heures quand Bud regagna sa chambre après sa séance en salle de rééducation. Sa tension était encore très basse, et, contrairement à ce qu'elle avait espéré, Marcia n'avait pu passer à l'étape suivante. En revanche, il avait fait de nets progrès pour ce qui était de la neuromotricité. Il était de plus en plus habile de sa main droite et serait bientôt capable de manger seul.

Mais l'apparition soudaine de la logorrhée avait quelque peu bouleversé son programme de la journée. Il prononçait les mots de telle sorte qu'il était évident qu'il avait fait des progrès au plan de l'articulation. Cependant, il fallait lui apprendre à s'exprimer plus distinctement. Ce qui, en retour, lui permettrait d'améliorer ses performances linguistiques.

Elle lui présenta un petit tableau sur lequel elle avait disposé, à intervalles réguliers, des lettres de l'alphabet surdimensionnées.

— Assieds-toi, Bud. Tu peux t'asseoir tout seul. Ne sois pas fainéant. Allons, redresse-toi !

Puis, s'asseyant à son tour au bord du lit, elle demanda :

— Tu as regardé la télévision aujourd'hui, Bud ?

Il ne répondit pas.

— Bud, je l'avais allumée tout à l'heure, en partant, dit-elle très lentement pour lui donner le temps de comprendre ce qu'elle disait. As-tu vu quelque chose d'intéressant? Je t'avais mis un film. Tu l'as regardé?

— Filmidiotvraimentropnul...

Peut-être était-ce un peu prématuré, mais elle décida tout de même de tenter sa chance.

— Nous allons jouer à un petit jeu, toi et moi, énonça-t-elle lentement. Tu vois les lettres sur ce tableau? Je veux que tu me montres la dernière lettre de chaque mot que tu vas prononcer. La dernière lettre. Compris?

— Mmm, marmonna Bud en guise de réponse.

— Bien, allons-y. Comment as-tu trouvé le film que tu as vu à la télévision?

— Filmidiotarchinul...

— Stop. N'oublie pas notre petit jeu, Bud. Montre-moi la dernière lettre de chaque mot que tu prononces.

Il s'arrêta et s'efforça de se souvenir du premier mot qu'il avait prononcé. Lorsqu'il l'eut trouvé, il étudia le tableau.

— Film... nière... let... dit-il en pointant du doigt vers la lettre M.

— Bravo! C'est parfait! Continue!

— Film idiot...

— La dernière lettre, Bud.

Il réfléchit un instant. Puis ayant trouvé, il dit :

— Idiot... nière... let...

Il pointa du doigt en direction du O.

— Non, Bud, la dernière lettre du mot idiot n'est pas un O.

Contrarié, il semblait sur le point de se mettre en colère quand, réalisant brusquement son erreur, il se corrigea :

— Idiot... nière... let... répéta-t-il en désignant cette fois la lettre T.

— Bravo, Bud! s'exclama Marcia.

Et c'est ainsi que, pas à pas, elle l'amena à lui parler d'un film qu'il avait détesté, mais qui n'en constituait pas moins matière à un excellent exercice. Quand arriva la fin de la séance, il arrivait à séparer les mots et à s'exprimer d'une façon presque normale.

Cela dit, Marcia ne se faisait aucune illusion. Elle savait que rien de tout cela n'était définitif et qu'il lui faudrait répéter cet exercice de nombreuses fois encore avant d'en retirer tous les bénéfices.

Elle était en train de ranger l'alphabet quand la porte s'ouvrit. Lily entra dans la chambre.

Elle n'était pas seule. Une jolie blonde l'accompagnait, que Marcia reconnut d'emblée : il s'agissait de la jeune fille qui posait sur la photo aux côtés de Bud.

« Oh, non », murmura Marcia pour elle-même, s'élançant aussitôt pour essayer de cacher la jeune fille à la vue de Bud. Trop tard. Le garçon l'avait aperçue et semblait l'avoir reconnue.

Il émit un son indistinct, comme un cri de colère, accompagné d'un mouvement si brusque qu'il faillit tomber hors du lit.

Stupéfaite, Lily se figea sur place.

— Sortez, s'écria Marcia. Sortez immédiatement de cette chambre !

— Je suis désolée... je... je croyais, bredouilla Lily, confuse.

— J'ai dit : Dehors ! réitéra Marcia en les poussant sans ménagement vers la porte.

Lorsqu'elles furent sorties, Marcia s'élança vers son patient qui continuait à laisser libre cours à son indignation.

Le saisissant à bras-le-corps, elle réussit à immobiliser son bras droit, mais le gauche lui échappa et, d'un brusque mouvement de côté, il l'atteignit à l'arcade sourcilière, juste au-dessus de l'œil droit.

Légèrement étourdie par le coup, Marcia fut momentanément désarçonnée, mais elle recouvra vite ses esprits et repartit aussitôt à l'attaque. Finalement, elle parvint à maîtriser Bud. Elle attendit que sa colère soit retombée, après quoi, voyant qu'il renonçait à se débattre, elle le relâcha progressivement.

Assis côte à côte, exténués et pantelants, la jeune femme et son patient se regardaient droit dans les yeux.

C'est alors que Marcia sentit l'écoulement chaud et poisseux du sang qui jaillissait de sa tempe. Avant qu'elle ait pu faire un geste, Bud leva la main droite et essuya le sang d'un geste maladroit, avec son index et son pouce. Puis il frotta ses doigts l'un contre l'autre comme s'il s'agissait d'un quelconque exercice de rééducation. Mais son regard exprimait la culpabilité et lui disait combien il regrettait son agressivité.

Il se rendait compte qu'il l'avait blessée et lui demandait pardon.

Lorsque Bud se fut complètement calmé, Marcia partit à la recherche de Lily et Marylyn. Elle les trouva dans la salle d'attente. Marylyn, visiblement bouleversée, s'efforçait de réconforter Lily, qui pleurait à chaudes larmes.

Dès qu'elle aperçut Marcia, Lily lui demanda, l'air angoissé :

— Comment va Bud? Que s'est-il passé? Il ne s'est pas blessé au moins?

— Ne vous inquiétez pas, tout ira bien, dit Marcia.

C'est alors que Lily remarqua l'entaille au-dessus de l'arcade sourcilière de Marcia.

— C'est... c'est Bud qui vous a fait ça?

— Ne vous occupez pas de ça, lui dit Marcia. Mais quelle mouche vous a donc piquée d'amener cette jeune fille ici? Je n'ai rien contre elle. Mais il est encore trop tôt pour ce genre de face à face.

— Ce matin, expliqua Lily, pendant que Bud et moi passions les photos en revue, j'ai eu l'impression qu'il l'avait reconnue. J'ai même eu l'impression qu'il allait dire son nom. Alors j'ai pensé que la mémoire lui reviendrait peut-être s'il pouvait la voir en chair et en os.

— Lily, Bud est presque encore un enfant.

— Mais vous disiez que c'était une bonne chose. Que les sujets jeunes récupéraient plus vite que les sujets âgés.

— C'est exact, mais ils sont aussi beaucoup plus sensibles. Et conscients de leurs défauts. Ils n'aiment pas se sentir en position d'infériorité. Les adultes sont capables de se faire une raison. Mais pas les adolescents.

— Vous voulez dire que Bud sait... ou qu'il pense... qu'il ne va jamais guérir complètement?

— Je veux dire qu'il refuse cette éventualité. Même si elle est plus que probable.

— Pauvre Bud... murmura Lily.

— Oui, pauvre Bud.

— Je vous en supplie... quoi qu'il arrive... n'en dites rien à son père, implora Lily.

— Si son père ne peut pas l'accepter, alors il est bien à plaindre, dit Marcia. En attendant, vous et moi allons faire tout notre possible pour aider Bud à surmonter son handicap.

24

Marcia installa Bud dans un fauteuil avec un stylo et une feuille de papier, et lui ordonna de faire une ligne de E.

Lorsqu'il eut fini sa ligne de E, elle traça un O sur la feuille.

— A présent, Bud, tu vas faire une ligne de O.

Le stylo à la main, il essaya de faire son premier O. Il ne réussit à tracer que deux petits traits verticaux, à peine séparés l'un de l'autre par un petit espace.

— Plus rond, Bud, et mieux formé... comme le modèle. Serre davantage ton stylo et fait un geste bien rond, comme ceci.

Plaçant sa main autour de la sienne, elle l'aida à tracer un O correct.

— Voilà. Essaie encore. Je suis sûre que tu peux y arriver.

Il étudia le modèle, réfléchit un instant, puis traça un O légèrement plus arrondi.

— Très bien! Maintenant, continue.

Il commença, d'abord lentement, puis de plus en plus vite à mesure qu'il prenait de l'assurance. Il venait juste de terminer sa ligne quand la porte s'ouvrit.

— Je vous dérange? demanda Lily, en passant timidement la tête par la porte entrebâillée.

— Non, vous tombez à pic, au contraire, dit Marcia. Nous avons juste terminé les exercices d'écriture. Bud, ta maman est là.

Le garçon ne releva pas la tête, trop occupé à tracer des O. L'exercice semblait lui procurer une immense satisfaction.

Lily en profita pour demander :

— Comment cela s'est-il passé aujourd'hui?

— Beaucoup mieux.

Craignant de froisser Marcia en insistant pour avoir des détails, Lily jugea préférable de lui expliquer la situation délicate dans laquelle elle se trouvait.

— Vous comprenez, c'est mon mari. Il ne sait plus où donner de la tête, entre le bureau, les cours qu'il donne aux jeunes des banlieues, et... (Lily hésita.) Bref, quand il rentre le soir... après sa séance chez les A. A... sans parler des jours où il part en déplacement comme aujourd'hui, il compte sur moi pour lui donner des nouvelles de Bud. Et, franchement, à part... à part lui dire « Bud va mieux », je ne sais plus quoi lui répondre. Il me pose un millier de questions. Du genre : Est-ce qu'il peut manger tout seul? Est-ce qu'il peut s'asseoir? Ou bien... Quand vont-ils se décider à lui apprendre à marcher? Alors, vous imaginez mon problème!

— Monsieur Young est impatient, comme tous les pères, répondit Marcia. Les pères sont plus exigeants que les mères, surtout vis-à-vis de leurs fils. Quand leurs fils ne se comportent pas exactement comme ils le voudraient, ils le vivent comme un affront.

— C'est vrai, acquiesça Lily, sans mentionner le fait que son mari se sentait coupable. Il va m'appeler ce soir, et que vais-je lui dire?

— La vérité, répondit Marcia. Bud fait des progrès. Il supporte de mieux en mieux le plan incliné, et nous allons bientôt pouvoir passer aux barres parallèles : la première étape qui conduit à la marche. Ensuite...

— Mais dans combien de temps va-t-il pouvoir

recommencer à marcher? l'interrompit Lily. C'est la seule chose qui intéresse Pep.

— Lily, nous ne pouvons rien promettre à votre mari. Il est encore trop tôt. Nous allons attendre et voir. Je ne peux rien vous dire de plus pour l'instant.

— Mais il va me demander si...

— Et vous lui répéterez exactement ce que je viens de vous dire. Bud a fait des progrès. Nous espérons pouvoir bientôt passer aux barres parallèles, et en fonction des résultats nous déciderons de la marche à suivre, répondit Marcia.

Elle avait dit cela sur un ton catégorique, qui laissait clairement entendre qu'elle refusait d'engager sa parole ou celle de l'hôpital.

Lily passa l'après-midi avec Bud. Comme chaque jour, elle l'aida à faire ses exercices d'écriture tout en lui parlant de choses et d'autres.

Elle plaça une feuille de papier devant lui.

— Fais des U, mon chéri. Comme ceci.

Tout en traçant une ligne de U sur la feuille blanche, elle lui dit :

— Tu ne devineras jamais qui est passé à la maison aujourd'hui : M. Venable.

Elle scruta un instant le visage de son fils pour voir si le nom lui disait quelque chose. Mais il n'eut aucune réaction.

— M. Venable... le professeur... J'ai tout de suite pensé à Gwen. Je me suis dit : elle a fait un mauvais trimestre. A son âge, on s'intéresse plus aux garçons qu'à l'algèbre. Mais M. Venable m'a rassurée. En fait, il passait pour prendre de tes nouvelles. Il voulait savoir comment tu allais. Il n'a pas tari d'éloges à ton sujet. Il m'a dit textuellement : « Les dissertations de Bud sont un vrai régal. Elles sont si bien écrites, et si proprement. » Il a dit qu'il espérait te voir retourner au lycée à la rentrée prochaine.

Bud continuait à tracer consciencieusement des U,

comme s'il n'avait rien entendu de ce que sa mère venait de lui dire. Lily se serait découragée si Marcia ne lui avait expliqué que les patients comme Bud ne peuvent pas faire deux choses à la fois.

Lorsqu'il eut fini sa page de U, Lily s'apprêta à lui suggérer de faire des E, quand de son propre chef Bud se mit à tracer des figures géométriques rudimentaires dont les contours en zigzags ressemblaient à des éclairs.

Il semblait tirer une grande satisfaction de cet exercice.

Tout en l'observant, elle songeait intérieurement à ce qu'elle allait dire à Pep ce soir quand il l'appellerait.

— Et sa mémoire? demanda Pepper au téléphone. Est-ce qu'il y a du nouveau de ce côté-là?

— Eh bien, commença Lily, qui ne savait comment lui présenter les choses. Il est complètement absorbé par ses exercices d'écriture...

« Il est comme un gosse à qui l'on vient de donner un nouveau joujou. Maintenant qu'il a découvert qu'il peut se servir d'un stylo, il ne pense plus qu'à écrire.

— Mais sa mémoire? insista Pep.

— Eh bien, ce n'est pas encore ça, fut-elle obligée de reconnaître. Mais Marcia dit qu'il faut un certain temps.

— Du temps! s'exclama Pep, brusquement découragé. Lily, ce n'est pas que je veuille la dénigrer, mais j'ai l'impression que cette Marcia est un peu trop coulante avec lui. Bud est un garçon attachant, très attachant même. Les gens ont tendance à le prendre en pitié. Mais Bud n'a pas besoin de se faire materner.

— Pep, où veux-tu en venir?

— Bud a besoin d'un bon coup de pied aux fesses. C'est un gosse qui a besoin de se dépasser. Sans quoi, j'ai bien peur que...

Il ne termina pas sa phrase, craignant de dévoiler le fond de sa pensée.

— Pep? demanda Lily d'une voix anxieuse.

— En temps de guerre, il y a ceux qui vont au casse-pipe et ceux qui se planquent à l'arrière. Dieu merci Bud n'est pas de ceux-là. Mais il risque de le devenir si on n'y prend pas garde. Il faut trouver le déclic, quelque chose qui l'incite à lutter. Chérie, je serai de retour demain. Je crois que j'ai trouvé ce qu'il lui faut.

Le lendemain soir, Pepper se présenta au service de traumatologie, un sac à la main. A l'intérieur, se trouvait un objet volumineux enveloppé dans du papier kraft.

Lily se hâtait à ses côtés tandis qu'il enfilait le couloir d'un pas décidé.

— Pep, tu ne crois pas que nous devrions d'abord en parler au docteur Curtis ?

— Écoute, cela fait des mois qu'il est entre les mains de ces deux bonnes femmes. Résultat ? Il n'est même pas fichu de se souvenir de ce que tu lui as dit la veille.

— Mais il y a certaines choses qu'il arrive à retenir, protesta Lily.

— Tu as dit toi-même qu'il ne se souvenait pas de ce que tu lui disais. Un gosse aussi brillant que Bud ? Pas capable de se souvenir ? Je regrette, mais il y a quelque chose qui ne tourne pas rond.

— Mais enfin, Pep... insista Lily.

— Dieu sait si j'y ai mis du mien. J'ai suivi les conseils du docteur Newman et accepté que cette femme le prenne en main. Mais il y a des limites. Je veux voir des résultats !

— Il a fait des progrès... Simplement, il faut patienter encore un peu... plaida Lily.

— Lil, je te prie de rester en dehors de tout ça ! Et d'ailleurs je ne veux pas de toi dans la chambre. Laisse-moi faire comme je l'entends.

Une fois devant la porte de la chambre 302, Lily refusa de battre en retraite. Pepper la foudroya du regard. Elle comprit qu'il était trop tard. Ni elle ni personne ne pourrait le faire revenir sur sa décision.

Tout doucement, Pepper poussa la porte et entra dans

la chambre. Son fils reposait sur son lit, yeux fermés. Ne sachant s'il était endormi, Pepper lui dit tout doucement :

— Salut, fiston...

Bud ouvrit lentement les paupières comme quelqu'un qui se réveille, et se tourna vers la porte.

A la faible lueur de la veilleuse, Pepper n'était pas sûr que Bud l'ait reconnu. Il s'approcha du lit, puis tapota affectueusement la joue de son fils.

— Je t'ai apporté quelque chose, fiston, lui annonça-t-il. Une chose qui va t'aider à retrouver la mémoire.

Pepper posa son sac à terre, puis tira une chaise et s'assit à côté de son fils.

— Bud, tu te souviens du match ? Le grand match, le championnat des lycées ? On avait cinq points de retard et il ne restait que quarante-sept secondes de jeu. Tu t'en souviens, fiston ?

Ses paroles ne suscitèrent chez Bud qu'un regard perplexe. Mais Pepper n'était pas du genre à se laisser abattre.

— Et, juste à ce moment-là, tu t'es placé sur la ligne de touche. Vous avez fait trois passes et marqué un point. Et vous avez gagné vingt mètres. Et puis tu es remonté tout seul jusqu'à la ligne de centre avec le ballon. Mais le temps pressait. Il ne restait plus que six secondes de jeu, et tu étais toujours sur la ligne de centre. A ce moment-là, tous les autres ont pensé : C'est fichu. Mais pas toi. Tu as lancé le ballon, une passe de cinquante mètres, et *touchdown* ! C'était la victoire, fiston ! Le championnat ! Tu t'en souviens, Bud ?

Mais le visage de Bud restait vide de toute expression.

— Regarde ce que je t'ai apporté, fiston.

Il saisit son sac et en sortit l'objet enveloppé dans du papier kraft. Délicatement, en ayant soin de le garder hors de la vue de son fils, il ôta une à une toutes les épaisseurs de papier qui l'enveloppaient et déballa la coupe gravement endommagée mais néanmoins reconnaissable que Bud avait remportée : la coupe du meilleur joueur de l'année.

Puis, la tenant toujours cachée, Pepper se lança dans un vibrant discours, semblable à celui qu'avait prononcé l'entraîneur après la victoire.

Usant de tous ses talents d'orateur, il proclama :

— Et maintenant, mesdames et messieurs, le clou de la soirée, la remise du trophée au meilleur joueur de l'année ! Un jeune homme doué et courageux sans lequel nous n'aurions jamais remporté le championnat. Mesdames, messieurs, je suis heureux et fier de remettre ce trophée à Bud Young !

Pep se pencha en avant et, d'un geste théâtral, brandit bien haut la coupe en la tenant par les poignées.

Voyant que son fils ne réagissait pas, Pepper demanda tout en l'interrogeant du regard :

— Bud ? Bud... tu ne te rappelles pas ? Mais ce n'est pas possible !

La respiration de Bud s'accéléra soudain, il se mit à respirer par saccades. Il essaya de dire quelque chose, mais ne parvint à proférer qu'un grognement de colère.

Soudain il se mit à hurler. Un long cri d'agonie et de fureur.

— Fiston... fiston... attends. Qu'est-ce qui ne va pas... ?

Bud repoussa violemment ses couvertures et les jeta à terre. Pepper voulut le saisir à bras-le-corps pour l'immobiliser, mais Bud, qui jusqu'ici s'était montré apathique, semblait soudain habité par une force surhumaine.

Alertée par les cris, Lily entra précipitamment dans la chambre et trouva son fils et son mari enlacés dans un furieux corps à corps.

Elle partit à toutes jambes vers la salle des infirmières en appelant à l'aide. Aussitôt l'infirmière-chef dépêcha deux aides-soignants. Lorsqu'ils eurent enfin réussi à maîtriser Bud, ils lui passèrent une camisole de force et l'attachèrent dans son lit où il continua de se débattre comme un dément.

Une demi-heure plus tard, le docteur Curtis arriva à son tour pour connaître la cause de ce remue-ménage. En voyant l'état d'agitation dans lequel se trouvait le patient, elle décida d'appeler Marcia à son domicile pour lui demander de venir à la rescousse.

Dès qu'il la vit entrer, Bud sembla retrouver son calme et se tourna vers elle lorsqu'elle lui caressa la joue. Après lui avoir administré un sédatif qui le fit sombrer dans le sommeil, elle s'adressa à Phyllis Curtis :

— Il est hors de question que je continue de m'occuper de ce patient.

— Mais ce serait une catastrophe, protesta le médecin. Vous avez un rapport privilégié avec lui. Vous avez toute sa confiance.

— Sans aucun doute, mais je ne pourrai jamais arriver à rien si sa famille s'évertue à me mettre des bâtons dans les roues. Ce sont des semaines de travail qui viennent d'être réduites à néant par ce qui s'est passé ici ce soir, dit Marcia. Je pense qu'il serait sage de faire appel à un autre thérapeute... quelqu'un qui ait l'entière confiance de ses parents.

Comme elle se dirigeait vers la porte, le docteur Curtis la rappela.

— Marcia, je vous en prie...

Marcia s'arrêta puis, désignant la coupe en argent qui gisait à terre, elle lança :

— Si vous voulez un bon conseil, commencez par ôter ce machin de là !

Sur ce, elle quitta la chambre.

25

Deux semaines passèrent. Tout en discutant au téléphone, le docteur Curtis était en train d'étudier la pile de dossiers qui se trouvait sur son bureau.

Depuis quelques années, l'émergence de sports nouveaux tels que le VTT ou la planche à roulettes avait décuplé le nombre de traumatismes crâniens. Le service de traumatologie de l'hôpital Mercy était débordé, et le personnel soignant ne savait plus où donner de la tête.

Chaque semaine, tous les membres de l'équipe soignante étaient tenus de faire un rapport détaillé de l'état de santé de chaque patient.

— Écoutez, mon cher confrère, disait Phyllis à son interlocuteur, nous ne pouvons pas faire un diagnostic uniquement à partir de radios et de scanners. Il est impératif que nous examinions la personne. Ici. Oui, oui, je ferai le nécessaire...

Elle s'interrompit pour jeter un coup d'œil plus attentif au rapport qu'elle avait sous les yeux, puis dit :

— Excusez-moi, vous disiez ? Pourriez-vous nous amener votre patiente ? Lundi matin ? Parfait.

Le docteur Curtis raccrocha, pivota sur son fauteuil et chercha le dossier *Willard Young Jr.* dans son classeur.

Elle feuilleta rapidement les fiches thérapeutiques des semaines précédentes, puis, ayant trouvé celle qu'elle cherchait, la posa à côté de celle qu'elle venait d'examiner et procéda à une comparaison systématique des différentes rubriques : *Capacité à bouger la mâchoire. Capacité à communiquer. Capacité à faire oui et non avec la tête. Capacité à faire des gestes. Sensibilité à l'environnement sonore. Réaction à l'intonation de la voix. Réaction du malade à son nom. Reconnaissance des objets usuels.*

Chacune des rubriques de l'avant-dernière fiche indiquait que le patient avait régulièrement progressé depuis qu'il était sorti du coma : il était capable d'écrire et de faire un certain nombre d'autres choses qui lui permettraient vraisemblablement de retourner un jour à la vie active. La dernière fiche, en revanche, confirmait ses inquiétudes. Le rapport de Stella Hanford indiquait en effet que Willard Young avait non seulement cessé de progresser, mais qu'il avait régressé dans les domaines de l'expression orale et de la perception.

Le soir venu, le docteur Curtis convoqua Stella Hanford dans son bureau.

— Stella, que se passe-t-il avec le jeune Bud Young? Je croyais que son état s'améliorait et que ses résultats étaient satisfaisants?

— J'ignore pourquoi, mais il se montre extrêmement réticent à mon égard. Quand je suis avec lui, j'ai l'impression de ne pas maîtriser la situation. Pourtant c'est une chose essentielle dans notre métier. Franchement, je n'y comprends rien. Ça ne m'était encore jamais arrivé.

— Avez-vous remarqué si les choses se gâtent quand il reçoit la visite de ses parents? De son père en particulier?

— Non. Les visites semblent le stimuler, au contraire, même si cela ne change en rien son attitude à mon égard. Du reste, si vous n'y voyez pas d'inconvénient, j'aimerais être déchargée de ce patient. J'ai le sentiment de ne rien pouvoir faire pour lui, et, franchement, ça commence à me démoraliser.

— A en juger par ce rapport, vous ne lui êtes en effet

d'aucune utilité. Mais vous n'y êtes pour rien. Donnez-moi quelques jours, je vais tâcher d'arranger ça, dit le docteur Curtis.

Ce soir-là, Phyllis resta à l'hôpital plus tard que de coutume et intercepta Pepper Young au moment où il entrait dans la chambre 302.

— Monsieur Young, j'aimerais vous parler.

— Ça tombe bien, moi aussi, docteur. Je trouve que Bud végète, ces temps-ci. Il devrait se lever, commencer à marcher et à faire toutes sortes de choses.

— Je crois que nous serons mieux dans mon bureau pour discuter, monsieur Young.

— Laissez-moi au moins le temps de dire bonjour à mon fils.

— Cela peut attendre, dit le docteur Curtis.

Alertée par la voix courroucée de son mari, Lily Young apparut sur le seuil de la chambre 302.

— Vous êtes également la bienvenue, madame Young.

Lily les suivit sans broncher.

Le docteur Curtis prit place à la table de conférence en compagnie des époux Young, puis elle leur présenta le dossier médical complet de Bud.

— Monsieur Young, voici les fiches de suivi thérapeutique de votre fils depuis son entrée à l'hôpital. L'historique de son coma, ainsi que tous les progrès enregistrés depuis qu'il en est sorti.

« N'étant pas vous-mêmes médecins, je sais que certains des termes vous sembleront abscons. Néanmoins, je vous demanderai de bien vouloir prendre connaissance de ces deux fiches. Vous pouvez vous rendre compte par vous-mêmes que Bud n'a pas seulement cessé de progresser, mais qu'il a régressé aux plans de l'expression orale et de la perception visuelle, en dépit des soins attentifs d'une thérapeute parfaitement compétente.

Pep et Lily étudièrent les deux fiches. Les résultats

étaient criants. Les capacités de Bud, si restreintes et imparfaites soient-elles, avaient régressé.

Voyant la fiche qui se mettait à trembler dans la main de Pepper, Lily reconnut le symptôme du manque, mais, ici, il n'était pas question pour son mari de se réfugier dans l'alcool. Il fallait qu'il accepte de regarder la vérité en face.

— Docteur, seriez-vous en train de nous dire que... que Bud n'ira jamais plus loin? Et qu'à partir de maintenant il va... se mettre à régresser?

L'éventualité était si terrifiante que les mots lui manquaient.

— Je n'irai pas jusque-là, monsieur Young. Mais un fait est certain : il a cessé de progresser.

— Cessé de progresser... répéta Lily dans un murmure.

— Vous... vous voulez dire qu'il ne progressera plus? Qu'il ne pourra pas dépasser le stade auquel il se trouve actuellement? interrogea Pepper.

— Nous faisons tout pour que cela n'arrive pas, répondit le docteur Curtis. Mais malheureusement... Quoi qu'il en soit, il me semble que le problème auquel nous nous trouvons confrontés est d'une nature particulière. J'ai relu de A à Z le dossier médical de Bud. Au début, il progressait de façon lente mais régulière. Puis il est arrivé un moment où il a complètement cessé de progresser et où il s'est mis à régresser. Je me suis naturellement demandé pourquoi. Qu'est-il arrivé? A votre avis, monsieur Young?

Elle avait prononcé ces derniers mots sur un ton de défi.

Pepper la fixa du regard. Elle attendait sa réponse. Il s'éclaircit la voix et répondit d'une voix contrite :

— Mme Ethridge... a cessé de s'occuper de lui.

— C'est exact. Vous devez comprendre, monsieur Young, qu'entre le patient et son thérapeute se noue une relation de confiance. Celle-ci est essentielle pour la bonne marche du traitement. Il faut beaucoup de courage et de volonté de part et d'autre pour surmonter des obstacles qui semblent insurmontables. Et qui le sont parfois.

— Vous voulez dire que... que Bud a besoin de Marcia ? Et vous voulez que je vous donne la permission de lui confier à nouveau mon fils ?

— Ce n'est pas moi qui l'ai déchargée de ce cas, fit remarquer le docteur Curtis.

— Non, c'est elle qui a démissionné. Mais vous étiez là, vous l'avez vue ! protesta Pepper.

— Monsieur Young, vous êtes la seule personne qui puisse lui demander de revenir, répliqua sèchement le médecin.

En rentrant à la maison, Lily, qui savait combien son mari pouvait se montrer têtu, garda le silence tout au long du trajet.

Gwen les accueillit sur le seuil en demandant :

— Comment va Bud ? Est-ce qu'il a dit quelque chose ? Est-ce que je pourrais retourner le voir ? Cette fois je vous promets de ne pas pleurer.

Ce fut Lily qui répondit.

— C'est encore un peu prématuré.

— Mais pourquoi ? Il va bien, n'est-ce pas ? Il ne lui est rien arrivé au moins ?

— Non, non, la rassura Lily. Bud... Bud va bien. A présent monte vite terminer tes devoirs, c'est bientôt l'heure d'aller au lit.

Gwen embrassa ses parents. Elle avait commencé à monter l'escalier quand, arrivée à mi-chemin, elle se retourna.

— Vous êtes sûrs qu'il va bien ? insista-t-elle.

— Mais oui, son état est satisfaisant, répondit Lily, sachant pertinemment qu'il s'agissait d'un cliché médical totalement vide de sens.

Lorsque Gwen eut regagné sa chambre, Lily demanda à Pep :

— Tu as dîné avant de passer à l'hôpital? (Comme il ne lui répondait pas, elle ajouta :) J'ai préparé de la soupe de légumes. Je vais la faire réchauffer.

Pepper hocha la tête et commença à défaire sa cravate et à déboutonner son col de chemise.

Lorsque Lily annonça que le dîner était servi, il entra dans la cuisine et s'assit à sa place. Il prit sa cuillère et se mit à remuer sa soupe d'un air distrait. Puis, soudain, reposant bruyamment sa cuillère sur la table, il s'écria :

— Bon, bon, d'accord! Tu as gagné! J'irai lui parler. J'irai... j'irai demain. Et maintenant je ne veux plus entendre parler de ça!

Le lendemain, en fin d'après-midi, Pepper se hâta d'aller à l'hôpital de façon à intercepter Marcia Ethridge avant qu'elle ne quitte son service.

Il la trouva dans son petit bureau, en train de rédiger un rapport. Lorsqu'il frappa doucement à la porte entrouverte, elle releva la tête mais ne le reconnut pas d'emblée.

— Ah, c'est vous, monsieur Young, dit-elle après un court instant. Que puis-je faire pour vous?

— Je... je voulais vous parler. Mais ce ne sera pas bien long.

— Entrez, entrez, je vous en prie.

Elle avait dit cela d'une voix tellement distante et impersonnelle qu'il n'osa pas s'asseoir.

— Marcia... je veux dire, madame Ethridge... j'ignore si vous avez continué à suivre le dossier de Bud...

— Il m'arrive de prendre de ses nouvelles... de temps en temps... Un patient, ça ne s'oublie pas du jour au lendemain, vous savez. Surtout quelqu'un comme Bud.

— Alors vous savez certainement que ça ne va pas fort.

— C'est ce que j'ai cru comprendre.

— Le docteur Curtis pense qu'il irait mieux si vous vous occupiez de lui, suggéra timidement Pepper.

— Et vous, monsieur Young, qu'en pensez-vous ?

— Je ne me rendais pas compte... je veux dire que je n'avais pas idée de... l'importance de la relation qui s'établit entre le patient et son thérapeute, reconnut Pep.

— C'est vrai, dit Marcia. Il se crée une relation de confiance mutuelle qui peut devenir très forte... et qui se développe au fil des jours. Cette relation est fondamentale dans notre travail. Voyez-vous, monsieur Young, il arrive que... que nous soyons obligés de faire faire à Bud des choses qui le rebutent. Nous nous efforçons alors de l'y inciter par tous les moyens, par la parole, par l'exemple, et parfois même par la provocation.

— Bud aime relever les défis ! s'écria aussitôt Pepper. Dites-lui seulement que c'est sa dernière chance et, vous verrez, il fera des prodiges.

— Monsieur Young, la raison pour laquelle il a besoin de faire confiance à son thérapeute, c'est précisément parce qu'un jour viendra où vous aurez beau lui dire que c'est sa dernière chance, Bud ne pourra pas faire de prodiges.

— Que voulez-vous dire ? demanda Pep, sentant son estomac se nouer.

— En l'état actuel des choses, personne ne peut dire jusqu'où Bud va pouvoir progresser. Car il y a des limites, incontestablement, déclara Marcia.

— Des limites... quel genre de limites ?

— Comme je vous l'ai dit, il est encore trop tôt pour se prononcer.

Elle se pencha en avant. A la lueur crue de la lampe son visage semblait plus décidé que jamais.

— Monsieur Young, jusqu'ici je me suis toujours efforcée de ne pas aborder ce genre de sujet avec vous. Mais vous ne me laissez pas le choix.

— Inutile de chercher à me ménager. Ménagez ma

femme s'il le faut, mais avec moi c'est inutile. Comment voyez-vous l'avenir de Bud?

— Je ne voulais pas parler de Bud, mais de vous, monsieur Young.

— De moi? Que voulez-vous dire? s'insurgea-t-il.

— Je vais être franche avec vous, monsieur Young. En temps normal, les circonstances de l'accident ne présentent aucun intérêt pour le thérapeute. Peu importe que le patient ait fait une chute de cheval ou qu'il soit rentré tête baissée dans un poteau électrique. Une seule chose nous intéresse : les lésions survenues et les réponses du patient au test de Glasgow. C'est la raison pour laquelle je n'ai jamais posé de questions sur l'accident lui-même. J'ai toujours pensé qu'il s'agissait d'un banal accident de voiture.

« Or, il se trouve que j'ai découvert par hasard comment les choses s'étaient passées.

— C'était ma faute, si c'est ce que vous voulez dire, admit Pepper. Mais je me soigne à présent.

— Très bien, dit Marcia. Mais cela ne résout pas pour autant mon problème.

— Votre problème?

— Monsieur Young, votre sentiment de culpabilité a créé des interférences entre moi et mon patient! fustigea Marcia.

— Que vient faire ma culpabilité là-dedans? s'insurgea Pepper, commençant à manifester de l'impatience.

— Je veux parler de cette intrusion inepte avec ce trophée. Je veux parler de cette manie que vous avez de vouloir brûler les étapes. Je veux dire, mais peut-être n'en êtes-vous même pas conscient, que si Bud guérissait et qu'il redevenait le fils prodige qu'il était jadis, vous n'auriez plus de raison de vous sentir coupable.

Il la foudroya du regard, mais elle ne désarma pas.

— En d'autres termes, monsieur Young, j'accepte de reprendre Bud en charge, mais à la seule condition que vous n'interveniez plus jamais. Bud est mon patient. Mon rôle de thérapeute consiste à lui rendre un maximum de ses capacités. Je ne suis pas là pour vous décharger de votre mauvaise conscience. Le réconfort que vous pourrez tirer de sa guérison ne me concerne pas. Ne cherchez pas à intervenir. Ne faites rien, même si cela part d'une bonne intention.

— Mais je n'ai jamais cherché à lui nuire...

— Non, bien sûr. Mais vous n'avez pas pu vous empêcher de lui apporter cette maudite coupe de football. Cette coupe qui représente tout ce qu'il était : le meilleur joueur de l'année. Une coupe tout cabossée, et qui semble lui dire qu'il n'est plus bon à rien. Vous la lui avez jetée à la figure sans même réfléchir.

« Ne comprenez-vous pas que votre fils est en proie à un terrible conflit intérieur? Un torrent d'émotions. Une mémoire en lambeaux. Il se demande : "Comment en suis-je arrivé là? Est-ce que je vais guérir un jour? Je veux redevenir celui que j'étais : Bud Young. Je veux recommencer à jouer au football, pulvériser des records de vitesse, marquer des buts. Je veux connaître à nouveau l'ivresse de la victoire. Qu'est-ce que je fiche ici? Pourquoi est-ce que je n'arrive pas à parler? Pourquoi faut-il qu'on m'aide à bouger les bras et les jambes? Qu'est-il arrivé pour que tout s'effondre aussi brutalement?"

« Oh, bien sûr, ce ne sont que des suppositions. Mais je ne pense pas être bien loin de la vérité. La vue de cette coupe esquintée a manifestement remué des souvenirs douloureux et provoqué chez lui une immense détresse. C'est peut-être là la cause de sa régression.

— Le docteur Curtis pense que c'est parce que vous êtes partie, rétorqua Pepper.

— Personne ne peut en être sûr. Mais une chose est certaine, il s'est mis à aller mal à partir du jour où il a vu cette coupe, une coupe esquintée, comme il le sera peut-être lui-même jusqu'à la fin de ses jours. C'était beaucoup trop tôt pour la lui montrer. Beaucoup trop tôt.

— Le problème est de savoir ce que vous pouvez faire pour lui, et si vous acceptez de le faire, dit Pepper.

— Si vous me donnez votre parole que vous ne chercherez plus jamais à intervenir, j'accepte de m'occuper de lui à nouveau, répondit Marcia.

— Vous avez ma parole, promit Pepper.

26

— Bonjour, Bud ! lança Marcia en poussant la porte de la chambre 302.

Bud tourna lentement la tête dans sa direction en esquissant un petit sourire.

— Je ne vois vraiment pas ce qu'il y a de drôle ! déclara-t-elle en repoussant les couvertures.

Elle lui passa les bracelets de musculation aux bras, puis ordonna :

— Flexion des avant-bras ! Et que ça saute !

Tandis qu'il commençait à s'exécuter laborieusement, elle lui dit sur un ton mi-figue, mi-raisin :

— Qu'est-ce que j'apprends ? On se laisse vivre ? On tire au flanc ? Et moi qui te prenais pour un battant. Quand j'ai lu ta fiche de surveillance thérapeutique, mon sang n'a fait qu'un tour. Je me suis dit : Pas question de perdre la face à cause de ce petit cossard. J'ai une réputation à tenir, moi, jeune homme, dans cet hôpital !

Ne sachant pas si c'était du lard ou du cochon, Bud lui jeta un regard à la dérobée.

Elle fit mine de se mettre en colère, bien qu'elle fût satisfaite de voir qu'il faisait de gros efforts pour coordonner ses mouvements.

— Inutile de me couler des regards en biais, jeune homme. Je n'ai rien à cacher. Je vais même te dire ce que j'ai en tête. A partir d'aujourd'hui, tu vas manger seul. Oui, oui, tu m'as parfaitement entendue. Plus question de laisser ta mère couper ta viande à ta place.

Elle lui passa ensuite les bracelets de musculation aux chevilles et lui ordonna de lever les jambes. En dépit de ses efforts surhumains, le résultat était décevant. Mais il fallait en passer par là s'il voulait remarcher un jour.

Pendant qu'il faisait travailler ses jambes, elle commença à lui faire faire des exercices de prononciation.

— Bien. Maintenant, nous allons faire une petite pause avant de passer à la suite.

Elle lui présenta un plateau sur lequel étaient disposés divers objets, et demanda :

— Bud, avec quoi fait-on du feu?

Il ne semblait pas avoir compris sa question. Il tourna vers elle un regard désemparé, mais Marcia demeura imperturbable.

— Avec quoi fait-on du feu? reprit-elle plus lentement.

Il réfléchit un instant, répéta « feu... feu... », puis la perplexité fit peu à peu place à la compréhension.

Il pointa du doigt en direction de l'allumette qui se trouvait sur le plateau.

— Bravo! On essaye encore une fois? Comment fait-on pour écrire une lettre, Bud. Écrire... une... lettre.

Cette fois, il réagit plus vite. Il montra le stylo.

— Écrire une lettre, timbre-poste, suggéra Marcia.

Bud prit le temps de réfléchir, puis tendit la main vers l'enveloppe comme s'il avait voulu la saisir.

— Excellent! On continue. Qu'est-ce que je mets pour voir et pour lire? Pour voir... et pour lire, Bud?

Il désigna la paire de lunettes qui se trouvait sur le plateau.

— Quelle heure est-il...? demanda Marcia. (Voyant

qu'il ne répondait pas, elle ajouta :) L'heure? Les minutes? Combien de minutes jusqu'à la fin du match?

Il sourit. Il avait compris. Il tendit la main vers la montre.

Elle aurait bien voulu passer à un autre exercice, mais elle hésitait à brûler les étapes. Pour finir, songeant au retard qu'il avait à rattraper, elle décida de tenter le coup.

— Bud, quelle heure est-il?

Il écarquilla les yeux.

— L'heure... Quelle... heure... est-il? répéta Marcia.

Bud réfléchit, puis secoua légèrement la tête. La question était visiblement trop compliquée. Cependant, Marcia n'était pas mécontente de son élève.

— Bien, dit-elle. A présent, je veux que tu répètes après moi.

Elle se mit à lui lire une série de phrases destinées à rééduquer la fonction du langage chez les patients aphasiques.

— Aujourd'hui, il a fait très chaud.

— Au...jourd'hui... la... fait... rès... très... ch... chaud, répéta-t-il lentement, en s'appliquant à bien séparer les mots.

— Le trafic était très dense, poursuivit-elle.

— Le tr... trafic... était... rès... très... dense.

— Bien! Le garçon est arrivé en retard à l'école.

— Le gar... çon... est... arrivé... en... retard... à l'école.

Il lui décocha un regard rageur. L'exercice lui semblait trop facile et il commençait à s'impatienter. Elle décida de passer à des phrases plus complexes.

— D'ici à Chicago la distance est de cinq cents kilomètres.

— D'ici... à... Chi... à... Chi... à Chica...

Il n'arrivait pas à le dire. La phrase était trop longue. Marcia s'en voulut d'avoir cherché à aller trop vite.

A moins qu'elle se sentît coupable de l'avoir abandonné.

Afin qu'il ne reste pas sur un échec, elle proposa :

— Bien, et si nous songions à manger? Pour manger, que fait-on? On s'assied à table. Eh bien, c'est ce que nous allons faire. Aujourd'hui, nous allons nous asseoir. Allez!

Il resta étendu, s'attendant à ce qu'elle rehausse la tête du lit au moyen de la télécommande, comme elle l'avait toujours fait jusqu'ici.

Mais elle ne fit pas un geste.

— Non, non, pas question. Du nerf, Bud, l'électricité n'a pas été inventée pour que tu puisses te reposer sur tes lauriers. Tu n'es pas paresseux par nature, mais tu vas finir par le devenir si tu continues à te prélasser au lit. Ce temps-là est révolu, mon garçon. Au boulot!

Elle s'assit au bord du lit et lui dit :

— Passe tes bras autour de mon cou. Allons!

Lentement, il leva les bras. Elle se pencha en avant pour lui faciliter la tâche.

— Maintenant, croise tes mains et serre fort.

Il essaya de faire ce qu'elle lui demandait, mais, n'ayant pas encore la force nécessaire, il ne réussit pas à garder ses mains serrées.

— C'est bien! C'est très bien! s'exclama-t-elle, ne voulant pas le décourager.

Puis elle passa ses bras sous les siens et l'aida à se mettre en position assise. Elle attendit quelques instants avant de relâcher son étreinte. Mais, au même moment, elle sentit qu'il resserrait ses bras autour de son cou et qu'il pressait doucement sa joue contre la sienne.

Les psychiatres appellent ça le transfert. Mais Marcia préférait le terme de syndrome affectif. Le patient place tous ses espoirs dans son thérapeute; il se crée alors chez lui une sorte de dépendance, laquelle se transforme en affection.

Un bon signe. A condition toutefois que le thérapeute sache maîtriser la situation.

Sans relâcher son étreinte, Bud murmura :

— Mer... cy.

— Marcia, le reprit-elle gentiment, car c'était la première fois qu'il essayait de prononcer son nom. Mercy, c'est le nom de l'hôpital. Mon nom à moi, c'est Marcia. Bien. Maintenant que tu es assis, tu vas pivoter et t'asseoir au bord du lit.

Tout en le laissant le plus possible se débrouiller par lui-même, elle l'aida à faire basculer ses jambes, suffisamment près de la tête du lit pour qu'il puisse s'y agripper en cas de besoin.

— Bien, tu vas rester assis bien sagement pendant que je... (Tout en parlant elle approcha la table à roulettes et la plaça devant lui.) Que dirais-tu d'un petit en-cas?

Elle sortit un couteau et une fourchette de sa sacoche. Bud les lorgna d'un air suspicieux.

— Maintenant, Bud, tu vas prendre la fourchette. Allons, prends-la. Fais travailler tes doigts. Tu te souviens de l'exercice avec les billes et les boutons? C'est exactement la même chose. Vas-y, Bud, prends-la!

Elle était en train de se dire qu'elle allait un peu trop vite en besogne, quand elle vit Bud commencer à étirer tout doucement les doigts pour essayer de prendre la fourchette. Elle éprouva un immense soulagement quand il réussit à s'en saisir. Il la souleva de quelques centimètres, mais la fourchette lui échappa brusquement et tomba à terre.

Sans lui laisser le temps de se décourager, elle la ramassa aussitôt et la reposa sur la table.

— Essaie encore, Bud. Allons, essaie encore.

Il fit une nouvelle tentative, d'une main plus hésitante cette fois. Il posa les doigts sur la fourchette et serra, puis la souleva. Bien que sa main tremblât sous l'effort, il ne la laissa pas tomber.

— Bravo! s'écria Marcia. Et maintenant, il ne nous reste plus qu'à manger.

Il transpirait à grosses gouttes comme s'il venait de courir un cent mètres, mais il semblait heureux et content de lui.

Puis, sans attendre qu'elle le lui demande, il essaya de prendre le couteau. Lentement, avec un effort visible, il saisit le couteau à pleine main par le manche et le tendit fièrement à Marcia. Mais, juste au moment où il allait le poser dans la main qu'elle lui tendait, le couteau lui glissa entre les doigts.

— Recommence, Bud. Recommence.

Il recommença. Cette fois il parvint à tenir le couteau suffisamment longtemps pour le placer dans la paume de Marcia.

— Bravo, Bud ! Tu as réussi ! Tu l'as fait tout seul !

Il commençait à retrouver ses moyens, lentement mais sûrement.

Son but ultime : la marche, était encore hors de portée, Marcia le savait. Cependant, elle n'était pas mécontente de sa matinée, car entre elle et Bud le courant s'était remis à passer. Et il semblait disposé à faire des efforts, même lorsqu'il savait qu'il risquait d'échouer.

Cet après-midi, elle allait le remettre sur le plan incliné et en profiterait pour lui faire faire ses exercices avec les lettres de l'alphabet. Bientôt, si les choses allaient comme elle l'espérait, il serait capable d'écrire des mots simples de deux ou trois lettres.

Elle savait qu'il détestait la table basculante, mais elle n'avait pas le choix. C'était le prix à payer s'il voulait remarcher un jour.

27

— Bonjour, Bud! lança gaiement Marcia en pénétrant dans la chambre de Bud.

Devant une telle exubérance, le garçon pensa qu'elle avait certainement une idée en tête.

— Pas la... essaya-t-il de dire. Pas la... tab... table basculante.

— Non, Bud, pas aujourd'hui, le rassura-t-elle. Aujourd'hui, lorsque nous aurons fait nos exercices habituels, j'ai une surprise pour toi. Une surprise très spéciale.

Les lèvres de Bud frémirent, comme chaque fois qu'il s'apprêtait à parler.

— Oui, Bud? l'encouragea-t-elle.

— Pas... pas... Ma... Mary... lyn, protesta-t-il.

Les aphasiques ont décidément des réactions surprenantes, songea Marcia en se demandant ce qui avait bien pu le faire penser à Marylyn.

Au même moment, il ajouta :

— Elle... est... venue... l'aut... l'autre jour.

Ainsi, il s'était bien rendu compte qu'elle était venue. Un jour, peut-être, quelque génial savant mettrait au point une machine extraordinaire permettant de lire dans la pensée des aphasiques.

— Oui, Bud... elle est venue. Pour te voir, te parler. Mais toi, tu ne voulais pas.

Il secoua la tête d'un air renfrogné, laissant entendre qu'il ne voulait toujours pas.

— Parfait, Bud. Que dirais-tu d'un petit exercice pour les bras? Aujourd'hui nous allons rajouter un peu de poids. Cinq cents grammes de plus, dit-elle en lui passant un bracelet de musculation au poignet droit. Bien, maintenant, lève le bras. Plus haut. Parfait. Et tends-le. Excellent. Tends-le au maximum.

Elle lui fit travailler ainsi les deux bras et les deux jambes. Puis elle lui présenta une petite balle rouge en caoutchouc et l'invita à la serrer de toutes ses forces, d'abord avec la main droite, puis avec la main gauche, autant de fois que possible.

Tout en le regardant faire, elle se demanda s'il serait capable de supporter l'exercice qu'elle avait en tête et qui demandait un effort musculaire important.

Elle passa ensuite aux exercices de coordination, avec un stylo à bille ordinaire, une fourchette, puis un couteau. Après quoi, elle lui présenta une tranche de melon préalablement débarrassée de son écorce.

— Tu vas le couper en petits morceaux et le manger.

Bud se mit au travail avec l'application et la diligence d'un scientifique travaillant à la réalisation d'un projet capital. Il découpa un morceau de melon. Le considéra un instant. Puis ayant décidé qu'il était trop gros pour pouvoir le mettre tout entier dans sa bouche le coupa en deux. Après quoi, il le porta jusqu'à sa bouche ouverte, le mâcha, puis l'avala sans aucun problème. Satisfait du résultat, il recommença l'opération jusqu'à ce qu'il ait fini entièrement la tranche.

— Bravo, Bud! Te voilà prêt pour la grande aventure, dit Marcia. Maintenant, tu vas te reposer un petit peu. Je reviens tout de suite.

Il s'allongea. Il n'était pas aussi essoufflé qu'il l'était habituellement après une séance d'activité aussi longue.

En fait, il éprouvait une grande satisfaction. Non pas tant en raison de ce que Marcia lui avait dit qu'à cause de la façon dont elle l'avait regardé de ses beaux yeux si chaleureux. Elle était fière de lui, et ça se voyait.

Il fut interrompu dans sa rêverie par Marcia qui revenait, une grande planche dans les bras.

Il mit un certain temps avant de réagir, puis s'écria :

— Non... pas la bascule... pas la bascule!

— Ce n'est pas le plan incliné, dit-elle en lui glissant la planche sous les reins. C'est pour t'apprendre à sortir du lit tout seul. Et à t'installer dans...

Elle s'éclipsa à nouveau pour reparaître aussitôt avec un fauteuil roulant. Bud écarquilla de grands yeux, dans l'attente d'une explication.

— C'est pour aller en salle de rééducation. Attention, cale-toi bien sur la planche. Parfait. Et maintenant redresse-toi. Allons, je sais que tu peux le faire. Du nerf!

— Mer... cy... dit-il, d'un ton moqueur.

— Pas Mercy. Mar-cia, avec un *a*, le rabroua-t-elle, bien qu'elle se félicitât intérieurement de voir qu'il était capable de plaisanter, chose peu courante chez les patients dans son état. Allons, pressons! ordonna-t-elle.

Il la regarda fixement sans bouger d'un pouce.

— Vas-tu te décider à sortir du lit, oui ou non? Je te préviens, si tu ne fais pas ce que je te dis, je te remets sur le plan incliné!

Il hésita un court instant, ne sachant pas s'il devait prendre ses menaces au sérieux.

Puis, rassemblant lentement ses forces, il commença à s'approcher tout doucement du bord du lit. Après s'être assurée que la planche était bien calée sous ses reins, Marcia approcha le fauteuil roulant.

— Maintenant, tu vas te laisser glisser sur la planche. Vas-y. N'aie pas peur, je ne te laisserai pas tomber. Vas-y tout doucement. Bravo, Bud. On fait une pause?

Elle lui laissa le temps de reprendre haleine, puis elle ordonna :

— A présent, tu vas te laisser tomber dans le fauteuil.

Il examina un instant le fauteuil roulant, puis lui décocha un regard furibond.

Pour un gosse de son âge, avec un passé de sportif de haut niveau, la vue d'un fauteuil roulant avait quelque chose de sacrilège.

— C'est juste pour aller en salle de rééducation, le rassura-t-elle. Il y a une bonne surprise qui t'attend là-bas... Bud? Tu ne me fais pas confiance?

Il ne se sentit pas le cœur de lui résister. Elle ne lui avait jamais menti. Il se laissa glisser le long de la planche, puis, aidé de Marcia, se laissa tomber dans le fauteuil.

Il s'attendait à ce qu'elle le pousse, comme elle le faisait chaque fois qu'il se rendait en salle de rééducation sur un chariot. Mais elle ne fit pas un geste. Il tourna vers elle un regard interrogateur.

— Bud, tu vas poser tes mains sur les roues, et en avant! Tu ne crois tout de même pas que je me suis donné tout ce mal pour des prunes? Fini de se tourner les pouces, jeune homme. Au boulot!

C'était la première fois de sa vie que le jeune Bud Young se retrouvait aux commandes d'un fauteuil roulant. Il tâta les nervures des pneus avec les doigts, puis il saisit les deux roues à pleines mains, et commença à avancer.

En un clin d'œil Marcia était à la porte. Elle la lui tint ouverte pour le laisser passer, mais Bud n'était pas encore capable de coordonner suffisamment ses mouvements ni d'apprécier correctement les distances, si bien que le fauteuil alla buter contre l'embrasure de la porte.

Elle l'aida à se dégager, puis l'escorta jusqu'à la salle de rééducation où les attendait le docteur Curtis. Celle-ci les avait observés à travers le vasistas afin de juger des progrès accomplis par Bud. Elle les accueillit en s'exclamant :

— Quelle bonne surprise ! Alors, Bud, prêt pour la grande aventure ?

Elle avait utilisé la même expression que Marcia, mais Bud était trop désorienté pour demander de quelle aventure il s'agissait.

Une fois à l'intérieur de la salle de rééducation, Marcia poussa le fauteuil roulant jusqu'à des barres parallèles, très différentes de celles que Bud utilisait en cours de gymnastique. Celles-ci étaient en acier chromé et moins hautes que des barres parallèles ordinaires.

Non loin, Bud aperçut les deux assistantes qui prêtaient d'ordinaire main-forte à Marcia quand elle l'installait sur la table basculante.

Instinctivement, il se tourna vers Marcia, le regard accusateur. La jeune femme approcha le fauteuil des barres parallèles, puis, après avoir calé les roues en position fixe, elle dit :

— C'est bon, Claire.

La plus grande des deux assistantes, une jeune femme blonde de la taille de Bud, s'approcha du garçon. Elle tenait à la main une sangle qui n'était pas sans rappeler les sangles de la table basculante.

Lorsqu'elle la lui passa autour de la taille, il ne chercha pas à lui résister. Mais il ne chercha pas non plus à lui faciliter la tâche.

— Allez-y, intima Marcia.

Les deux assistantes vinrent se placer derrière le fauteuil roulant, puis passèrent chacune une main sous les bras de Bud.

— Maintenant, prends appui sur les bras du fauteuil, Bud, ordonna Marcia. Allez, de toutes tes forces !

Surmontant sa frayeur et sa rancœur, Bud s'agrippa fermement aux bras du fauteuil.

— A présent, lève-toi et agrippe-toi aux barres parallèles !

Fermement épaulé par les deux assistantes, Bud se leva lentement et se mit sur ses pieds. Marcia fit discrètement signe aux deux femmes de se reculer. Elle était curieuse de voir combien de temps Bud allait pouvoir se maintenir seul dans cette position.

Il s'agissait d'un test capital, car ses chances de remarcher un jour dépendaient de sa stabilité et de son équilibre.

Il ne s'écoula guère plus d'une fraction de seconde, mais pour Bud cela dura une éternité. Puis il se sentit défaillir. Les deux assistantes saisirent aussitôt la sangle de sécurité pour l'empêcher de tomber.

Il soufflait comme un bœuf et transpirait à grosses gouttes.

Il se laissa retomber dans le fauteuil en essayant de reprendre sa respiration.

— Bud? demanda Marcia.

Il regardait ses mains, serrant les poings et les ouvrant tour à tour, comme s'il avait voulu leur redonner la force qui leur avait fait défaut quelques instants plus tôt.

— Bud?

Il regardait au-delà des barres parallèles. Perdu dans ses pensées, il ne voyait rien ni personne. Lorsqu'il parla, il ne prononça qu'un mot :

— Encore.

— Je crois que tu en as assez fait pour aujourd'hui, lui dit Marcia pour essayer de le dissuader.

— Encore, répéta-t-il, en saisissant les bras de son fauteuil.

Marcia fit signe aux assistantes de s'approcher. Elles l'aidèrent à se lever, puis il s'agrippa à nouveau aux barres parallèles en y mettant toute la force dont il était capable.

Mais presque aussitôt il fut pris de vertige et lâcha prise. Elles le rattrapèrent juste à temps et le rassirent dans son fauteuil.

De retour dans sa chambre, étendu sur son lit, Bud regardait obstinément le plafond, ignorant délibérément Marcia. Il avait le sentiment qu'elle l'avait trahi en lui promettant une grande aventure qui s'était soldée par un échec.

— Av... av... ent... essaya-t-il de dire.

— Dis-le, Bud. Essaie. Aventure.

Il recommença, en prononçant une syllabe à la fois.

— A... ven... ture. (Puis il ajouta aussitôt :) Tu parles!

— Mais non, Bud. C'était vraiment une aventure. Pour la première fois en quatre mois, tu t'es mis debout! Tu ne t'attendais tout de même pas à y arriver du premier coup. Tu as été pris de vertige. Tu t'es senti défaillir. C'est tout à fait normal. La sensation de vertige finira par disparaître, mais il faut d'abord que tu retrouves ton sens de l'équilibre et que tu renforces ta musculature. Il le faut, Bud, si tu veux remarcher un jour.

Elle ignorait si elle avait réussi à le convaincre. Mais une chose était sûre : ils essaieraient à nouveau demain, et chaque jour suivant.

Elle s'esquiva sur la pointe des pieds, le laissant seul avec ses pensées chaotiques.

Sitôt qu'elle eut refermé la porte, de grosses larmes se mirent à rouler sur les joues de Bud.

28

Allongé sur son lit, Bud s'exerçait à prendre et à lâcher successivement son ballon de foot d'une main. Son bras l'élançait du coude jusqu'au bout des doigts, mais plus la douleur s'intensifiait, plus il s'obstinait.

Pendant ce temps, son esprit désordonné vagabondait. La séance aux barres parallèles, même si elle avait été décevante, lui laissait entrevoir des jours meilleurs. Dans son cerveau encore défaillant, les séquences se mirent à s'enchaîner les unes aux autres. Il se vit en train de marcher, puis de courir. Il se revit vaguement courant sur le gazon par une belle journée ensoleillée. En se concentrant sur cette image, sur cette sensation de vitesse, il eut la vague impression d'être poursuivi. Il essaya de se remémorer l'époque où il jouait au football, mais les souvenirs ne s'enchaînaient pas comme il l'aurait voulu. Laissant de côté les zones d'ombre, il se concentra uniquement sur l'image de la course. La course.

Un ballon de foot. Marcia lui avait expliqué que cela servait à faire des exercices : à faire bouger les doigts, à muscler les mains et les bras. Jusqu'au jour où... il serait capable de le prendre à pleines mains et de le lancer au loin.

Il se sentait las. Toutes les activités de la journée, ajoutées au stress des barres parallèles, l'avaient épuisé.

Sa mère était venue le voir et l'avait regardé manger. Car, bien qu'il fût encore très lent, il refusait de se faire aider. Puis Gwen était passée après l'école.

Elle lui avait parlé de Marylyn, qui, paraît-il, avait demandé à venir. Mais il ne se sentait pas prêt à la revoir. Ni à revoir ses copains de classe.

— Pas même ton groupe de rock? demanda Gwen.

— Non... pas le... groupe, dit-il aussi fermement qu'il en était capable. Ne veux pas... les... voir.

— Mais ils sont déjà venus...

— Ils... sont... pas... venus, protesta-t-il.

— Si, quand tu étais encore dans le coma. Ils sont venus ici et ils ont joué. Très fort.

— Ils... ont... joué et... je les ai... pas entendus?

— Tu étais dans le coma. C'est pour cela qu'ils sont venus. Pour voir si la musique t'aiderait à sortir du coma, dit Gwen.

— Ils... m'ont... vu... Ils... m'ont... vu...

— Je suis désolée, Bud... Je croyais que tu savais, s'excusa Gwen.

— Pas grave... pas grave... dit-il, avant d'ajouter : Je veux... je veux pas... qu'on me... qu'on me... v...

Voyant qu'il se fatiguait et commençait à chercher ses mots, Gwen dit :

— Je ferais mieux de m'en aller, Bud. J'ai des tonnes de devoirs à faire. Depuis que notre collège a cessé d'occuper la première place au palmarès des établissements scolaires, les profs nous font trimer comme des esclaves.

Elle l'embrassa et lui murmura à l'oreille.

— Tout le monde... tout le monde demande de tes nouvelles à l'école. Et à la maison aussi. Grand-mère appelle tous les jours, et parfois deux fois par jour. Tout le monde voudrait venir te voir. Mais maman refuse. Elle dit que c'est encore trop tôt.

— Oui. Trop tôt... encore... trop... tôt, parvint-il à articuler.

Le soir.

Il avait posé une main sur son ballon et se laissait lentement gagner par le sommeil quand quelqu'un frappa un petit coup léger à la porte. Il tourna la tête. La porte s'entrouvrit tout doucement, laissant entrer la lumière plus vive du couloir.

Il entendit la voix de son père qui murmurait :

— Tu dors, fiston...?

— Non, répondit-il.

A ces mots, Pepper Young entra dans la chambre d'un pas décidé et énergique.

— Maman m'a raconté ! Alors c'est vrai ? C'est vrai, Bud ?

— Quoi... ?

— Tu t'es levé, aujourd'hui. Tu t'es mis debout ?

— Oui... me suis... levé, concéda Bud sans grand enthousiasme.

— Eh bien, raconte ? Quel effet cela fait ? Quel effet cela fait de remarcher à nouveau ?

— Je... je n'ai... je n'ai pas... marché... répondit Bud en bégayant.

— Comment cela, tu n'as pas marché ? demanda Pepper, avant de se reprendre. Non, bien sûr, tu n'as pas piqué un cent mètres. Mais tu t'es mis debout, n'est-ce pas ?

— Oui, reconnut Bud.

— Mais c'est formidable ! C'est un grand pas en avant. Un pas de géant. Tu connais le proverbe : Il n'y a que le premier pas qui coûte. Et aujourd'hui tu as fait le premier pas, dit Pep en s'efforçant de paraître enthousiaste.

— Papa... je n'ai pas... fait... un seul... pas... fut obligé de reconnaître Bud.

— Mais tu t'es mis debout, non ?

— Oui.

— Eh bien c'est déjà beaucoup. Quand je disais « faire un pas en avant », c'était une métaphore, dit-il avec un petit sourire embarrassé. En tout cas, tu as franchi un cap. Et c'est l'essentiel.

Ils continuèrent à bavarder, ou plutôt, Pepper continua à parler tout seul. Bud tombait de sommeil. Il ferma les paupières. Son père s'interrompit alors, puis demanda à voix basse.

— Bud... tu dors?

Bud l'avait entendu mais ne répondit rien. Il voyait bien que son père se donnait un mal de chien pour lui raconter une histoire sans intérêt. En se taisant, il mettait fin à son supplice.

En ayant soin de ne pas réveiller son fils, Pepper ouvrit tout doucement la porte et sortit de la chambre à pas de loup.

Étendu, yeux fermés dans la pénombre, Bud s'efforçait de trouver la réponse à mille questions qui lui trottaient dans la tête. Depuis quelques jours, son cerveau commençait à fonctionner de manière plus ordonnée, et il percevait mieux les personnes et leurs réactions.

Pourquoi... pourquoi papa... a-t-il tant de mal à communiquer avec moi? Il n'a jamais eu aucun mal à communiquer. Il y a des choses dont je n'arrive pas à me souvenir... Par exemple, je ne me souviens pas de ce que j'ai fait hier ou avant-hier... mais j'arrive à me souvenir de choses beaucoup plus anciennes... comme la maison de grand-mère au bord du lac... où nous allions quand j'étais petit... et quand grand-père était encore vivant... Je m'en souviens bien... Et je me souviens même que les gens disaient que... Pep Young... c'était le roi de... c'était le roi de... de quoi déjà? Un jour, M. Beecham est venu dîner à la maison, je devais avoir huit ou neuf ans, et il m'a dit : « Regarde ton père, petit, et prends-en de la graine. Quand tu sauras parler comme ça, tu seras capable de vendre n'importe quoi. » Comme si vendre n'importe quoi était la chose la plus merveilleuse du monde. Et pourtant quand papa vient me voir ici, il est incapable de me parler.

Oh, il parle, bien sûr, mais pour dire n'importe quoi. Qu'est-ce qui peut bien le mettre dans cet état ? On dirait qu'il est mal à l'aise. Comme s'il n'arrivait pas à croire que je vais guérir un jour. Est-ce pour cela qu'il est tellement tendu ? Mais je vais guérir. J'en suis sûr. Même si ça prend du temps. Marcia dit toujours qu'il faut faire une seule chose à la fois. Aujourd'hui c'était un début. On a franchi une étape. Demain je vais lui dire que je veux commencer à marcher.

Il y a une chose qui me tracasse malgré tout : comment se fait-il que j'arrive beaucoup mieux à penser qu'à parler ? C'est bizarre... je n'y comprends rien...

Ah, ça y est, je me souviens. En parlant de papa, les gens disaient toujours que c'était le roi de la parlote. Le roi de la parlote, oui, c'est ça.

Pepper fit démarrer la voiture et se dirigea lentement vers la sortie de l'hôpital. Puis il tourna à droite et prit la direction de la chapelle où avaient lieu les réunions des A.A. Le sous-sol où se tenaient les réunions était devenu pour lui une sorte de refuge, un havre de paix, même si au départ l'idée l'avait rebuté au point qu'il avait demandé à son avocat d'intervenir auprès du juge pour essayer de lui faire lever la sentence. Mais aujourd'hui, quand il allait mal, il venait chercher le réconfort auprès de ces hommes et de ces femmes, au lieu de se réfugier dans la boisson.

Il avait fait de tels progrès qu'Hector lui avait demandé s'il acceptait de servir de guide à des camarades en détresse. Mais, bien qu'il fût beaucoup plus sûr de lui, Pepper ne se sentait pas encore la force d'aider les autres.

A vrai dire, il y avait des soirs, comme aujourd'hui, où il éprouvait le besoin d'être soutenu. Sa visite à l'hôpital l'avait complètement bouleversé. Il passa mentalement en revue tous les événements de la journée.

Qu'a dit Lily exactement quand elle m'a appelé ? Elle a dit (je n'ai pas rêvé pourtant), elle a bien dit : « Il l'a fait. Il s'est levé ! » Et moi, je lui ai demandé, enfin il me semble lui avoir demandé : « Il s'est levé, tu en es sûre ? » Et elle a répondu :

« Marcia a dit qu'il avait fait un premier pas sur le chemin de l'autonomie. »

Ça y est, je comprends d'où vient le quiproquo, à présent. C'était une image. Faire un premier pas sur le chemin de l'autonomie ne veut pas forcément dire marcher. Il faut que j'apprenne à ne pas me montrer trop exigeant vis-à-vis de Bud.

Ni vis-à-vis de moi-même. Parce que ensuite je suis déçu, et il y a cette maudite envie de boire qui me reprend. C'est ce qu'on appelle un réflexe conditionné. La plus petite contrariété déclenche chez moi une irrésistible envie de boire. Est-ce que cela s'arrêtera un jour? Ou vais-je devoir rester vigilant jusqu'à la fin de mes jours?

C'est un combat de tous les instants. Un jour passé à ne pas boire, c'est un jour de gagné.

Mais, Dieu merci, il existe des gens comme Hector, et tous les autres. En mettant ensemble tous nos problèmes on finit par trouver des solutions.

Et ce soir j'en ai bien besoin, se dit-il en se garant en face de la chapelle.

Le lendemain matin, après lui avoir fait faire ses mouvements habituels, Marcia proposa à Bud un exercice d'un type nouveau. Apparemment banal, il s'agissait en fait d'une préparation à un retour à la vie normale.

Elle avait demandé à Lily de lui apporter une chemise. Une chemise toute simple, comme Bud en portait pour aller à l'école.

Elle la lui présenta soigneusement repassée et pliée et lui dit :

— Bud, aujourd'hui nous allons commencer un nouvel exercice avec les boutons. Il ne s'agit plus de les ramasser pour les mettre dans une timbale, mais d'apprendre à les boutonner et à les déboutonner. Prends cette chemise... et déplie-la.

Bud prit la chemise, mais, ne sachant comment faire, il s'arrêta et réfléchit quelques instants à la façon dont il dépliait jadis les chemises propres que sa mère rangeait dans le tiroir de sa commode. Puis il saisit le vêtement par le milieu, déplia les manches, le retourna et le posa à plat, le col vers le haut.

— Bien, à présent tu vas la déboutonner, dit Marcia.

Il la regarda, puis regarda la chemise. Il semblait hésitant.

— Allons, n'aie pas peur. Ce ne sont jamais que des boutons. L'important, c'est de ne pas aller trop vite.

Il continuait d'observer la chemise sans faire un seul geste.

— Bud... insista Marcia.

— Marcher... dit-il.

— Marcher? répéta Marcia, étonnée.

— Je... veux... marcher, dit-il.

Elle se demanda si l'idée était de lui (ce qui était bon signe) ou si quelqu'un d'autre la lui avait mise en tête. Ce qui aurait été négatif, car il était encore loin de pouvoir marcher.

— Entendu, Bud. Tu déboutonnes d'abord la chemise et ensuite je t'emmènerai en salle de rééducation.

Ayant obtenu ce qu'il voulait, il s'attaqua au premier bouton. Mais, dans sa hâte, il se trompa et dut s'arrêter pour réfléchir et recommencer à nouveau, plus lentement cette fois.

— Parfait, Bud. Et maintenant, au suivant.

Et c'est ainsi que, en y mettant beaucoup de minutie et de concentration, il déboutonna entièrement la chemise.

— A présent, dit-elle, tu vas enfiler la chemise et la reboutonner.

Elle lui présenta la chemise ouverte et l'aida discrètement à l'enfiler.

— Rapproche les deux pans l'un de l'autre. Parfait. Et maintenant, boutonne la chemise.

Il considéra un instant la chemise. Le défi qui s'offrait à lui lui semblait insurmontable.

— Par... par le... haut... ou... par le... bas? demanda-t-il, pour gagner du temps.

— A ton avis, Bud? Par quoi commence-t-on? Le haut ou le bas?

Il réfléchit un bon moment puis avoua :

— Je m'en... souviens plus.

— Dans ce cas, on va commencer par le haut, suggéra Marcia.

Il regarda le premier bouton, puis Marcia. Voyant qu'elle lui souriait, il s'attaqua à sa tâche. Mais boutonner la chemise était un exercice infiniment plus complexe que la déboutonner. Au bout de trois boutons, il était tellement épuisé que Marcia crut bon de le féliciter.

— C'est très bien, Bud. Je suis fière de toi. Je crois que tu es en train de devenir mon meilleur patient.

Mais, au lieu de lui sourire, il lui dit :

— Marcher...

— Ah oui, c'est vrai, acquiesça Marcia, bien qu'intimement persuadée qu'il était encore beaucoup trop tôt pour qu'il s'essaie à la marche. Puis elle se dit qu'il s'en rendrait compte par lui-même une fois en salle de rééducation.

Elle lui tint la porte de la salle pour le laisser passer sur son fauteuil roulant. Mais sa perception visuelle laissant encore à désirer, il se heurta au chambranle et elle dut l'aider à se dégager.

Aux barres parallèles il retrouva les deux assistantes qui l'avaient aidé la veille. Lorsqu'elles voulurent lui passer la sangle autour de la taille, il dit :

— Non.

Mais, ayant deviné ce qu'il avait en tête et ce qui risquait d'advenir, Marcia insista du regard.

Malgré ses protestations, les deux assistantes lui passèrent la sangle autour de la taille et l'aidèrent à se lever. Il étira les bras en avant et s'agrippa aux barres parallèles en s'aidant de toute la force de son buste pour compenser la faiblesse de ses jambes. L'idée que ses jambes soient trop molles pour le soutenir le révoltait. Il voulait les faire bouger.

Les assistantes allaient l'en empêcher quand Marcia intervint.

— Non, laissez-le.

Ne pouvant croire que ses jambes refusaient de lui obéir, il s'obstina désespérément à les faire réagir, jusqu'au moment où il finit par en oublier ses mains. Celles-ci se relâchèrent soudain et il partit en avant, tête la première. Heureusement, les deux assistantes réagirent à temps et saisirent la sangle juste au moment où il allait tomber sur le tapis de sol.

Lorsqu'elles l'eurent rassis dans son fauteuil roulant, Marcia s'agenouilla à côté de lui.

— Bud, il est encore trop tôt pour essayer de marcher. Il faut commencer par t'habituer à la position debout en prenant appui sur les barres parallèles. Dans quelques jours, tu pourras commencer à faire quelques pas. Bien, nous allons recommencer. Et cette fois agrippe-toi très fort, sans chercher à avancer. Apprends à te familiariser avec les barres.

Bien que cette idée lui déplût, il dut s'incliner, car il venait de découvrir les limites de ses capacités.

29

Sous l'œil vigilant de Marcia et des deux assistantes, Bud se hissa hors de son fauteuil roulant et saisit les barres parallèles. Une fois debout, il garda cette position suffisamment longtemps pour prendre de l'assurance.

Lorsque Marcia jugea qu'il était assez sûr de lui, elle lui dit :

— A présent, Bud, tu vas faire glisser ta jambe droite en avant comme si tu voulais faire un pas.

Il hésita, cherchant à mobiliser tous les nerfs et les muscles nécessaires à l'exécution de ce premier pas. Il commença à faire glisser son pied droit, mais celui-ci se déroba brusquement sous lui.

— Je peux... je peux... avec la jambe gauche...

Marcia s'y attendait. Les patients avaient tendance à vouloir se servir de la plus solide de leurs deux jambes, alors que c'était l'autre, la plus faible, qu'il était nécessaire de faire travailler.

— Non, Bud, la jambe droite, lui ordonna-t-elle.

Il essaya une fois de plus d'avancer sa jambe droite. Et une fois de plus celle-ci se déroba sous lui. Il jeta un regard mi-courroucé mi-implorant à Marcia.

— La gauche... je peux... avec la jambe gauche, dit-il en insistant sur chaque mot pour bien se faire comprendre.

— Non. La droite. Allons, essaie encore, dit-elle.

Furieux, il essaya à nouveau mais sans conviction, comme s'il cherchait à lui prouver qu'elle avait tort. Cependant, il réussit. Lentement et laborieusement, certes, mais sa jambe droite avait bougé.

— Bien... à présent la gauche, ordonna aussitôt Marcia.

Bud s'exécuta. Sa jambe gauche semblait se mouvoir avec plus d'aisance, bien que moins facilement qu'il ne l'avait espéré.

— Droite ! ordonna Marcia.

Une fois encore Bud parvint à amener sa jambe droite en avant.

— Gauche !

Bud fit ce qu'elle lui demandait.

Et c'est ainsi que, un pas après l'autre, il réussit à aller d'une extrémité des barres parallèles à l'autre. Cela lui demanda plusieurs minutes et un effort prodigieux. Lorsqu'il eut terminé, il était en nage, exténué et mécontent. Au foot, les entraînements qui duraient des heures ne lui demandaient pas tant d'effort.

Pour finir, ses bras, incapables de le soutenir plus longtemps, se dérobèrent. Heureusement, les deux assistantes étaient là pour le rattraper.

Marcia approcha le fauteuil roulant, et elles l'aidèrent à s'y installer. Il était hors d'haleine, mais il éprouvait tout de même une grande satisfaction : il venait de réussir là où hier encore il avait échoué.

Marcia, en revanche, n'était guère satisfaite. En l'observant, ses pires craintes s'étaient confirmées. Certes, ses jambes étaient trop faibles pour le porter, mais il trahissait malgré tout une tendance à rejeter la tête en arrière qui ne présageait rien de bon. En effet, son corps suivait instinctivement sa tête, et, s'il n'arrivait pas à contrôler sa tête, il ne retrouverait jamais son sens de l'équilibre, lequel était indispensable pour pouvoir marcher.

Tout à coup, son beau visage d'adolescent se rembrunit :

— Une... une fois... j'ai couru... cent... cent mètres en... en...

Mais il était incapable de se souvenir en combien de temps, ce qui ne fit qu'ajouter à sa frustration. Il conclut en disant d'une petite voix :

— J'ai couru... cent... mètres.

Marcia congédia les deux assistantes d'un petit signe de tête, puis elle s'agenouilla à côté de Bud.

— Bud, il ne faut pas prendre les choses trop à cœur. Nous n'en sommes qu'au début et nous avons encore une longue route à faire. Mais à chaque jour suffit sa peine. Nous allons progresser, chaque jour un petit peu.

— Dans combien... de temps? demanda-t-il.

— Quoi donc?

— Dans combien... de temps... est-ce que je... pourrai courir?

Ne voulant pas lui avouer qu'il risquait de ne jamais plus pouvoir courir, Marcia s'en tint à une réponse évasive.

— Nous ne le savons pas. Il faut avancer pas à pas, sans songer au lendemain. Et en donnant le meilleur de nous-mêmes.

Elle ignorait comment son esprit encore confus avait accueilli sa réponse mais elle ne voulait pas risquer d'ébranler la confiance qu'il avait en elle, au cas où les choses n'iraient pas comme il le souhaitait.

— Combien de... temps? répéta Bud.

— Je t'ai déjà répondu, Bud.

— Combien de... temps... j'ai mis... pour aller au bout... des barres?

— Peu importe, Bud. Ce qui compte c'est que tu l'aies fait.

— Je veux... savoir... combien de... temps.

Saisissant les roues de son fauteuil à pleines mains, il se dirigea vers les barres parallèles. Voyant qu'il ne serait pas satisfait tant qu'elle ne l'aurait pas chronométré, Marcia fit signe aux deux assistantes de se tenir prêtes. Bud s'installa à l'extrémité des barres, puis fit signe aux deux assistantes de l'aider à se lever. Il saisit les barres, puis s'immobilisa. On aurait dit qu'il était en train de se concentrer avant l'exploit.

Il avança la jambe gauche, mais, se rappelant les instructions de Marcia, il recommença lentement, péniblement, avec la jambe droite. Puis ce fut au tour de la jambe gauche, et à nouveau cette maudite jambe droite qui lui donnait tant de fil à retordre. Puis la gauche à nouveau, et encore la droite, et ainsi de suite.

Tandis qu'il avançait laborieusement une jambe après l'autre, Marcia le chronométrait. D'abord les mains, puis les jambes... une fois la droite... une fois la gauche... Plus il s'acharnait et plus il semblait peiner.

Lorsqu'il atteignit l'extrémité des barres, il suait à grosses gouttes. Sans lâcher prise, il demanda en haletant :

— Combien?

Au lieu de le lui dire, Marcia lui montra le chrono. Celui-ci indiquait deux minutes et vingt-six secondes.

— Dix... secondes... dix-sept centièmes, annonça-t-il.

Marcia en resta bouche bée. Était-il possible qu'il ne sache plus lire l'heure? Il y avait un certain temps déjà qu'il avait réappris pourtant.

— Dix secondes et dix-sept centièmes? s'étonna Marcia. Bud?

— Le cent mètres... je l'ai couru... en... dix secondes... dix-sept centièmes, dit-il.

Oh, mon Dieu! songea Marcia. *J'espère qu'il ne compte pas battre son propre record. Ce serait déjà un exploit s'il pouvait à nouveau se tenir sur ses deux jambes. Alors, pour ce qui est de courir, et de faire un cent mètres en dix secondes et des poussières par-dessus le marché, il ne faut pas y compter. C'est déjà bien qu'il ait réussi à faire deux mètres cinquante en deux minutes et vingt-six secondes.*

Sa stabilité laisse encore beaucoup à désirer. Quant à son sens de l'équilibre, il demande encore à être testé. Remarcher peut-être, mais courir...

Les jours suivants, chaque fois qu'il avait terminé ses exercices quotidiens, Bud s'installait dans son fauteuil roulant et se rendait en salle de rééducation pour s'exercer aux barres parallèles. Et, chaque jour, il s'obligeait à parcourir toute la longueur des barres en prenant appui sur ses bras et en avançant lentement une jambe après l'autre.

Immanquablement, il insistait pour que Marcia le chronomètre. Après quoi, il insistait pour recommencer, afin de voir s'il pouvait battre son record.

Lorsque arriva la fin de la semaine, il avait réussi à parcourir les deux mètres cinquante en deux minutes neuf secondes.

Il en éprouva une immense fierté. Mais Marcia demeurait sceptique. Car, en dépit de ses exploits aux barres parallèles, elle savait que le plus gros du travail restait à faire.

Lily était ravie de voir que Bud commençait à reprendre du poil de la bête. Du coup, elle commença elle aussi à reprendre espoir. Cela se sentait à la façon dont elle parlait aux parents et aux amis qui l'appelaient chaque jour pour prendre des nouvelles de Bud. Elle commença à se confier à Marcia, à lui faire part des projets que Pep et elle avaient fait pour les vacances d'été. Voyant la vitesse à laquelle Bud progressait, ils avaient songé à aller passer un mois dans la maison familiale au bord du lac. La natation constituerait un excellent exercice pour Bud. Et certainement que d'ici à la fin de l'été il aurait retrouvé une forme olympique.

— Pep a décidé de prendre une semaine de congé dès que Gwen aura fini l'école, expliqua-t-elle un jour à Marcia. Pour nous emmener voir sa sœur dans les montagnes du Colorado. C'est un endroit superbe que Bud adore. Ils ont des chevaux. D'ici là, il sera certainement capable de monter à cheval. Vous ne pensez pas ? Au rythme où vont les choses ?

— Il est encore trop tôt pour faire des projets, répondit Marcia. Il faut voir comment les choses évoluent d'une semaine sur l'autre.

Après deux semaines d'exercice aux barres parallèles, Bud avait réussi à gagner une demi-minute.

Jour après jour, son torse, ses bras et ses épaules commençaient à retrouver leur vigueur.

Voyant qu'il était prêt à passer à l'étape suivante, Marcia décida de lui faire faire des exercices d'écriture. Ceux-ci avaient une double finalité : d'une part lui apprendre à contrôler sa main droite et à tenir correctement son stylo, et d'autre part à stimuler ses fonctions cérébrales en l'obligeant à écrire des mots de deux ou trois syllabes. Il tirait une grande fierté des progrès qu'il avait accomplis et s'amusait à embellir ses lettres de fioritures.

— Tu veux m'en mettre plein la vue, c'est ça ? le taquina-t-elle en riant. Bientôt tu vas pouvoir nous écrire un roman.

— Je... je peux... écrire des... phrases.

Il parlait toujours d'une manière hachée bien que, là aussi, il progressât de jour en jour.

— Vraiment ? railla-t-elle pour le mettre au défi.

— Oui.

Il se pencha en avant de façon à ce qu'elle ne puisse pas voir ce qu'il était en train de faire. Il travailla avec application, jusqu'à ce qu'il fût satisfait du résultat. Puis il lui présenta le cahier sur lequel il avait écrit « J'aime Marcia » d'une main malhabile.

Marcia sentit le feu lui monter aux joues, mais elle s'efforça de garder contenance.

— C'est très gentil, Bud. Moi aussi, je t'aime beaucoup.

Cependant, afin de lever toute ambiguïté, elle s'empressa d'ajouter :

— Tu es mon patient préféré. (Puis elle passa aussitôt à un autre sujet :) Bien, à partir d'aujourd'hui, plus de barres parallèles.

— Mais je veux battre mon record, protesta-t-il.

— Non, Bud. Il est temps de commencer à marcher vraiment.

— A marcher... sans... les barres?

Il était évident qu'il ne se sentait pas prêt pour un tel exploit.

— Sans les barres, affirma-t-elle. Mais avec quelque chose qui s'appelle un déambulateur et qui va te permettre de circuler librement. Ce qui n'est pas possible avec les barres parallèles. Tu pourras aller d'un bout à l'autre de la salle de rééducation tout seul. Qu'en dis-tu?

— C'est... c'est génial, acquiesça-t-il d'une voix mal assurée.

— Bien, dans ce cas installe-toi vite dans ton fauteuil roulant, et en avant!

Lorsqu'elle l'aida à s'installer dans son fauteuil, profitant de ce qu'ils étaient tout près l'un de l'autre, il pressa sa joue contre sa poitrine et murmura :

— Je... je t'aime... vraiment.

Ce n'était pas la première fois qu'un patient lui faisait ce genre de déclaration. Et elle savait que cela avait son utilité.

Mais elle savait également que lorsque la guérison tardait à venir, la confiance que les patients avaient placée en elle s'en trouvait ébranlée, et parfois irrémédiablement détruite.

30

— Bud, voici ce qu'on appelle un déambulateur, expliqua Marcia en désignant une structure métallique à trois côtés montée sur roulettes. C'est une aide provisoire pour t'aider à te tenir debout et, comme son nom l'indique, à déambuler.

Bud inspecta longuement l'objet en acier chromé. Un jour, au centre commercial, il avait vu un vieux monsieur se servir d'une chose comme celle-là.

Les jeunes détestent ce genre d'appareil, songea Marcia en voyant l'expression de rejet sur le visage de Bud. *L'idée d'être dépendants et de ne plus pouvoir être libres de leurs mouvements leur est insupportable. Malheureusement, s'il n'arrive pas à surmonter ses réticences, Bud ne pourra jamais remarcher.*

Je ne suis d'ailleurs même pas sûre qu'il pourra remarcher un jour, même en suivant mes instructions au pied de la lettre.

Sans laisser rien paraître de ses sombres pensées, elle lui dit avec un large sourire :

— Bien, nous allons commencer. Prends appui sur les bras du fauteuil. Lève-toi ! Et maintenant essaie d'attraper le déambulateur.

Il hésita : outre que la manœuvre exigeait un gros effort de coordination, il lui fallait surmonter son aversion pour l'appareil. Une voix intérieure semblait lui dire : *Ne touche pas à cette maudite machine sans quoi tu risques de te retrouver enchaîné à elle pour le restant de tes jours.*

— Bud ! insista Marcia.

Il regarda Marcia, considéra un instant le déambulateur qui semblait le narguer, puis finit par céder.

Il se hissa hors de son fauteuil et tendit les bras. Puis ses doigts saisirent lentement et aussi fermement que possible la barre métallique.

— Bien... bien... l'encouragea Marcia. Maintenant avance la jambe, dit-elle en faisant signe d'approcher aux deux assistantes restées en arrière.

— Et maintenant avance, ordonna Marcia. Allons, du nerf, Bud.

Avec la meilleure volonté du monde, Bud se pencha en avant, essayant de faire bouger son corps. Mais l'effort était trop grand. Ses mains lâchèrent la barre d'acier, et il retomba lourdement dans son fauteuil.

Blessé dans son amour-propre, il déclara aussitôt, sans laisser à Marcia le temps d'intervenir :

— Je peux le faire... laissez... laissez-moi... essayer encore.

Son attitude de rejet avait fait place à de la détermination. Marcia songea que la volonté était une bonne chose quand les efforts du patient sont récompensés. Dans le cas contraire, en revanche, elle pouvait avoir des conséquences désastreuses.

Plus décidé que jamais, Bud saisit fermement la barre métallique à deux mains. Sûr de lui, il essaya à nouveau d'avancer une jambe. Mais sans réel succès.

Voyant qu'il n'arrivait pas à ses fins, mais ne voulant malgré tout pas rester sur un échec, il garda cette position incommode. Marcia fit signe aux deux assistantes, qui volèrent aussitôt au secours de Bud et l'aidèrent à se mettre debout.

Suant et frissonnant, il garda cette position aussi longtemps qu'il le put. Alors, pris de vertige, il sentit ses jambes se dérober sous lui. Il tituba, puis ses mains moites lâchèrent la barre, et brusquement tout devint noir.

Lorsqu'il revint à lui, Marcia se tenait penchée au-dessus de lui et le regardait dans les yeux.

— Tu as perdu connaissance, expliqua-t-elle.

Il regarda autour de lui. Il était étendu sur une table grande comme un lit à deux places. Il l'avait déjà remarquée auparavant, mais n'avait pas la moindre idée de ce à quoi elle pouvait servir. Il n'allait pas tarder à le découvrir.

— Bien. Maintenant nous allons faire un peu d'exercice à deux, déclara Marcia. Je te dirai ce que tu dois faire au fur et à mesure. Tu es prêt?

— Oui... je... je suis prêt, acquiesça-t-il, poussé par la curiosité, malgré l'échec qu'il venait d'essuyer.

Ayant vu l'appréhension dans ses yeux, Marcia expliqua :

— Bud... En temps normal, notre cerveau commande à notre corps. Mais il arrive, et c'est ton cas, que ce soit le corps qui aide le cerveau à fonctionner.

— Le corps qui aide... le cerveau à... fonctionner?

— Oui. Certains mouvements nous permettent de stimuler notre cerveau en l'aidant à retrouver de vieux réflexes. C'est ce que nous allons faire maintenant. Tu vas commencer par rouler de côté. Vas-y. C'est bien. A présent, roule à nouveau sur le dos, puis sur le ventre.

Chaque fois qu'elle lui donnait un ordre, elle l'aidait à l'exécuter.

— Bien, maintenant, tu vas te mettre à quatre pattes. Allez, tu peux le faire. Vas-y, avance la main gauche. Et maintenant la droite. A présent, prends appui sur tes deux mains, ordonna-t-elle en l'aidant. Les jambes! Plie la jambe gauche. Allez, vas-y. Du nerf, Bud. Fais-moi bouger cette jambe. Parfait, dit-elle en l'aidant à ramener sa jambe en avant et à la plier. A présent, la jambe droite.

C'est un peu plus difficile mais il faut essayer. Allez, avance la jambe !

Suant et haletant, il parvint finalement à se mettre à quatre pattes.

— C'est comme... commença-t-il à dire, mais il dut s'interrompre pour reprendre haleine avant d'ajouter : comme... la lutte... gréco-romaine.

— Parce que tu as fait de la lutte gréco-romaine ?

— Non... juste un peu... pour... pour m'amuser.

— Bien, à présent, reprit Marcia sur un ton plus sérieux, nous allons faire un peu d'exercice. Lève le bras gauche. Lève-le bien haut. Parfait. Et maintenant, étire-le le plus loin possible et fais-le tourner.

Elle savait qu'il n'était pas capable de faire tourner son bras. Mais s'il parvenait à l'étirer ne serait-ce qu'un petit peu ce serait déjà une grande victoire. Elle lui demanda ensuite de faire la même chose avec le bras droit. Puis elle lui fit lever la jambe gauche. Et enfin la jambe droite.

Tout en le regardant faire, Marcia évaluait sa capacité à coordonner ses mouvements.

Ainsi, pour passer de la position assise à la position debout, il fallait mettre en œuvre simultanément un grand nombre de muscles du tronc, des bras, des jambes et du dos.

Bud retrouverait-il un jour cette capacité ? Elle allait bientôt devoir se prononcer.

Mais tout d'abord il fallait l'aider à remuscler le haut de son corps. Cela demanderait des heures et des heures d'exercice. Et sans aucune garantie de résultat, naturellement.

Après dix jours d'exercices de coordination, Marcia décida de le mettre à l'épreuve afin de voir s'il pouvait aller plus loin. Elle lui ordonna de se mettre à quatre pattes sur la table d'exercice.

— Aujourd'hui, Bud, tu vas essayer de te relever et de t'asseoir sur tes talons, expliqua-t-elle.

Il la regarda, l'air hésitant.

— Tu peux le faire, Bud. Pousse bien fort sur tes bras. Allez, pousse! Et maintenant essaie de te relever. Redresse le dos. Et lâche-toi progressivement. N'aie pas peur, je suis là. Pousse sur tes bras, redresse-toi. Encore, encore. Et maintenant assieds-toi. Bien. Excellent!

Elle l'aida à se maintenir quelques instants dans cette position, puis dit :

— Repos. Remets-toi à quatre pattes en te laissant basculer tout doucement en avant.

Lorsqu'il se fut remis à quatre pattes, elle lui demanda :

— Qu'en penses-tu, ce n'était pas si mal pour un premier essai?

Il acquiesça.

— A partir d'aujourd'hui, nous allons refaire cet exercice chaque jour.

Elle s'approcha de lui, et, posant une main ferme sur son bras, l'encouragea.

— Pousse, Bud. Pousse sur ma main. Essaie de faire bouger ma main. Allons, pousse de toutes tes forces. Vas-y, Bud. Encore plus fort!

Il poussa jusqu'à l'extrême limite de ses forces. Bien qu'elle fût déçue du résultat, elle n'en laissa rien paraître. Elle lui fit refaire le même exercice avec l'autre bras, puis avec les deux jambes, en insistant à chaque fois pour qu'il pousse de toutes ses forces.

Au terme de quelques jours de ce régime soutenu, Bud réussit à s'asseoir tout seul et à étirer un bras devant lui, puis les deux.

Il était prêt à passer à la suite. Marcia le fit mettre en position assise, après quoi elle le poussa d'un côté, puis de l'autre, en avant, puis en arrière, en lui demandant de résister de toutes ses forces.

Plaçant ensuite ses deux mains contre ses épaules, elle lui ordonna de se pencher en avant.

— Tire, Bud. Allons, plus fort que ça. Je sais que tu le peux. Tire, Bud! Tire fort.

Lorsqu'elle eut terminé, voyant qu'il était épuisé, Marcia fit une pause et en profita pour s'accorder un moment de réflexion. *Dois-je le tester maintenant? Non, il est trop fatigué. Il serait plus raisonnable d'attendre demain. C'est un test trop important. Il faut lui donner toutes ses chances.*

Le lendemain matin, en entrant dans la chambre 302, Marcia arborait un air particulièrement enjoué. Elle ne voulait pas que Bud se doute de l'importance du test qui allait suivre, afin de ne pas provoquer chez lui une tension nerveuse qui aurait pu nuire au bon déroulement des opérations.

— Allez, Bud! En route pour de nouvelles aventures. Je veux dire, en route pour la salle de rééducation.

— Pas d'écriture aujourd'hui? demanda-t-il. Et moi qui... qui voulais écrire un... un sonnet, dit-il en éclatant de rire.

Elle rit avec lui, en songeant : *Espérons que tu auras encore envie de rire ce soir.*

A peine entré dans la salle de rééducation, Bud prit spontanément la direction de la table d'exercice, mais Marcia l'arrêta :

— Non, Bud. Aujourd'hui, nous retournons aux barres parallèles.

— Aux barres... parallèles?

— Oui. Tous les exercices que nous avons faits ces derniers jours étaient destinés à te préparer à reprendre les exercices aux barres parallèles.

Il se dirigea vers les barres en acier chromé, puis s'installa de façon à pouvoir se hisser aisément hors de son fauteuil roulant afin de saisir les barres et de se mettre debout.

— Il est temps que... que je quitte ce... ce satané fauteuil.

— Bien, dit Marcia. Tu es prêt? Approche-toi bien des barres et en avant!

Il tendit les bras, mais les barres étaient légèrement trop hautes. Marcia appuya sur la télécommande et les abaissa de quelques centimètres.

— Vas-y!

Prenant appui sur les accoudoirs de son fauteuil, il se releva suffisamment pour pouvoir saisir les barres métalliques. Voyant qu'il éprouvait quelque difficulté, Marcia lui vint en aide. Car cette partie de l'exercice n'était pas aussi importante que la marche.

A présent, il se tenait debout, une main posée sur chaque barre.

— Et maintenant, avance, lui dit Marcia.

Elle se recula légèrement de façon à pouvoir observer minutieusement chacun de ses gestes.

Bud commença à glisser la jambe gauche en avant, puis se rappela qu'il devait commencer par la droite. Voyant que l'exercice lui demandait moins d'effort que par le passé, il avança aussitôt la jambe gauche. Était-ce en se concentrant qu'il avait desserré les mains, ou avait-il relevé la tête sans le vouloir? Quoi qu'il en soit il se sentit soudain pris de vertige. Brusquement, il lâcha prise et tomba en avant en poussant un cri de terreur.

Si Marcia n'avait pas été là, il serait tombé la tête la première. Elle le rattrapa de justesse.

— Appuie-toi sur moi, Bud, dit-elle. Laisse-toi aller.

Puis, lentement, supportant tout le poids du corps du garçon, elle l'aida à regagner son fauteuil roulant.

— Qu'est-ce qui s'est passé, Bud?

— Je... je ne sais... pas, bégaya-t-il.

— Pourquoi as-tu lâché prise?

— Je... Je crois bien... que j'ai eu... un vertige.

— Je vois, dit-elle. Cela arrive parfois.

Afin de lui accorder le bénéfice du doute et de lui donner toutes ses chances, elle recommença le même test le lendemain. Puis le surlendemain. Toujours en présence des deux assistantes. Et, chaque fois, celles-ci durent voler au secours de Bud.

Marcia pensa alors à le soumettre au test du ballon : un ballon suffisamment grand et solide pour supporter le poids d'un homme adulte. C'était un bon moyen de tester son sens de l'équilibre. Et, bien qu'elle doutât du résultat, elle décida de tenter l'expérience malgré tout.

— Tu vas t'asseoir sur ce ballon, Bud. Oui, Bud. Et tu vas garder les yeux fixés sur la poignée de la porte. Et surtout ne relève pas la tête. Pendant ce temps, je vais essayer de te déloger, et, toi, tu vas résister.

Bud se laissa glisser hors de son fauteuil et prit place sur le ballon. Puis il fixa la poignée de la porte, tandis que Marcia le poussait de côté. Bien qu'il luttât de toutes ses forces, elle le déstabilisa sans peine, et il tomba sur le tapis de sol beaucoup plus vite qu'elle ne l'aurait imaginé.

Cependant elle insista.

— Allons, Bud. Je suis sûre que tu peux résister mieux que ça. Imagine que nous sommes sur un terrain de foot, moi, je suis l'adversaire et je cherche à te prendre le ballon. Défends-toi, Bud. Vas-y !

Il essaya... désespérément, mais il glissa et, de nouveau, tomba sur le tapis. Elle essaya encore et encore. Mais à chaque fois il glissait et tombait à terre.

Pour finir, elle se dit qu'elle avait fait une erreur, regrettant de l'avoir poussé jusqu'à l'extrême limite de ses possibilités.

Il fallait se rendre à l'évidence. Le miracle ne s'était pas produit, Bud n'avait même pas réussi à rester assis en équilibre sur le ballon. Marcia savait ce que cela signifiait.

Ce soir-là, la jeune femme resta plus tard que de coutume à l'hôpital. Elle savait que son fils l'attendait à la garderie, impatient de la revoir. Mais, pour une fois, Ezra devrait attendre que sa maman ait fini de rédiger son rapport concernant le jeune Willard Young.

Depuis plusieurs mois qu'elle et Bud travaillaient

ensemble, un lien affectif fort s'était noué entre eux. C'était un brave gosse. Plein de bonne volonté. Même si, comme toutes les victimes de traumatismes crâniens, il avait ses moments de colère et de rébellion.

Toutefois, pour rédiger son rapport, elle devait faire abstraction de ses sentiments personnels.

Et, d'un point de vue strictement professionnel, force lui était de constater qu'au terme de plusieurs mois de rééducation Bud n'avait pas récupéré les deux fonctions nécessaires à la marche, à savoir la coordination — celle des jambes en particulier — et l'équilibre — il était incapable de se tenir debout sans soutien.

Marcia hésita un long moment avant de coucher son diagnostic sur le papier.

Puis, dans l'intérêt même du patient, elle inscrivit : *Déficience de la fonction ambulatoire.*

En clair, cela signifiait que Bud Young ne pourrait jamais plus remarcher.

31

— Déficience de la fonction ambulatoire, lut à haute voix le docteur Curtis, avant de s'adresser à Marcia Ethridge, assise en face d'elle. Marcia ?

— Je suis navrée d'en être arrivée à cette conclusion, avoua Marcia, mais c'est ainsi. Il a récupéré la plupart de ses fonctions cognitives, et va certainement continuer de progresser. C'était un élève brillant et il le redeviendra sans doute. A présent, la question est de savoir comment nous allons pouvoir l'aider à tirer le meilleur parti de ses capacités pour surmonter son handicap.

— Autrement dit, vous le croyez capable d'accepter l'idée qu'il va devoir passer le restant de ses jours dans un fauteuil roulant, conclut Phyllis Curtis.

— Il pourra reprendre ses études et entrer à l'université, et même préparer une grande école, s'il le souhaite. Il pourra se marier et avoir des enfants, autrement dit, mener une vie relativement normale et gratifiante.

— Oui, mais dans un fauteuil roulant, commenta Phyllis d'un air morose, avant d'ajouter : Jamais jusqu'ici je n'ai contesté un seul de vos diagnostics. Mais pour une fois... j'aimerais tester ce jeune homme moi-même.

— C'est bien naturel, admit Marcia.

— Demain matin, première heure.

Étendu sur son lit, Bud s'exerçait à fléchir les doigts. D'abord la main gauche. Puis la main droite qui lui donnait plus de mal que l'autre et qu'il devait faire travailler deux fois plus.

Mais j'ai fait des progrès. J'arrive presque à la faire bouger aussi bien que la gauche. Un jour... bientôt...

Il prit le ballon de foot dans sa main droite et leva le bras. Il le brandit presque aussi haut qu'à l'époque où il faisait des passes époustouflantes. Comme le jour où il avait remporté la coupe.

J'y arriverai. Je sais que j'y arriverai.

On frappa un petit coup à la porte. S'attendant à voir paraître Marcia, il lança gaiement :

— Y a personne... à part moi et le ballon.

Mais, au lieu du visage souriant de Marcia, il vit le docteur Curtis qui passait la tête par la porte entrebâillée pour s'assurer qu'elle ne le dérangeait pas.

— Docteur... balbutia Bud, visiblement déconcerté.

— Marcia va arriver d'une minute à l'autre. Mais je voulais d'abord te voir seul à seul.

— Oui, docteur, répondit-il, bien que troublé et surpris par ce changement dans son train-train quotidien.

— Je ne vais pas te déranger longtemps, Bud. Je voudrais simplement te demander de sortir du lit et de te mettre debout. Tu veux bien?

— Oui.

Sans quitter le docteur des yeux, il repoussa sa couverture et ramena lentement ses jambes jusqu'au bord du matelas avant de les faire basculer hors du lit, moyennant quoi, par un effet de balancier, le reste de son corps pivota et il se retrouva en position assise. Voyant qu'il s'arrêtait là, le docteur Curtis songea qu'il réfléchissait à la manière dont il devait procéder pour se lever.

— Tu veux un coup de main? demanda-t-elle.

Il parut soulagé. Elle passa une main sous son bras pour l'aider à se mettre debout, puis recula pour l'observer.

Il commença à tituber et à secouer la tête pour essayer de chasser la sensation de vertige, puis il piqua brusquement du nez. Heureusement, Phyllis le rattrapa à temps et l'aida à se rasseoir au bord du lit. Mais, incapable de rester dans cette position, il se laissa retomber sur le lit, haletant, les jambes pendantes. Le médecin l'aida à s'allonger complètement.

Elle aurait pu l'emmener en salle de rééducation et lui faire faire tous les exercices de routine aux barres parallèles et sur la table. Mais à quoi bon ? Il était évident que sa coordination et son équilibre étaient défaillants et qu'il ne pourrait jamais remarcher.

Marcia avait raison. Il présentait malheureusement une déficience de la fonction ambulatoire.

— Comment allons-nous lui annoncer ça ? demanda le docteur Curtis.

— C'est mon patient. C'est à moi de le lui dire, répliqua Marcia.

Ce n'était pas une tâche enviable, Phyllis en savait quelque chose pour l'avoir elle-même accomplie bien des fois.

— Vous préférez le lui annoncer en privé ou en présence de ses parents ?

— En privé, décida Marcia.

Quand la jeune femme entra dans la chambre 302, Bud tenait son ballon de foot à la main, le bras replié comme s'il s'apprêtait à faire une passe.

— Allons, ne reste pas plantée là les bras ballants... cours, bon sang. Cours... sur la ligne de touche, lui ordonna-t-il en plaisantant.

— Pas aujourd'hui, dit Marcia.

Il baissa le bras, sans pour autant lâcher le ballon.

— Je sais. Des exercices d'écriture. Et puis... et puis... on va en salle... de rééducation ? Je sens que je... que je vais réussir... aujourd'hui.

— Nous n'irons pas en salle de rééducation aujourd'hui, Bud. Nous allons travailler ici même. Bien. Tu vas commencer par sortir du lit et te mettre dans ton fauteuil roulant. Allez, dit-elle en prenant la planche posée contre le mur et en la lui glissant sous les reins.

Elle amena ensuite le fauteuil roulant, tandis que Bud se rapprochait lentement du bord du lit.

Au lieu de l'aider, Marcia se recula et lui demanda :

— Est-ce que tu crois que tu vas pouvoir te débrouiller tout seul ?

— Pour m'asseoir dans... le fauteuil ?

— Oui.

Il hésita, songeant à tous les mouvements qu'il allait devoir faire pour mener à bien une telle entreprise, puis il se positionna sur la planche et s'arrêta. Il réfléchit de nouveau à la manière dont il allait devoir s'y prendre. Enfin, une fois le problème résolu, il se laissa glisser le long de la planche. Cependant, juste au moment où il allait se laisser tomber dans le fauteuil, il fut pris de panique et poussa un cri de frayeur.

Marcia le rattrapa et l'aida à s'asseoir.

Il lui fallut un certain temps avant de retrouver son souffle et de murmurer :

— Merci.

— Bud, expliqua ensuite Marcia de façon méthodique, jusqu'ici il y a un tas de petites choses que je faisais à ta place. Comme... (Elle se mit sur un genou.) Comme ces repose-pieds, par exemple. Ils sont relevés quand tu ne te sers pas de ton fauteuil. C'est moi qui les abaisse pour que tu puisses poser tes pieds. A partir d'aujourd'hui, il va falloir que tu apprennes à le faire tout seul. (Elle lui montra comment.) D'abord celui de gauche, puis celui de droite. Les bras du fauteuil maintenant. Ils sont relevés. Mais une fois que tu es assis, il faut les abaisser. Est-ce que tu peux le faire, Bud ?

— Euh... oui... je crois... répondit-il, intrigué.

Il essaya, d'abord sans succès, puis fit une nouvelle

tentative. Au bout d'un long moment, il réussit, d'un geste gauche et mal assuré.

— Très bien, le félicita Marcia. Nous allons nous entraîner chaque jour. Lorsque tu sauras le faire, cela te paraîtra facile. A présent, comme tu le sais, ce fauteuil est équipé de freins. Ils se trouvent ici. Voyons si tu peux les attraper.

Bud tâta le frein avec la main gauche.

Toujours cette habitude de se servir de sa main gauche et jamais de la droite, songea Marcia. *Mais il a réussi à serrer le frein convenablement.*

Le frein droit lui donna plus de mal. Pour finir, voyant qu'il n'y arrivait pas, il renonça, à bout de forces.

— Ce n'est pas grave. Dans un jour ou deux tu t'en sortiras parfaitement.

— Et maintenant... est-ce qu'on... est-ce qu'on peut aller en salle... de rééducation ?

Marcia s'assit de façon à être à son niveau, puis plongea ses yeux dans les siens.

— A partir d'aujourd'hui, Bud, nous allons faire presque tous nos exercices dans ce fauteuil roulant. Tu vas apprendre à rouler sur des surfaces lisses ; sur de la moquette ; sur des creux et des bosses. Tu vas apprendre à franchir les portes tout seul, à contourner les obstacles, à prendre les virages...

— Prendre les virages ? demanda-t-il. Des virages... comme ceux-là ?

Il pointa son index vers la fenêtre, indiquant le monde extérieur dont il était exclu depuis si longtemps.

— Oui, des virages comme ceux-là, Bud. Les gens qui, comme toi, ont été victimes de traumatismes crâniens, récupèrent petit à petit leurs fonctions motrices et cérébrales. Cependant, il arrive qu'ils ne les récupèrent pas entièrement. Il arrive notamment qu'ils ne puissent plus remarcher.

A ces derniers mots, Bud détourna les yeux, refusant d'en entendre davantage. Mais Marcia continua.

— Tu es un jeune homme intelligent, Bud. Et tu as le droit de savoir ce que l'avenir te réserve. La marche est un processus complexe qui nécessite une bonne coordination et un bon sens de l'équilibre. Autrement dit la capacité de se tenir debout et de faire bouger ses jambes. (Marcia fit une pause, avant d'ajouter :) Et, dans ton cas, cela ne s'est pas produit.

— Pas... pas encore... protesta Bud.

— Bud, nous avons essayé. Pendant des jours et des jours. Et ça n'a pas réussi. Hier, tu n'as pas pu te tenir debout. Aujourd'hui non plus.

— C'est pour... pour cela... que le docteur Curtis... réalisa-t-il soudain.

— Oui, c'est pour cela qu'elle est venue ce matin.

Il fixa sur elle un œil vague. Il la regardait sans la voir, trop absorbé par ses pensées tumultueuses.

Tous les jours, en salle de rééducation, j'ai fait des progrès. Je sais que j'ai fait des progrès. Bien sûr... il y a eu des fois où... je... j'ai failli renoncer... à cause de ces fichues barres para... para... je ne sais plus quoi. Mais j'ai tenu bon... Je l'ai fait... J'ai tenu le coup...

Puis, une fois passé ce premier moment de révolte, il fut forcé de reconnaître : *Bien sûr, il m'est arrivé d'être pris... de vertige... mais c'est bien normal après tous ces mois... passés au lit... C'est naturel... et j'ai même failli tomber ce matin... deux fois... non, trois... mais je... je...*

Il regarda Marcia. Celle-ci avait trop d'expérience pour ne pas savoir qu'il lui fallait faire preuve de tact et de lucidité en un moment comme celui-là.

— Emmène-moi... en salle... de rééducation... Je veux... aller... en salle... de rééducation ! dit-il fermement.

— Bud... cela ne servira...

Sans la laisser terminer sa phrase, Bud posa les mains sur les roues de son fauteuil et se dirigea vers la porte.

Marcia pensa tout d'abord à lui barrer la route, puis se ravisa.

Non, laissons-le faire. Il doit se rendre compte par lui-même.

Dans son empressement, il buta dans le chambranle et dut s'y reprendre à deux fois pour franchir le seuil. Puis il vira à gauche et enfila précipitamment le couloir.

Marcia le suivait de près, de crainte qu'il ne provoque un accident. Il continua sa course débridée, sans se soucier des infirmières qui faisaient un bond de côté en le voyant arriver droit sur elles.

Puis le fauteuil roulant buta violemment contre la porte de la salle de rééducation et s'arrêta dans une secousse. Marcia fit tourner la poignée pour permettre à Bud de franchir la porte d'un tour de roues.

Il se dirigea aussitôt vers les barres parallèles, puis s'installa à l'endroit habituel et fixa sur Marcia un regard de défi qui semblait dire : « Je vais te montrer de quoi je suis capable. »

Lorsqu'il voulut se lever, le fauteuil roula en arrière. Il le ramena en position, puis abaissa la main gauche et chercha le frein à tâtons. Il le serra, puis essaya à nouveau de se lever.

Bien entraînés, les muscles de son torse et de ses bras lui obéissaient. Posant les mains sur les bras de son fauteuil, il commença à se lever, mais à peine était-il parvenu à se redresser qu'il retomba lourdement sur le siège. Il prit une longue inspiration, puis essaya à nouveau, plus déterminé que jamais. Mais une fois de plus il dut renoncer. Il réalisa soudain qu'il avait omis une étape importante.

Il se pencha et chercha à tâtons les repose-pieds. Ayant trouvé celui de gauche, il le releva. Puis, toujours avec la main gauche, il releva non sans mal celui de droite.

Après quoi il posa les deux pieds à terre, l'un après l'autre, et tenta à nouveau de se mettre debout. Il y parvint, au prix d'un effort surhumain, tandis que ses mains cherchaient à agripper les barres.

Marcia l'observait en silence, l'encourageant intérieurement tandis que ses mains, la gauche d'abord puis la droite, saisissaient fermement les barres.

Maintenant, il allait lui prouver qu'il pouvait marcher. Et, l'espace d'un instant, Marcia crut qu'il allait y arriver. Mais presque aussitôt il se mit à donner des signes de faiblesse, confirmant malheureusement son diagnostic. Un patient qui après de longues semaines de rééducation ne pouvait toujours pas marcher ne pourrait plus jamais remarcher.

Bud perdit conscience et tomba en avant.

Lorsqu'il revint à lui, il était étendu sur le dos, pantelant et baigné de sueur froide. Marcia se tenait penchée au-dessus de lui.

— Bud... Bud... ça va?

— Je... j'étais en train de marcher... et puis... soudain... quelque chose est arrivé.

— Tu as perdu l'équilibre, dit Marcia.

— Non, non, c'est que... brusquement... tout est... devenu noir, protesta-t-il.

Mais, en dépit de ses protestations, il finit par se rendre à l'évidence et se mit à pleurer.

Tandis qu'il sanglotait en silence, Marcia l'attira à elle et le serra contre son cœur. Puis elle lui murmura doucement à l'oreille.

— Bud... Bud, écoute-moi. Nous avons encore beaucoup de travail à faire ensemble.

— Marcher... je vais marcher?

— Non, dit-elle sans hésiter. A partir d'aujourd'hui nous allons concentrer nos efforts sur les choses que tu peux faire, afin d'en tirer le meilleur parti. Tu es jeune et intelligent. Tu as de grandes capacités qui ne demandent qu'à se développer. Bientôt tu pourras retourner à la vie active. Retourner au lycée..

— Pas dans un fauteuil roulant, protesta-t-il.

— Si, dans un fauteuil roulant. Tu vas retourner au lycée. Et ensuite tu iras à l'université.

— Mais il y a quatre universités qui sont prêtes à m'offrir une bourse d'études si j'accepte de jouer dans leur équipe de football, s'insurgea Bud.

— Bud, j'ai vu tes résultats scolaires. Tu peux obtenir une bourse d'études en travaillant d'arrache-pied. Ensuite, tu pourras faire pratiquement n'importe quoi. A part rejouer au foot. De toute façon, nous ne savons pas comment tu t'en serais tiré dans l'équipe de football. En revanche, nous savons que tu peux devenir un brillant étudiant et réussir dans n'importe quelle profession ou presque. C'est là-dessus que nous devons concentrer nos efforts, afin que tu puisses donner le meilleur de toi-même. Ne l'oublie jamais, Bud. Nous allons t'aider à donner le meilleur de toi-même.

Il ne la contredit pas, mais n'abonda pas non plus dans son sens, continuant de verser des larmes silencieuses.

32

— Un fauteuil roulant... balbutia Lily Young d'une voix à peine audible. Pour combien de temps ?

— Pour le reste de sa vie, répondit Marcia aussi posément que possible.

— Oh, non... c'est impossible... pas Bud.

Marcia crut qu'elle allait éclater en sanglots, mais Lily se retint et demanda :

— Bud ? Il est au courant... Vous le lui avez dit ?

— Oui.

— Et comment a-t-il réagi ?

— Exactement comme vous pouvez l'imaginer, répondit Marcia. C'est la raison pour laquelle j'ai demandé à vous voir seule.

— Oui, bien sûr. Pep... Pep ne pourrait pas comprendre. D'ailleurs, cela ne ferait que compliquer les choses, reconnut Lily.

— C'est pourquoi il nous incombe à vous et à moi d'aider Bud à accepter son sort.

Lily avait envie de pleurer, mais, refoulant ses larmes, elle dit d'une voix ferme et décidée :

— Dites-moi ce que je dois faire, et je le ferai.

— Tout d'abord, il faudrait que je visite votre domicile. Afin que nous voyions ensemble les aménagements à prévoir pour une personne handicapée.

— Oui, bien sûr, acquiesça Lily, affolée à l'idée qu'elle allait devoir faire face aux besoins de son fils d'une part et à la réaction de son mari de l'autre. Cet après-midi, si cela vous arrange. Avant six heures. C'est l'heure à laquelle Pep rentre du bureau.

— Madame Young, vous ne pourrez pas lui cacher indéfiniment la vérité.

— Je sais. Mais j'aimerais le lui annoncer moi-même, en y mettant la forme, vous comprenez.

— Je comprends. Je passerai chez vous à seize heures trente, dit Marcia.

A l'heure dite, Marcia se gara dans l'allée privative des Young. En faisant le tour du quartier, elle avait constaté que les passages protégés avaient été aménagés de façon à faciliter la circulation des fauteuils roulants et des voitures d'enfant. C'était une bonne chose, car ainsi Bud pourrait circuler librement, et du même coup retrouver une certaine autonomie.

Dès que Marcia eut appuyé sur la sonnette, la porte s'ouvrit. Marcia devina sans peine l'état d'anxiété dans lequel se trouvait Lily.

— Entrez, entrez, lui dit celle-ci précipitamment, comme si cette visite avait quelque chose de honteux.

Du café et des biscuits les attendaient. Mais Marcia n'avait pas de temps à consacrer à de telles civilités.

Après avoir inspecté le vestibule de fond en comble, elle demanda :

— Y a-t-il une chambre libre au rez-de-chaussée?

— Une chambre libre? demanda Lily.

— Il faut que Bud jouisse d'une parfaite autonomie. Il ne pourra pas monter les escaliers. C'est pourquoi s'il y avait une chambre libre...

— A part la cuisine, la salle à manger et le séjour, il n'y a que le bureau de Pep. C'est là qu'il travaille le soir et les week-ends.

— Et pourquoi ne pourrait-il pas travailler dans l'ancienne chambre de Bud? suggéra Marcia en se rendant à la cuisine. A moins, naturellement, que vous ne préfériez faire installer un ascenseur pour qu'il puisse accéder seul à l'étage.

— Non, non, une chambre au rez-de-chaussée serait beaucoup plus pratique, reconnut Lily.

Marcia inspecta la cuisine. La poignée du réfrigérateur était à la bonne hauteur pour un handicapé. Elle jeta ensuite un coup d'œil à l'intérieur des placards.

— Je pourrais m'arranger pour que les choses qu'il aime soient à sa portée, dit Lily.

— Lily, je sais que tout cela est nouveau pour vous. Néanmoins, il faut que vous vous donniez certaines limites. Rendre les choses accessibles à Bud ne signifie pas le materner. Il y a un grand nombre de choses qu'il est capable de faire par lui-même. Et plus il en fera, mieux il se portera. Il n'est pas invalide. Son seul problème est de ne plus pouvoir marcher. Il faut qu'il l'accepte. Et que vous l'acceptiez. A part cela, il peut tout faire. Ne l'oubliez pas.

— Croyez-vous que nous devrions lui acheter un fauteuil motorisé?

— Certainement pas! Il a besoin d'exercice. En actionnant lui-même son fauteuil roulant, il renforcera sa musculature, son cœur et son système vasculaire.

Marcia s'assura ensuite que les robinets et les boutons de la cuisinière étaient accessibles, afin que Bud puisse se faire réchauffer quelque chose quand il aurait faim.

Alors que les deux femmes se dirigeaient vers le bureau, Marcia avisa une porte fermée.

— Qu'est-ce que c'est? demanda-t-elle.

— Un cabinet de toilette.

Marcia ouvrit la porte et découvrit un petit cabinet de toilette carrelé, aux couleurs pimpantes. Sous le miroir, se trouvait une étagère sur laquelle étaient disposées des serviettes de toilette. Après un rapide coup d'œil, elle déclara :

— Il vous faudra prévoir un certain nombre d'aménagements ici. Des poignées pour que Bud puisse se hisser tout seul sur les toilettes. Il n'y a rien de plus humiliant pour un handicapé que le manque d'intimité. Il faudra également installer une baignoire et une douche.

Elle ouvrit l'armoire à pharmacie, celle-ci était vide.

— Et il faudra abaisser l'armoire à pharmacie, naturellement. Le mieux serait de l'installer à côté du lavabo.

— Je n'aurais jamais imaginé... Il y a tant de choses... dit Lily.

— C'est un autre jeune homme qui va venir habiter ici. Si vous voulez qu'il se sente chez lui, il faut lui faciliter la vie.

— Bien sûr, dit Lily, qui pensait déjà au moment où elle allait devoir annoncer la terrible nouvelle à son mari.

— Il faudra installer une rampe d'accès à côté de l'escalier extérieur. Et une autre entre la maison et le garage.

— Oui, oui, naturellement, acquiesça Lily. C'est qu'il y a tellement de choses...

— Lily, croyez-en mon expérience. Au début, on s'en fait tout un monde, mais très vite on finit par s'y habituer. L'important c'est que M. Young soit mis au courant le plus vite possible.

— Oui, acquiesça Lily.

— Je veux bien m'en charger, mais, venant de moi, il risque de mal le prendre, expliqua Marcia.

Pep allait avoir un choc en apprenant la nouvelle. La seule consolation de Lily était qu'il pouvait compter sur le soutien des A.A.

Afin de se préparer à la confrontation qui allait suivre, elle décida d'expliquer la situation à Gwen. Consternée, celle-ci demanda d'une voix presque inaudible :

— Pour toujours?

— Oui, ma chérie. C'est ainsi, il faut que nous l'acceptions. Et il faut que nous aidions Bud à l'accepter.

— Oui, maman, c'est promis, nous allons l'aider! dit Gwen d'une voix décidée pour dissimuler son émoi.

Mais elle éclata presque aussitôt en larmes.

La mère et la fille tombèrent dans les bras l'une de l'autre en sanglotant. Au bout d'un moment, Lily essuya ses larmes. Puis elle remit de l'ordre dans les cheveux de sa fille.

— Il ne faut pas que papa nous voie dans cet état, dit-elle. Tu préfères peut-être dîner de bonne heure pour ne pas être là quand je lui annoncerai la nouvelle.

— Non, maman. Je veux être là.

— Comme tu voudras, ma chérie.

Ces derniers temps, Lily avait remarqué que Pep était sur les nerfs. Aussi jugea-t-elle préférable de ne pas lui parler de Bud aussitôt qu'il rentrerait du bureau. Ils commenceraient par dîner tranquillement, puis, juste avant qu'il ne se rende à sa réunion chez les A.A., elle aborderait le sujet aussi calmement que possible.

Au dîner, elle interrogea Pep sur sa journée. N'était-ce pas aujourd'hui qu'il devait donner un cours au lycée Martin-Luther-King? Elle savait qu'il aimait parler de ces gosses, car il avait le sentiment d'avoir une bonne influence sur eux.

Mais son apparente tranquillité vola brusquement en éclats lorsqu'il lui demanda à brûle-pourpoint :

— Au fait, et Bud? Comment va-t-il? Tu ne m'as rien dit? Il a commencé à marcher aujourd'hui?

Gwen baissa instinctivement les yeux, et resta le nez dans son assiette. Cependant, elle ne put s'empêcher de jeter un regard en coin à sa mère.

Lily resta un instant sans voix, puis, ayant repris contenance, répondit :

— Bud va bien. Mais il y a une chose dont j'aimerais te parler...

— Bien sûr, quoi?

— Je crois que nous serions mieux dans le bureau pour discuter.

Bien que surpris par l'attitude de sa femme, Pep acquiesça.

— Entendu. Passons dans le bureau.

Il s'installa dans son fauteuil préféré, celui dans lequel il s'asseyait toujours pour regarder le sport à la télévision en compagnie de Bud.

— Eh bien, dit-il, qu'as-tu de si important à me dire ?

Lily hésita un long moment. Elle jeta un regard à sa fille, puis se lança.

— Pepper... j'ai... j'ai une mauvaise nouvelle.

— Une mauvaise nouvelle... mais encore ? Attends, ne me dis rien. Tu es allée voir Solomon et il t'a trouvé quelque chose. Ne t'affole pas, chérie. Je vais passer le voir demain matin pour qu'il m'indique le meilleur spécialiste et nous...

— Pep... Pep... essaya-t-elle de l'interrompre.

— Je te promets que nous te trouverons le meilleur spécialiste, même s'il faut aller à New York, Chicago, ou...

— Pep ! le coupa-t-elle si brusquement que son visage se figea. Pep, il ne s'agit pas de moi.

— Ah, non ? Et de qui alors ?

Lily prit une longue inspiration, puis, lorsqu'elle se sentit prête, déclara :

— Pep, Bud va devoir se servir d'un fauteuil roulant.

— Je sais. Je l'ai déjà vu dans cette foutue machine.

— Jusqu'à la fin de sa vie.

— Jusqu'à la fin de... ? Mais c'est impossible !

— Si, Pep. C'est la vérité. Notre fils va revenir à la maison dans un fauteuil roulant, retourner au lycée dans un fauteuil roulant, vivre dans un fauteuil roulant.

— Non ! Il y a certainement une erreur. C'est encore cette femme... Quand je te disais qu'elle est trop coulante. Mais nous allons trouver quelqu'un d'autre. Et, tu verras, il s'en sortira !

— Pep, Pep, je t'en prie...

Pepper Young avait bondi sur ses pieds et faisait les cent pas en pérorant, sans réaliser que c'était sa culpabilité qui le poussait à agir ainsi.

— Nous n'aurions jamais dû tolérer une chose pareille ! Puisque Newman ne voulait pas changer de thérapeute, nous aurions dû changer Bud d'hôpital !

— Pep, écoute-moi ! l'interrompit Lily.

— Lily, je t'ai écoutée suffisamment longtemps ! s'écria-t-il, s'en prenant maintenant à sa femme. Demain je mets ce gosse dans l'avion de la compagnie pour qu'il aille consulter les meilleurs spécialistes de médecine sportive de New York. J'aurais dû le faire il y a des mois !

— Pep, tu n'as pas compris...

— Ah, non, vraiment ? J'étais débordé ces derniers temps, alors je t'ai laissée t'occuper seule de Bud. Et chaque fois que j'émettais des réserves sur son traitement, tu me disais que je ne comprenais pas. Et voilà le résultat. Mon fils est dans un fauteuil roulant !

— Pep, pour l'amour du ciel. J'ai parlé au docteur Solomon. Il s'est mis en contact avec Newman et Curtis...

— Je m'en contrefiche. Il s'agit de mon fils, et je t'interdis de remettre les pieds dans cet hôpital !

— Mais c'est mon fils à moi aussi ! Tu ne peux pas me l'interdire ! s'insurgea Lily.

— A partir d'aujourd'hui, c'est terminé. C'est moi qui prends les choses en main et qui discute avec les médecins. Un fauteuil roulant ! Je vais l'emmener chez les meilleurs spécialistes. Et je te garantis qu'il va remarcher !

— Pep, je t'en prie, écoute-moi...

— Je ne veux plus t'écouter. J'en ai par-dessus la tête de me montrer patient et raisonnable. Et je vais te dire une bonne chose, si je dois choisir entre mon fils et toi, c'est mon fils que je choisirai ! Tu peux garder la maison, et tout le reste. Mais moi, je garde mon fils !

Sur ces mots, Pepper tourna les talons et quitta brusquement le bureau.

Demeurées silencieuses, Lily et Gwen entendirent claquer la porte du garage.

— Je ne l'avais encore jamais vu dans cet état, dit Lily, consternée.

— Vous n'allez pas vous séparer, hein, dis, maman !

— Mais non, ma chérie, répondit Lily, qui en dix-huit ans de mariage ne s'était pourtant jamais sentie aussi proche de la rupture.

Machinalement, Pepper se gara devant la chapelle où se tenait la réunion des A.A. Il éteignit le moteur. Mais, au lieu de sortir de voiture, il resta assis au volant à observer de loin les portes de l'église.

Après un choc comme celui-là, ce n'était pas d'une séance chez les A.A. qu'il avait besoin.

Juste un verre, se promit-il. *Dans un cas comme ça, on a bien besoin d'un remontant. Je dirais même qu'on le mérite. De toute façon, je suis sûr de tenir le coup. Je l'ai prouvé jusqu'ici. Hector va me dire que j'aurais dû venir à la réunion. Que j'aurais dû l'appeler, et patati et patata. Mais en quoi est-ce que ça le regarde ? C'est mon fils, après tout. C'est mon problème. Il faut que j'aille à l'hôpital.*

Juste un verre et puis je file à l'hôpital.

33

Les deux mains crispées sur le volant, Pepper Young s'efforçait de rouler bien à droite, sans jamais dépasser le cinquante à l'heure.

Il était passablement éméché et savait ce qui l'attendait s'il était à nouveau pris à conduire en état d'ivresse.

En arrivant à l'hôpital, il se gara sur l'aire de stationnement réservée aux médecins. A la réception, l'hôtesse faillit le rappeler à l'ordre, puis, l'ayant reconnu, le salua.

— Ah, bonsoir, monsieur Young. Vous pouvez monter.

Pep alla droit à l'ascenseur en s'efforçant de se donner bonne contenance.

Heureusement, l'ascenseur monta directement au troisième sans s'arrêter. Pep enfila le couloir. Les infirmières le saluaient au passage et il leur répondait par ce qu'il croyait être un sourire amical.

Arrivé devant la porte de la chambre 302, il fit une pause, fouilla dans sa poche et en sortit un bonbon à la menthe qu'il suça pour masquer l'odeur d'alcool de son haleine.

J'ai eu tort de prendre un bourbon, songea-t-il. *J'aurais mieux fait de m'en tenir à la vodka. La vodka n'a pas d'odeur. Il ne faut surtout pas qu'il voie que j'ai bu. Il faut que je garde mon sang-froid. Et que je sois... que je sois paternel.*

Ses résolutions prises, il poussa doucement la porte et passa la tête à l'intérieur. Le lit de Bud était vide. Il en fut contrarié car il avait déjà imaginé toute la scène : Bud au lit, et lui en train de lui tenir un discours particulièrement convaincant. Un discours vibrant qui l'inciterait à sortir de ce maudit fauteuil et à marcher!

Mais son fils n'était pas là. Il interrogea les infirmières. Bud était en salle de rééducation. Il s'y rendit aussitôt et jeta un coup d'œil à travers le vasistas : la salle était vide. Il allait s'en retourner quand il aperçut le fauteuil roulant dans un coin de la salle.

Bud était en train de s'entraîner à manœuvrer son fauteuil. Il avançait, reculait, s'arrêtait, pivotait. Il décrivait des virages serrés, prenait de la vitesse, puis pilait net à quelques centimètres de la table d'exercice.

Il est en train d'apprendre à se servir de cet engin de malheur, songea Pepper. *Il a renoncé à se battre. Il s'est résigné à passer sa vie dans un fauteuil roulant. Mais je ne le laisserai pas faire. Non, il n'en est pas question!*

Pepper poussa la porte.

— Fiston! s'écria-t-il.

— Papa... répondit Bud, nullement surpris de voir son père à cette heure tardive, mais sentant le besoin de se justifier. Je m'entraînais un peu. J'ai... j'ai fait des progrès... Ce n'est pas que j'aime ça... mais je... je fais de mon mieux.

— Ce sont eux qui t'ont fourré cette idée dans le crâne, hein? s'insurgea Pepper.

Surpris, Bud, qui n'était pas encore capable de saisir toutes les nuances du discours de ses interlocuteurs, demanda :

— Comment?

— Viens ici, fiston, ordonna Pepper en lui faisant signe de venir près de lui.

Bud s'approcha et Pepper s'agenouilla à ses côtés.

— Tu sais, fiston, il arrive que les médecins se trompent. Prends le cas de Lucas Peterson, par exemple. Un collègue de bureau. Je lui trouvais mauvaise mine. Quand je le lui ai dit, il m'a ri au nez. Il venait de se faire faire un check-up, et les médecins l'avaient trouvé en pleine forme. Quatre jours plus tard il était mort. Foudroyé par une crise cardiaque.

Et la vieille tante Sylvia... que les médecins ont condamnée il y a des années. Elle ne s'est jamais si bien portée. Toujours bon pied bon œil...

— Papa... qu'est-ce que... qu'est-ce que tu dis? demanda Bud.

Pep se rapprocha un peu plus et regarda son fils droit dans les yeux. Bud réalisa : *Il a bu. Il n'est encore jamais venu ici dans cet état.*

Pepper posa ses mains sur celles de Bud.

— Ce que je dis, fiston, c'est que les toubibs... Marcia... et les autres... ils se trompent. Tu peux marcher. Il suffit d'y croire et tu y arriveras. Regarde-toi. Tu es jeune. Tu es fort. Tiens... prends ma main!

Bud prit la main que lui tendait son père.

— Et maintenant, serre-la! Serre-la aussi fort que tu le peux!

Bud fit ce que son père lui demandait.

— Tu vois que tu en es capable! s'exclama Pepper. Tu as la force nécessaire. Maintenant, je ne te demande qu'une chose : oublie toutes les âneries qu'ils t'ont fourrées dans le crâne.

— Mais papa, ce ne sont pas des... des âneries. (Bud, qui avait senti que son père n'était pas dans son état normal, commença à bégayer :) C'est... c'est Marcia qui... qui...

— Ah, ne me parle pas de cette fille! s'écria Pepper.

— Mais papa... c'est... c'est un problème de... de... (Furieux de voir qu'il n'arrivait pas à prendre la défense de Marcia, il s'arrêta et prit le temps de se concentrer avant d'ajouter avec application :) Papa, c'est un problème... de coordination et de... d'équilibre.

— Du bla-bla, rien que du bla-bla tout ça ! s'écria Pepper. Et crois-moi, fiston, le bla-bla ça me connaît. Il est facile de déformer la réalité. De donner aux mots un sens qu'ils n'ont pas. Mais je me contrefiche des mots. Moi, ce que je veux, ce sont des actes. Et je te dis, lève-toi de ce fauteuil et marche !

— Mais, papa... j'ai... j'ai essayé... et je... je ne...

— Si, tu le peux. A condition de le vouloir. De le vouloir vraiment. Regarde. Je vais mettre les freins, dit-il en calant les roues. Voilà. Tu peux y aller sans crainte maintenant. Tu vas prendre appui sur les accoudoirs et te lever. Vas-y ! Tu peux le faire, fiston ! Allez ! Debout !

— Oui... papa... je peux me lever, mais... mais...

— Assez de jérémiades, Bud ! Fais ce que je te dis ! Debout !

Bud secoua la tête. Pepper, que l'alcool rendait irascible, saisit son fils par les épaules pour l'obliger à se mettre debout.

— Non, papa ! Non ! protesta Bud.

Mais Pepper ne voulait rien savoir. Il prit son fils à bras-le-corps et l'obligea à se lever et à poser les pieds par terre. Après quoi, il recula en titubant, persuadé que, s'il y était obligé, Bud arriverait à marcher.

L'espace d'un court instant, Bud se maintint debout, puis la tête se mit à lui tourner et il sentit ses jambes se dérober sous lui. Il tomba en avant.

Pepper le rattrapa de justesse et l'aida à s'asseoir par terre.

D'une voix irritée où pointait la culpabilité, il s'écria :

— Je sais pourquoi tu ne veux pas !

Bud, qui commençait tout juste à reprendre ses esprits, demanda :

— Pourquoi... je ne veux pas... quoi... papa?

— Pourquoi tu ne veux pas marcher. C'est pour me punir !

— Punir... répéta Bud, abasourdi, sans comprendre de quoi il retournait.

Son cerveau n'était plus aussi rapide ni aussi agile que par le passé, et il lui arrivait encore de perdre le fil de la conversation, même s'il avait fait de gros progrès depuis quelque temps. Le mot « punir » le plongea dans une profonde perplexité.

— Punir? répéta-t-il une nouvelle fois.

— Allons, avoue-le! lança Pepper sur un ton accusateur.

— Papa... je ne... je ne comprends pas... ce que... bégaya Bud.

— C'est ta façon à toi de te venger. Eh bien, soit, et si cela peut te consoler, je n'ai pas cessé un seul instant de me sentir coupable depuis l'accident. Et je n'ai pas besoin de te voir dans un fauteuil roulant pour être dévoré de remords. Chaque nuit je me réveille et je supplie le ciel de me laisser revenir en arrière. Et je prie pour que cela ne soit jamais arrivé.

— Papa... de quoi... de quoi veux-tu parler?

Pepper s'agenouilla à côté de son fils et le regarda au fond des yeux.

— Bud... ne me dis pas que... que tu ne sais pas?

— Quoi donc?

— Personne ne te l'a dit... Ta mère ne te l'a jamais dit?

— Dit quoi?

— L'accident... le coma, l'hôpital.

— On m'a dit que j'avais eu un accident de voiture.

— C'est tout? demanda Pepper. Et ta mère, qu'est-ce qu'elle t'a dit?

— Il y a autre chose? demanda Bud.

— Autre chose...? Bien, puisque personne ne t'a rien dit, c'est moi qui vais le faire. C'est arrivé le soir du jour de l'an. J'ai pris le volant. J'étais ivre.

— Ivre... répéta Bud dans un murmure. L'accident... c'est à cause de toi...

— Oui.

— Non! s'écria Bud dans un long sanglot déchirant.

Alertées par ses cris, les infirmières accoururent aussitôt. En voyant le garçon assis par terre, son père à ses côtés, l'infirmière-chef ordonna sur-le-champ :

— Ramenez-le dans sa chambre.

Restée seule avec Pepper, elle déclara :

— Monsieur Young, j'ignore ce qui s'est passé ici, mais je vais être obligée de faire un rapport.

A la manière dont elle renifla, il était clair qu'elle avait deviné qu'il avait bu.

— Étant donné les circonstances, je vous prierai instamment de bien vouloir quitter l'hôpital.

Pepper sortit sans un mot de protestation.

De retour dans sa chambre, Bud était encore sous le choc de la terrible révélation de son père.

Tout ça, c'est à cause de papa... Au moment où il l'a dit, tout m'est subitement revenu... Je me suis revu en train de... de lui dire que j'allais prendre le volant... mais il n'a rien voulu savoir... et puis il a donné un coup de frein... et la voiture a dérapé... Elle a percuté la borne... et ensuite... ensuite, je ne suis plus très sûr... J'ai entendu les sirènes... la police est arrivée... enfin, je crois... En tout cas, je me souviens de papa... et quand je pense que jusqu'ici personne ne m'en avait jamais rien dit... personne... pas même maman.

34

De retour, Pepper resta assis au volant, le moteur allumé, incapable de se décider à sortir de la voiture.

Il songea un instant à entrer dans le garage et à laisser tourner le moteur pour en finir une bonne fois pour toutes. Une mort discrète, indolore.

La vision de son fils prisonnier d'un fauteuil roulant, le cri déchirant qu'il avait poussé en apprenant qu'il était responsable de l'accident le hanteraient éternellement.

Éternellement... à moins qu'il ne décide d'en finir. Il avait détruit la vie de son fils, et la sienne.

Et moi qui avais espéré que Bud me dirait un jour : « Papa, je te pardonne. » Mais ce n'est plus possible à présent. Et d'ailleurs, qu'ai-je fait pour mériter son pardon ? J'ai recommencé à boire. Je lui ai assené la vérité comme un sauvage.

Il chercha à tâtons la télécommande, puis actionna la porte du garage. Il leva les yeux machinalement vers la fenêtre de la chambre de Gwen, qui se trouvait juste au-dessus. Chaque fois qu'il rentrait tard le soir, il regardait là-haut. Quand il y avait de la lumière, il montait embrasser sa fille avant d'aller se coucher.

Que se passe-t-il quand on se suicide en respirant des gaz d'échappement ? Les gaz mortels peuvent-ils s'infiltrer dans les chambres qui se trouvent à l'étage et mettre en danger la vie des occupants?

Il entra dans le garage et coupa le moteur. Au moment précis où il allait ouvrir sa portière, il entendit Lily qui l'appelait depuis la cuisine.

— Willard? C'est toi?

Il sortit de la voiture, remit un semblant d'ordre dans sa tenue, puis se dirigea vers la porte de la cuisine. Celle-ci s'ouvrit toute seule avant même qu'il ait actionné la poignée.

Elle avait deviné qu'il était ivre. Il pouvait lire dans ses yeux le verdict accablant.

Lorsqu'il passa à côté d'elle, il garda les lèvres fermées pour qu'elle ne sente pas son haleine empestant le bourbon.

— Ils ont appelé, dit-elle.

— Qui ça?

— L'hôpital.

Elle alla directement dans le séjour, ne voulant pas discuter dans la cuisine. Il la suivit en se demandant : *Que lui ont-ils dit? Qu'a dit Bud*?

Elle attendit qu'il s'assoie dans son fauteuil.

— Il paraît que tu étais soûl. Mais je l'aurais deviné toute seule.

— Écoute, Lil... commença-t-il.

— Tais-toi! Pour une fois, c'est moi qui vais parler. Tu étais soûl, tu as obligé Bud à faire une chose dont il n'est pas capable. Après quoi tu... tu lui as dit. Comment as-tu pu faire une chose pareille?

— Je croyais qu'il savait. Je croyais que tu lui avais révélé...

— Comment as-tu pu imaginer une chose pareille? insista Lily.

— Je... je croyais que...

— Tout compte fait je pense que tu as raison. J'ai bien réfléchi.

— Réfléchi à quoi? demanda-t-il.

— A ce que tu m'as dit avant de quitter la maison. Jusqu'ici, j'avais des doutes. Mais maintenant tout est clair. Il est évident que tu ne me comprends pas. Et que tu ne m'as jamais comprise.

« Comment as-tu pu penser un instant que j'avais révélé à notre fils... à ton fils qu'il était condamné à passer le reste de sa vie dans un fauteuil roulant à cause de son père ? Comment aurais-je pu faire une chose pareille ? Alors que je savais qu'il était en train de lutter de toutes ses forces pour retrouver l'usage de ses mains et de ses jambes ! Et puis, pourquoi aurais-je voulu mettre une barrière entre mon mari et mon fils ? J'ai fait tout ce que j'ai pu, au contraire, pour essayer de recoller les morceaux. Il ne fallait pas le lui dire, alors qu'il est déjà en train de se débattre avec la perspective de rester infirme. C'est beaucoup trop tôt.

« C'est pour toutes ces raisons que je ne lui ai rien dit. Et je regrette de tout mon cœur que tu l'aies fait. Comment va-t-il le prendre ? Il faut que j'en parle à Marcia.

— Si j'étais toi, j'en parlerais d'abord au docteur Curtis, suggéra-t-il.

— C'est déjà fait.

— Tu as déjà... Quand... ce soir ?

— L'hôpital l'a informée, et elle m'a appelée aussitôt.

— Et... (Il hésita, craignant d'entendre la réponse.) Et qu'a-t-elle dit ?

— Primo, qu'elle ne voulait plus que tu remettes les pieds à l'hôpital.

— Mais elle ne peut pas m'empêcher de voir mon fils, protesta Pepper.

— Si, elle le peut, répliqua fermement Lily. Et si tu essaies d'y retourner, j'avertis le juge Bruce de ce qui s'est passé. Et tu sais ce que cela signifie.

— Lily, tu ne vas pas...

— Pour protéger mon fils, je suis prête à tout.

Pepper la regarda bouche bée. Elle avait dit ces mots

avec une conviction et une force qu'il ne lui connaissait pas.

— Lily...

Elle l'interrompit brusquement.

— Après ce qui s'est passé ce soir, les choses ne seront plus jamais comme avant entre toi et moi.

— C'est la première fois... j'étais... j'étais complètement bouleversé. J'ai dit des choses que je ne pensais pas. J'ai fait des choses que je... que je regrette, expliqua-t-il à grand-peine.

— Les choses que l'on dit laissent parfois des traces qui mettent longtemps à s'effacer. Et les choses que l'on fait ne peuvent pas toujours s'effacer. A partir d'aujourd'hui, et jusqu'à ce que tu aies trouvé à te loger, tu dormiras dans le séjour.

— Mais Lily... s'écria-t-il tandis qu'elle quittait la pièce.

Elle se retourna et lança :

— Et n'essaie pas de m'amadouer par l'intermédiaire de Gwen. Elle est encore plus ébranlée que moi par toute cette histoire.

Pepper entendit sa femme monter l'escalier. Maintenant qu'elle n'était plus là pour l'entendre, il se souvenait de ce qu'il avait voulu lui dire.

Tu n'avais pas le droit de m'avertir aussi brutalement que mon fils allait devoir passer le restant de ses jours dans un fauteuil roulant... Tu aurais dû t'y prendre autrement... avec plus de tact... ou alors laisser les médecins s'en charger.

Tu aurais dû me préparer. Lily, si tu savais ce que j'ai ressenti quand tu me l'as annoncé. Je sais combien tu as souffert toi aussi... mais toi, au moins, tu ne te sens pas coupable... Tu n'y es pour rien. Tout est ma faute!

Mais à quoi bon? A la façon dont elle lui avait parlé, il était clair que rien ne pourrait la faire changer d'avis.

Il l'entendit fermer la porte de leur chambre à coucher.

Lil... oh, Lil... j'ai tout détruit... Bud... notre foyer. Mais le plus atroce, c'est de voir mon fils infirme. Mon fils... mon

Bud... un gosse si merveilleux, si doué... avec la vie devant lui. Il faut que j'aille le voir, pour lui demander pardon et faire amende honorable... mais ce n'est pas possible, Lil. Et c'est pour ça que j'ai perdu la tête.

Le lendemain matin, après avoir passé la nuit sur le canapé, Pep trouva sa valise faite dans le vestibule, accompagnée d'un mot.

Pepper : j'ai mis dans cette valise tout ce dont tu peux avoir besoin. Si tu veux autre chose, téléphone et laisse un message. J'ai pris la décision de passer davantage de temps auprès de Bud, désormais. Lily.

En arrivant à l'hôpital, Lily trouva Marcia au chevet de Bud. Elle était en train de lui faire faire des exercices d'écriture.

— A partir de maintenant, ce journal va faire partie de ta vie quotidienne, était-elle en train de lui expliquer.

— Un journal, c'est bon pour les filles, répondit Bud avec une moue dédaigneuse.

— Pour les filles, acquiesça Marcia, et pour mes patients. Tu vas y noter tout ce que tu fais dans la journée. Et ne m'écris pas des choses du genre : « Ai été au magasin. » Je veux un texte convenablement rédigé. Je veux savoir où tu es allé, et pourquoi. Ce que tu as trouvé. Ce que tu as pensé.

— Mais pourquoi l'écrire, je n'ai qu'à te le dire ! protesta Bud.

— Et comment feras-tu quand tu sortiras d'ici ? interrogea Marcia.

— Parce que je vais sortir ? Bientôt ?

— Dès que les aménagements nécessaires auront été faits chez toi. Il faut que tu sois prêt pour reprendre l'école en septembre, expliqua Marcia en se tournant vers Lily. Vous avez commencé à vous occuper des travaux ? Combien de temps cela va-t-il prendre ?

Lily ne répondit pas tout de suite. Devinant quel était le problème, Marcia n'insista pas et se tourna vers Bud.

— Donc, à partir d'aujourd'hui, tu commences à tenir un journal. Tu notes tous les événements, même les plus banals. Tes opinions, tes critiques, y compris à mon sujet. Si tu penses, par exemple, que je t'en demande trop, ne te gêne pas. Tu peux vider ton sac. A condition de t'exprimer correctement et d'écrire lisiblement. D'accord?

— D'accord.

— Dans ce cas, tu peux commencer tout de suite. Tu as une demi-heure avant d'aller en salle de rééducation. Je t'ai concocté un nouveau supplice dont tu me diras des nouvelles, annonça Marcia avec un grand sourire.

Avant de quitter la chambre, elle murmura à Lily :

— Je crois que nous devrions le laisser seul un petit moment.

Une fois dehors, elle proposa :

— Lily, que diriez-vous d'une tasse de café?

Les deux femmes s'installèrent dans un coin tranquille de la cafétéria de l'hôpital. Avec sa franchise habituelle, Marcia alla droit au but.

— Je suis au courant de ce qui s'est passé hier soir. Quant au reste, je le devine sans peine. (Voyant l'air troublé de Lily, elle s'empressa d'ajouter :) Lily, dans des cas comme celui-là, il arrive que les familles éclatent. Il n'est pas toujours évident d'assumer les conséquences d'une telle tragédie.

— Vous auriez dû me mettre en garde, dit Lily.

— Comment le pouvais-je? rétorqua Marcia. Je vous connais trop peu, vous et votre mari.

Lily hocha la tête.

— Mais pourquoi diable M. Young a-t-il décidé de tout avouer à son fils dans un moment aussi difficile?

— La culpabilité, répondit simplement Lily. Bud vous a raconté ce qui s'était passé?

— Non. Mais je vois bien qu'il est très affecté. C'est la raison pour laquelle j'ai décidé de lui faire tenir un journal. Je veux qu'il écrive ce qu'il ne peut pas dire. C'est une chose que je ne demande généralement à mes patients qu'après leur sortie de l'hôpital. Le journal nous sert à garder le contact avec le malade lorsque celui-ci a regagné son foyer.

— Y a-t-il quelque chose que je puisse faire pour l'aider à oublier la scène d'hier soir? demanda Lily.

— Il n'y a que le temps qui puisse arranger les choses, Lily.

Lily acquiesça d'un hochement de tête mélancolique.

— Vous savez, ajouta Marcia sur le ton de la confidence, je n'ai encore jamais eu affaire à un cas comme celui-là.

Voyant l'air perplexe de Lily, elle expliqua :

— Je veux dire un cas où le propre père du patient était responsable de sa tragédie.

35

Trois jours s'étaient écoulés. Le matin du quatrième jour, en entrant dans la chambre 302, Marcia trouva Bud assis dans son fauteuil roulant, en train de regarder par la fenêtre, son journal sur les genoux.

— Bud, l'appela-t-elle doucement pour le tirer de sa rêverie.

Quand il tourna la tête, elle vit qu'il avait pleuré.

— Bud?

— Je... vais... bien, dit-il en s'appliquant à bien prononcer chaque mot comme s'il s'agissait d'un exercice de diction.

Mais sa réponse ne satisfit pas Marcia, qui savait que la visite de son père avait profondément ébranlé Bud, bien qu'il ne lui en eût jamais rien dit.

La jeune femme lui prit le journal des mains. La page était blanche. Il n'avait pas écrit un seul mot depuis la veille au soir.

Devinant sa déception, il expliqua :

— J'étais en train de me demander dans combien de temps...?

— Bientôt, le coupa Marcia. A condition de bien travailler et de faire des progrès.

— C'est comment là-bas? demanda-t-il en pointant en direction du monde extérieur.

— Comme c'était avant que tu n'entres à l'hôpital. Si ce n'est qu'il neigeait ce jour-là et qu'à présent nous sommes en juin et qu'il fait chaud. Que dirais-tu de sortir faire un tour aujourd'hui ? Tu pourrais t'exercer à rouler dans l'enceinte de l'hôpital. Sur la pelouse, les allées, les rampes d'accès. Ça te dirait ?

— Mais que vont dire les gens quand ils vont me voir... comme ça ?

— Ne t'inquiète pas pour ça, dit Marcia.

— Mais papa, il ne l'a pas supporté.

— Ton père n'était pas tout à fait dans un état normal, ce soir-là, fit remarquer Marcia avec tact.

— Inutile de me ménager. Je sais très bien qu'il était soûl, dit Bud. Et dire qu'il est tellement super quand il n'a pas bu. Pourquoi fait-il cela ?

— Bon, assez papoté, Bud. Nous avons du pain sur la planche.

Il commença ses exercices de musculation. Tout en faisant ses mouvements, il parlait d'une voix haletante.

— Il n'est jamais revenu...

— Qui ? demanda Marcia tout en appuyant sur ses bras posés sur les accoudoirs du fauteuil. Lève les bras, Bud. Allez, vas-y.

— Ah, oui, c'est vrai, dit-il comme s'il avait oublié ce qu'il avait à faire.

Il leva les bras, les faisant décoller totalement des accoudoirs. Toutefois, il semblait plus enclin à parler qu'à faire ses exercices.

Bien, songea Marcia, *maintenant qu'il peut à nouveau faire des phrases, il faut qu'il apprenne à mettre de l'ordre dans ses pensées. Et d'ici septembre il devrait être prêt à retourner au lycée. Il faut l'encourager à parler et à s'exprimer le plus possible.*

— Tu me parlais de ton père... reprit-elle.

— Il n'est jamais revenu, dit Bud sur un ton qui laissait deviner un certain étonnement.

— Ta mère ne t'a rien dit ? On lui a interdit de

remettre les pieds à l'hôpital depuis la fois où il a fait ce scandale, expliqua Marcia. Mais il téléphone chaque jour pour prendre de tes nouvelles.

— Et que lui dit-on? Que je suis toujours dans un fauteuil roulant? C'est pour cela qu'il ne revient pas. Il a trop peur de me voir comme ça.

Ne pouvant soutenir le contraire, Marcia préféra ne rien répondre.

— Je... je sais ce qu'il ressent. Moi non plus, je ne supporte pas de me voir dans cet état, avoua Bud. Quand je vais là-bas, dit-il en s'approchant du miroir qui se trouvait au-dessus du lavabo, et que je me regarde dans cette glace, je me vois tel que les autres vont me voir : Jody, Chuck, Chris... et... Marylyn. Oh, bien sûr, ils vont me sourire et plaisanter. Ils vont me dire que j'ai l'air en pleine forme, pour me faire plaisir, mais je sais qu'au fond d'eux-mêmes ils auront pitié de moi. Et je ne veux pas qu'on ait pitié de moi! s'écria-t-il, avant d'éclater brusquement en sanglots.

Marcia ne dit rien.

Laissons-le pleurer. Il a le cœur gros et il éprouve le besoin de vider son sac. C'est la preuve qu'il sera bientôt prêt à quitter l'hôpital.

Il essuya ses larmes d'un revers de manche.

— Je te demande pardon, Marcia.

— Il n'y a pas de mal. Tu n'as fait que remplir ton contrat. Je suis franche avec toi. Et tu es franc avec moi.

Il fit pivoter son fauteuil pour se tourner vers elle.

— Dans ce cas, dis-moi... Y a-t-il une chance... si petite soit-elle... pour que je puisse remarcher un jour?

— Bud, nous en avons déjà parlé maintes fois toi et moi. C'est un problème de coordination et d'équilibre. C'est la condition *sine qua non* pour marcher, répondit Marcia à son grand regret.

Il hocha la tête. Il semblait résigné. Pour le moment tout au moins. Car, depuis qu'il savait, il avait l'impression que le monde entier le mettait au défi. Il ne pouvait se résoudre à l'idée qu'il allait devoir passer le reste de ses jours dans ce maudit fauteuil.

Il y avait un million de questions qui lui trottaient dans la tête mais qu'il n'osait pas poser, pas même à Marcia en qui il avait pourtant une confiance aveugle.

Comment allait-il s'en sortir au lycée? Comment allait-il faire pour se rendre d'une classe à l'autre lorsque la sonnerie retentirait? Arriverait-il à se frayer un chemin parmi la foule des élèves se déversant dans les couloirs?

L'idée qu'ils s'effacent poliment sur son passage pour le laisser passer lui faisait horreur. Et qu'ils ne s'avisent surtout pas de poser la main sur son fauteuil pour l'aider à avancer, sans quoi il les abreuverait d'injures.

Je ne veux pas qu'on m'aide. Je ne veux pas qu'on ait pitié de moi!

Marcia avait deviné ce qui le tourmentait, mais elle ne posa pas de questions. Cela finirait bien par sortir un jour.

Il se rendit à la salle de rééducation pour s'exercer à manœuvrer son fauteuil roulant. Chaque jour, il soulevait des poids pour faire travailler les muscles de son thorax et ses abdominaux.

Lorsqu'il regagna la chambre 302, son déjeuner l'attendait. Il se mit à table non sans quelque fierté. Il était loin, le temps où Marcia et sa mère lui donnaient la becquée. Maintenant, il était capable de manger tout seul en se servant d'une fourchette et d'un couteau.

Il déplia sa serviette et la noua autour de son cou. Puis il saisit son verre de jus d'orange. Il était capable de le prendre avec sa main droite à présent, bien qu'il tremblât légèrement, et de le porter jusqu'à ses lèvres sans en renverser une seule goutte.

Boire un jus d'orange, songea-t-il amèrement, *tu parles d'une prouesse! N'importe quel gosse de deux ans est capable d'en faire autant. Mais lancer un ballon, et marquer un but, ça, c'est une autre paire de manches.*

Il s'attaqua ensuite à la salade, dont les feuilles avaient été coupées menu. Il se rembrunit. Il était parfaitement capable de se servir d'un couteau pour beurrer une tartine. Il aurait certainement pu couper lui-même sa salade.

Et avec la main droite! protesta-t-il intérieurement.

Il en avait déjà mangé la moitié quand le téléphone sonna. Il pivota aussitôt sur son fauteuil avec habileté et décrocha le combiné qui se trouvait sur la table de nuit.

— Allô?

— Bud?

C'était Gwen. Sa voix était tendue et anxieuse.

— Gwen? Que se passe-t-il?

— Tu vas bien? demanda-t-elle.

— Oui, ça va. Pourquoi?

Elle a l'air complètement perturbée. Il y a sûrement un problème, sans quoi elle ne m'aurait pas appelé en milieu de journée.

— Gwen... qu'est-ce qui ne va pas?

— Qu'est-ce qu'on va faire? demanda-t-elle. Bud, qu'est-ce qu'on va faire?

— Mais à quel sujet? De quoi veux-tu parler? demanda-t-il, sans comprendre où elle voulait en venir.

— Bud, je sais que tu as déjà assez de tes problèmes et que je ne devrais pas t'en parler... mais tu es le seul à pouvoir faire quelque chose.

— Faire quelque chose, mais à propos de quoi? Tu n'as pas fait de bêtises au moins?

— Non, ce n'est pas moi... c'est papa... et maman.

— Papa et maman? Que veux-tu dire?

— Maman ne t'a rien dit?

— Non.

— Ils... ils se sont séparés... Papa est parti. Elle l'a mis à la porte, lâcha Gwen, avant d'éclater brusquement en sanglots. Bud, qu'est-ce qu'on va faire?

— Séparés!... C'est le genre de truc qui n'arrive qu'aux autres, comme on dit. Que s'est-il passé?

— Je ne sais pas exactement. Ça s'est passé après que papa est rentré soûl de l'hôpital. Tu connais maman. Ç'a été la goutte d'eau qui fait déborder le vase.

— Tu en as parlé avec elle? Ou avec papa?

— Non, je ne les ai pas revus depuis.

— Bon... j'en parlerai à maman quand elle viendra me voir, la rassura Bud. Surtout ne t'inquiète pas. C'est promis?

— Oui, dit-elle, ajoutant aussitôt : Je t'aime, Bud.

Elle est complètement affolée, la pauvre, songea-t-il. *Nous sommes très proches l'un de l'autre, mais elle n'avait encore jamais éprouvé le besoin de me dire qu'elle m'aimait.*

Le coup de fil de Gwen lui ayant coupé l'appétit, il fut incapable de finir son déjeuner. Lorsqu'il songeait qu'il allait retourner vivre à la maison, il pensait à maman, à Gwen naturellement, mais aussi à papa. Sans papa, la maison ne serait plus la maison. Ils ne pourraient plus parler entre hommes, ni regarder les matches à la télé. Sans papa, leur famille n'était plus une vraie famille.

Il fallait absolument qu'il parle à sa mère.

Lily avait mûrement réfléchi à la façon d'annoncer la chose à son fils.

Tout en s'excusant d'être en retard, elle en profita pour lui tendre la perche.

— Désolée, dit-elle en l'embrassant, mais j'ai été retenue chez maître Hegelson.

— Maître Hegelson? s'étonna Bud. L'avocat qui était chez les Janser pour le premier de l'an? Et pourquoi es-tu allée le voir?

Elle lui raconta alors les changements survenus à la maison depuis quatre jours. Lorsqu'elle eut terminé, Bud dit doucement :

— C'est ma faute... Tout est ma faute, au fond.

— Ta faute? Ce n'est pas ta faute si tu ne peux plus marcher, mais la sienne!

— Maman, si je pouvais marcher, rien de tout cela ne serait jamais arrivé.

— Je ne veux pas que tu culpabilises. S'il n'a pas le courage de reconnaître ses torts tant pis pour lui! s'écria Lily. J'en ai assez de payer les pots cassés. Et de lui passer toutes ses faiblesses. Je ne peux pas vivre toute ma vie dans la hantise de le voir revenir ivre à la maison. A partir d'aujourd'hui, nous ne sommes plus que trois. Tu vas bientôt sortir de l'hôpital et retourner au lycée. Tu as une vie pleine de promesses devant toi, Bud!

— Mais papa... voulut protester Bud.

— Il est incapable d'assumer la situation. Ce sont des choses qui arrivent même dans les familles les plus unies.

— Des familles qui sont obligées de supporter quelqu'un comme moi.

— Je t'interdis de dire une chose pareille, tu m'entends?

— Maman, à quoi bon se voiler la face?

— Pas un mot de plus!

Il était vain d'insister, surtout quand maman était d'une humeur de chien.

Mais Bud continua à se lamenter en silence : *Papa... papa...*

36

Allongé sur son lit, Bud essayait de deviner l'heure.

Il ne devait pas être bien tard, sans quoi les premières lueurs de l'aube auraient commencé à filtrer à travers le store baissé de la fenêtre.

Il avait passé une nuit agitée, s'endormant et se réveillant par intermittence. Chaque fois qu'il se réveillait il pensait : *Pauvre Gwen… elle avait l'air si bouleversée ! Moi aussi j'ai eu un coup quand elle m'a annoncé la nouvelle. Et maman avait beau faire comme si c'était la seule solution, j'ai bien vu qu'elle était complètement effondrée. Il ne faut pas qu'ils se séparent.*

Papa n'aurait pas dû prendre le volant alors qu'il avait bu, c'est un fait. Mais ça, c'est déjà du passé. Et tout se serait arrangé si j'avais pu remarcher. Tout ça, c'est la faute de ce maudit fauteuil roulant. Papa ne l'a pas supporté. Il n'a pas supporté l'idée que je puisse rester infirme à vie. Si je pouvais marcher, tout reprendrait sa place. Papa reviendrait vivre à la maison, et nous formerions à nouveau une famille unie.

Si seulement je pouvais marcher… Il y a des moments où j'ai l'impression que c'est possible ! Mais chaque fois que je m'installe aux barres parallèles ou au déambulateur, il y a quelque chose qui cloche. Marcia dit que c'est un problème de coordination et d'équilibre, mais est-ce que la volonté n'entre pas en ligne de compte ?

La volonté. La volonté de demeurer une famille unie. Dans les films on voit parfois des gens qui, poussés par la nécessité, guérissent d'un seul coup. Brusquement, parce que leur vie ou celle d'un être cher en dépend, des paralytiques se mettent à marcher sans réfléchir. On voit des mères s'élancer dans les flammes pour sauver la vie de leurs enfants.

La volonté joue un rôle capital. Et j'ai de bonnes raisons de vouloir marcher, non ? Je parie qu'en le voulant suffisamment fort, je pourrais y arriver.

Étendu, les bras le long du corps, il pressait ses doigts contre ses cuisses engourdies pour essayer de leur transmettre un peu de la vigueur retrouvée de ses mains. Il s'appliquait à inspirer et à expirer profondément. Et à chaque inspiration sa détermination augmentait.

Il se sentait prêt. Il se releva, s'assit dans le lit. Il commença à amener sa jambe droite au bord du lit, puis la gauche. Puis, comme Marcia le lui avait enseigné, il laissa tomber ses deux jambes le long du lit et redressa le buste.

Il resta un long moment dans cette position, en respirant profondément pour se préparer. Maintenant il était prêt.

Comporte-toi en homme normal, pas en invalide. Fais-le pour papa et maman, et pour Gwen. Fais-le pour ta famille.

Allons. Vas-y !

Il prit appui sur le bord du lit et se leva d'un seul coup. Il était debout ! Sur ses pieds ! Sans barres et sans personne pour l'aider ! Il avait réussi !

Puis, soudain, il piqua du nez en avant. Sa tête heurta la chaise. Il perdit connaissance.

Au matin, l'infirmière venue lui donner ses premiers soins le trouva étendu à terre. Il avait une petite plaie à la joue droite. Mais le sang avait séché et il semblait hors de danger. Elle appela aussitôt du renfort et on le remit au lit.

Vingt minutes plus tard, le docteur Curtis vint lui

rendre visite. Elle l'examina minutieusement afin de s'assurer qu'il n'avait rien de cassé.

Tout en l'examinant, elle essaya de lui faire dire ce qui l'avait poussé à agir ainsi. Mais en pure perte.

Il faut demander à Marcia, songea Phyllis. *Il n'y a qu'elle qui puisse le faire parler.*

Informée par le docteur Curtis, Marcia arriva à son tour dans la chambre de Bud.

— Bonjour, la compagnie ! lança-t-elle avec sa bonne humeur et son impertinence habituelles. (Puis apercevant le pansement sur la joue droite de Bud :) Tu t'es coupé en te rasant ? Je croyais pourtant que tu étais assez grand pour te raser tout seul. A moins qu'il ne s'agisse d'autre chose ?

— Tu sais très bien qu'il s'agit d'autre chose, grommela Bud. Je suis sûr que le docteur Curtis t'a mise au courant.

Tout en commençant à lui manipuler les bras, Marcia répondit :

— Oui, Bud. C'est vrai. N'empêche que ce n'est pas très malin. Tu aurais pu te faire mal. Quand on a une tête aussi bien faite, il faut en prendre soin. Je te déconseille formellement de recommencer. Je sais que la tentation est grande parfois. Les gens comme toi ont souvent l'impression qu'il suffit de vouloir pour pouvoir, mais ce n'est qu'une impression. S'ils le pouvaient, crois-tu que nous les confinerions dans des fauteuils roulants ?

Il se mura dans le silence et continua à faire ses exercices de musculation.

— Bien, dit Marcia, à présent j'aimerais jeter un coup d'œil à ton journal.

Il ne répondit pas, pour bien lui signifier qu'il n'appréciait guère les sermons.

Marcia prit son journal sur la table de chevet et l'ouvrit à la première page. Elle commença par étudier la forme des lettres sans se soucier du contenu. La plupart étaient bien formées et suivaient les lignes tracées sur le papier. Ce n'était pas trop mal. Mais il pouvait faire mieux.

Elle lut ensuite le texte pour voir s'il avait progressé dans le domaine de la compréhension et de l'utilisation des mots. Bien, très bien. Son compte rendu des activités du jour était excellent. Et certains de ses commentaires démontraient qu'il avait fait de gros progrès.

Elle tourna la page. Elle lut, tracés en lettres d'imprimerie, les mots suivants :

TOUT EST EN TRAIN DE S'EFFONDRER, PAUVRE GWEN !

Il détourna la tête, l'air renfrogné. Marcia fit le tour du lit et vint se planter devant lui, le journal à la main.

— Bud... Tout est en train de s'effondrer ?

Il essaya à nouveau de détourner la tête, mais elle l'en empêcha d'une main ferme.

— Bud... c'est pour ça ?

Il ne répondit pas d'emblée.

— Réponds-moi, Bud ?

Il chercha à esquiver son regard, mais elle l'obligea à la regarder dans les yeux.

— C'est pour ça, Bud ?

— Oui, finit-il par reconnaître.

— Ce n'est pas raisonnable, tu aurais pu te faire très mal, dit-elle doucement. Bien, au travail à présent.

Il s'acquitta de ses exercices quotidiens sans le moindre enthousiasme. Marcia était songeuse. Sans une participation active et énergique de la part du patient, la rééducation ne pouvait pas porter ses fruits. Si Bud perdait espoir, il cesserait de progresser.

Était-il en train de sombrer dans la dépression ? Pour un gosse doué d'un tel potentiel, ç'eût été vraiment dommage.

Marcia avait traité des patients qui, bien qu'infirmes, étaient devenus juristes ou médecins. Deux étaient enseignants, un autre styliste. Mais il leur avait fallu du courage et de la ténacité pour y arriver.

La vie qui attendait Bud serait triste et morose s'il perdait espoir.

Ce soir-là, après avoir fait dîner son fils et l'avoir confié à sa voisine, Marcia retourna à l'hôpital.

Elle avait deviné juste : malgré l'heure tardive, Bud était toujours éveillé. Elle vit qu'il avait les yeux ouverts dans la pénombre.

— Bud, murmura-t-elle.

L'obscurité semblait le sécuriser, car il parlait plus librement à présent.

— C'est... c'est à cause de moi si... papa et maman... se sont séparés... La famille Young a cessé d'exister. C'est déjà arrivé à des copains à moi. Un jour, leur père est parti, et ils se sont retrouvés seuls avec leur mère. Et plus rien n'était pareil. Ils ont cessé de former une vraie famille. Je n'aurais jamais cru que cela pouvait nous arriver. Et pourtant... Et tout ça par ma faute... Je n'ai pas fait ce qu'il fallait.

— Non, Bud. Tu n'y es absolument pour rien, essaya de le consoler Marcia.

— Ah, non ? rétorqua-t-il. Dis-moi, tu as déjà eu d'autres patients dans mon cas ?

— Oui, bien sûr.

— Est-ce qu'il y en a parmi eux qui ont pu recommencer à marcher ? Dis-moi la vérité ! Je veux savoir la vérité !

— Bud, il n'y a pas deux cas semblables.

— Ça ne m'intéresse pas, protesta Bud. Dis-moi oui ou non si tu as connu des patients comme moi... qui avaient eu le même genre d'accident... et qui ont pu remarcher ? Dis-le-moi !

Voyant qu'il n'en démordrait pas, Marcia finit par reconnaître :

— Oui. J'ai eu des patients comme toi... qui ont recommencé à marcher.

— Je veux marcher ! s'écria Bud.

— Bud, nous avons fait tout ce qu'il fallait pour cela. Nous avons tout essayé...

— Mais je veux marcher !

— Bud, il ne suffit pas de vouloir.

— Jamais je ne renoncerai !

— Ce n'est pas si simple, tenta d'expliquer Marcia.

Mais Bud ne voulait rien entendre.

— Si mes parents se séparent, c'est à cause de moi !

— Bud, tu n'es absolument pour rien dans cet accident.

— Peu importe. Tout ce que je sais, c'est que si je pouvais marcher mon père ne serait pas parti. C'est ma faute. Tout est ma faute. Marcia, je t'en supplie, je veux remarcher. Aide-moi !

— Bud, tu sais très bien qu'il faut une bonne coordination pour marcher.

— Et bien, aide-moi à retrouver une bonne coordination ! s'écria-t-il.

— Même si je le pouvais, il y aurait toujours le problème de l'équilibre. C'est un problème infiniment plus complexe, car l'équilibre est une chose qui ne se rééduque pas.

— Non, non, attends une minute. J'ai longuement réfléchi. Un jour, tu m'as dit que le cerveau compensait parfois les défaillances du corps, n'est-ce pas ?

— Oui, admit Marcia.

— Et, inversement, tu m'as dit que parfois c'était le corps qui compensait les défaillances du cerveau. Tu me l'as dit, oui ou non ?

Il voulait à tout prix qu'elle confirme sa théorie.

— Oui, c'est vrai, mais dans ton cas...

— Marcia, je t'en supplie, il faut que je ressorte de cet hôpital sur mes deux jambes. Sinon je reste ici. Jure-moi que tu vas m'aider.

Marcia savait que son cas était désespéré, mais elle le sentait tellement désemparé qu'elle finit par concéder :

— Je ne peux te promettre qu'une seule chose : je vais

t'aider. Mais à condition que tu me fasses toi aussi une promesse en retour.

— Tout ce que tu voudras, répondit-il aussitôt.

— Si nous échouons, promets-moi de ne pas m'en vouloir. Et de ne pas t'en vouloir à toi non plus.

— Je te promets de ne pas t'en vouloir, dit-il.

— Et... ?

— Et... de ne pas m'en vouloir à moi non plus, ajouta-t-il, contraint et forcé.

Consciente de l'énormité de la tâche qui l'attendait, Marcia annonça :

— Bien. Nous commencerons dès demain.

Intérieurement, elle essaya de justifier sa décision.

N'est-il pas de notre devoir de redonner espoir à nos patients ? Quel est l'ingrédient le plus important de la réussite sinon la volonté de guérir ? La persévérance, le courage de refaire chaque jour les mêmes exercices en vue d'obtenir des résultats parfois minimes. Ce gosse a du courage et de la volonté. Je n'avais encore jamais vu autant de détermination chez un patient. Qui sait ? Et s'il y arrivait ?

Ou serais-je moi aussi en train de prendre mes désirs pour des réalités ?

37

— Encore une fois, ordonna Marcia en s'agenouillant face à Bud, qui avait pris place sur la table d'exercice. Tu pousses en avant, et moi je te repousse. Vas-y ! De toutes tes forces !

Elle posa ensuite ses deux mains sur les épaules de Bud.

— Pousse, Bud. Pousse fort.

Le visage baigné de sueur, le garçon acquiesça d'un hochement de tête et poussa à nouveau de toutes ses forces.

— C'est mieux, dit-elle. Mais ce n'est pas encore suffisant. Allez, on recommence !

Il recommença à pousser de plus belle, mais une fois de plus elle l'emporta. Il était à bout de forces.

Voyant qu'il était en nage, elle lui tendit un mouchoir pour qu'il s'essuie le visage, mais il ne réagit pas.

— Si tu t'imagines que je vais le faire à ta place, tu te fourres le doigt dans l'œil, petit. Allons, prends ce mouchoir et essuie-toi la figure.

Il prit le mouchoir et s'épongea le front. Lorsqu'il eut repris son souffle, il jeta le mouchoir sur la table, puis la regarda droit dans les yeux, la mettant au défi de le battre.

— Très bien, puisque tu insistes, dit-elle, non seulement tu vas pousser, mais tu vas tendre les bras en même temps.

Elle posa ses deux mains sur les épaules de Bud et attendit qu'il rassemble ses forces. Puis il commença à pousser en avant, tout en essayant vaguement d'étirer les bras.

— Plus fort! Étire les bras, mieux que ça!

Redoublant de vigueur, il essaya de faire les deux choses à la fois, puis finit par renoncer. N'en pouvant plus, il se laissa retomber sur la table.

Au même moment, Marcia aperçut Phyllis Curtis, qui avait observé toute la scène à travers le vasistas. A son expression courroucée, elle devina que cette dernière attendait une explication.

— Cinq minutes de pause, fit Marcia.

Phyllis semblait contrariée au plus haut point.

— Marcia, puis-je savoir au juste ce que vous faites?

— Je suis en train de lui donner une dernière chance.

— Une chance de faire quoi? De perdre tout espoir? Ne pensez-vous pas qu'il a déjà assez de problèmes comme ça? Il serait plus judicieux de lui apprendre à accepter son sort et à en tirer le meilleur parti.

— Il veut absolument réapprendre à marcher. Il dit que c'est la seule chose qui pourra réconcilier ses parents.

— Et vous pensez que c'est un motif suffisant?

— Peu importe le motif, ce qui compte, c'est qu'il garde espoir et qu'il ait la volonté de guérir.

— Marcia, nous ne sommes pas des faiseurs de miracles. Vous savez aussi bien que moi quelles sont ses chances de pouvoir remarcher un jour.

— Mais il a décidé de tenter l'impossible.

— Et vous avez décidé de l'y encourager, fit remarquer sèchement le docteur Curtis.

— Même s'il n'a aucune chance, il est important qu'il essaie. C'est toute sa vie future qui en dépend.

— Marcia, je vous rappelle que vous êtes physiothérapeute et non psychanalyste.

— J'en ai parfaitement conscience, docteur, déclara solennellement Marcia, avant d'ajouter : et si mon travail peut avoir des retombées bénéfiques au plan psychologique, j'en suis navrée.

Sur ce, elle tourna les talons et regagna la salle de rééducation. *Elle a de la chance d'être une excellente thérapeute*, se dit Phyllis, *sans quoi je ne tolérerais pas une telle insolence.*

— Bon, fini de se rouler les pouces, Bud. Mets-toi à genoux!

Bud obtempéra sans broncher.

— Bien. Je vais te pousser de côté et toi, tu vas essayer de résister. Compris?

Bud hocha la tête et prit une position presque agressive, comme s'il s'apprêtait à livrer combat. Marcia se plaça derrière lui, puis, posant les deux mains sur son épaule droite, elle essaya de le faire basculer à gauche. Il résista de toutes ses forces, mais, au bout de quelques secondes, il commença à vaciller, pour finalement tomber sur le côté gauche.

— Allons, tu peux mieux faire. Relève-toi! On recommence.

— Tu... commença-t-il à dire, s'interrompant momentanément pour reprendre son souffle. Tu le fais... exprès.

— Quoi donc? Que veux-tu dire? demanda Marcia.

— Il y a... des jours que nous... faisons la même chose. Tu veux me décourager, l'accusa-t-il.

— Parce que tu veux abandonner?

— Non! rugit-il.

— Dans ce cas, je m'y prends mal, tu ne crois pas? dit Marcia sur un ton qui laissait entendre qu'elle faisait tout ce qu'elle pouvait pour l'encourager. A présent, nous allons imaginer que nous sommes vendredi soir et que nous nous préparons à disputer un grand match de foot. Nous sommes en train de faire les derniers exercices d'échauffement avant d'entrer sur le terrain.

— O.K., répondit-il.

— Bien, mets-toi à genoux. Les mains à plat sur la table. Attention, prêt ?

Elle plaça ses deux mains sur l'épaule gauche de Bud et commença à pousser. Cette fois, il ne résista pas aussi longtemps que la fois précédente. Mais Marcia s'y attendait. Son épaule droite était, et serait probablement toujours, un peu plus faible que son épaule gauche. Cela dit, elle n'était pas mécontente du résultat.

— Allez, encore une fois, reprit-elle.

Ils recommencèrent l'exercice, elle poussa et il résista jusqu'au moment où, vaincu, il se laissa tomber de côté, hors d'haleine et ruisselant de sueur.

— Demain... demain, répéta-t-il. Demain...

— Demain, tu vas en baver des ronds de chapeau, je te le garantis. Et maintenant, tu vas regagner ta chambre et te mettre à ton journal.

Il se traîna jusqu'au bord de la table, puis se laissa tomber mollement dans son fauteuil roulant. Sachant que Marcia l'observait, il débloqua les roues d'un geste énergique et fila comme une flèche en direction de la porte.

Il poussa le battant, puis essaya de le maintenir ouvert tout en faisant pivoter son fauteuil pour franchir le seuil. Le voyant qui peinait, Marcia faillit intervenir, puis renonça. *Qui sait, s'il en vient à haïr suffisamment ce fauteuil roulant, il arrivera peut-être à s'en débarrasser une bonne fois pour toutes.*

Bud parvint à franchir la porte et s'élança dans le couloir en direction de la chambre 302. Une fois à l'intérieur, il poussa un gros soupir. Il était exténué mais n'en avait rien voulu laisser paraître devant Marcia.

Il sombra immédiatement dans un profond sommeil. Lorsqu'il se réveilla, il sentit une présence dans la chambre.

Sans même regarder autour de lui, il dit instinctivement :

— Maman ?

— Oui, mon chéri, répondit Lily sans interrompre son tricot. C'est le bruit des aiguilles qui t'a réveillé?

— Quelle heure est-il?

— Marcia insiste pour que tu trouves toi-même la réponse à ce genre de questions.

— Ah, oui, c'est vrai. Il y a tant de choses que j'oublie, reconnut-il en consultant sa montre.

Marcia avait demandé à Lily de remplacer sa montre digitale par une vieille montre à cadran, afin de l'obliger à déchiffrer la position des aiguilles plutôt que de se contenter de lire de simples *numéros*.

— Il est quatre heures et quart, dit-il. J'ai dormi tout ce temps?

— C'est que tu en avais besoin, répondit Lily. En tout cas, tu as parlé dans ton sommeil. Tu as fait un rêve?

— Je... je crois que... que j'ai rêvé d'un trophée... ou de quelque chose comme ça. Est-ce que je n'avais pas gagné un trophée avant l'accident?

Lily hésita. *Dois-je le lui dire? Marcia était hors d'elle quand Pep le lui a montré. Sans compter qu'il a eu une réaction violente quand il l'a vu.*

— Maman? répéta-t-il.

— Oui, mon chéri, tu as gagné un trophée.

— Une coupe?

— Oui, une coupe en argent. Avec ton nom gravé dessus. BUD YOUNG MEILLEUR JOUEUR DE L'ANNÉE.

— Où est-elle?

— Elle est à la maison. Dans ta chambre.

— Est-ce... est-ce que tu pourrais me l'apporter... demain... ou un autre jour?

— Oui... oui, bien sûr, dit-elle tout en se demandant si elle faisait bien.

— Je crois que j'aimerais bien renouer avec le passé.

— Revoir tes copains, par exemple? demanda Lily, pleine d'espoir. Ils voudraient bien passer te voir. Ils téléphonent presque chaque jour à la maison.

— Non, non, pas les copains. Je ne veux pas qu'ils me voient comme ça.

— Mais, Bud, il faudra bien qu'un jour...

— Non, répliqua-t-il fermement. Je ne veux pas qu'ils me voient comme ça.

Lily ne chercha pas à insister. Cependant, avant de quitter l'hôpital, elle alla trouver Marcia.

— Marcia, il a décidé de quitter l'hôpital sur ses deux jambes. Croyez-vous que ce soit possible?

— Je n'en sais rien. Il ne le sait pas lui-même. Mais je vous promets de tout faire pour que cela arrive, dit Marcia.

— Mais s'il échoue?

— Le jeu en vaut la chandelle. S'il échoue, je ne veux pas qu'il se dise toute sa vie durant : « Si j'avais essayé, je pourrais peut-être marcher à l'heure qu'il est, et mes parents ne se seraient pas séparés. »

— Marcia, il a rêvé de la coupe. Il a demandé à la voir. Dois-je la lui apporter?

— Non, c'est trop tôt, déconseilla Marcia.

Plus tard, lorsqu'elle retourna à la chambre 302, Marcia trouva Bud en train d'écrire dans son journal. En l'entendant entrer, il referma précipitamment le cahier avec un bruit sec.

Ayant deviné qu'il s'agissait d'un passage strictement confidentiel, Marcia se garda d'y faire allusion.

— Eh bien, dit-elle, la séance de ce matin n'a pas été trop mauvaise. Tu t'es bien défendu. Mais cet après-midi tu vas devoir te surpasser. En attendant, nous allons commencer par faire quelques exercices de lecture et d'écriture, puis d'arithmétique. Voyons ce journal.

Elle tendit la main, mais Bud refusa de lui donner le cahier. Elle le lui prit malgré tout et en étudia la dernière page.

— Très bien, Bud. Toutes les lettres sont sur les lignes. L'écriture est propre et claire. Continue comme ça et en septembre tu pourras retourner au lycée et te placer dans le peloton de tête.

Elle ne fit aucun commentaire sur ce qu'il avait écrit.

Ce matin la séance a été particulièrement difficile. Est-ce que Marcia cherche à me décourager?

Sur la ligne du dessous, il avait ajouté. *Elle a peut-être raison.*

38

Marcia allait se rendre au chevet de Bud quand son bip se mit à sonner.

Elle fit une halte dans la salle des infirmières pour prendre l'appel.

— Marcia Ethridge, annonça-t-elle.

— Madame Ethridge... (La voix lui semblait familière bien qu'elle ne parvînt pas à l'identifier immédiatement). Allô, Marcia... c'est M. Young à l'appareil... le père de Bud.

— Oui?

Pepper continua d'une voix contrite :

— Je ne veux pas contrevenir au règlement de l'hôpital, seulement j'aurais aimé avoir des nouvelles de Bud. Comment va-t-il? Est-ce qu'il commence à s'habituer à... (Rien que le mot lui-même lui faisait horreur.) A son... fauteuil roulant?

— Pas vraiment, répondit Marcia. Mais c'est tout à fait normal.

— Oui, bien sûr. Surtout pour quelqu'un comme lui. C'est un battant, vous savez. Il ne renonce pas facilement. Est-ce qu'il vous a parlé du but qu'il a marqué lors de son dernier match de foot?

— Non.

— C'est lui tout craché... la modestie personnifiée.

C'est vraiment un gosse épatant. Et à cause de moi... (Sa voix se brisa brusquement.) Et à cause de moi...

Il se tut, incapable de continuer.

Marcia l'entendit réprimer un sanglot à l'autre bout de la ligne. Elle attendit. Voyant qu'il ne se manifestait pas, elle allait raccrocher quand il parla à nouveau.

— Désolé, je... peu importe. Vous voulez bien dire à Bud que j'ai appelé ? S'il vous plaît ?

— Oui, bien sûr, je le lui dirai.

— Merci. Merci infiniment, dit-il, manifestement soulagé.

Le pauvre homme, songea Marcia, *que deviendra-t-il si nous échouons ? Si « nous » échouons ? Voilà que je me prends pour Bud à présent. Non. Simplement, j'ai à cœur qu'il réussisse, c'est normal.*

Ce coup de téléphone lui avait donné des ailes. Elle entra dans la chambre 302 d'un pas décidé.

— Bien. Les exercices de routine, et au trot ! lança-t-elle.

Par « exercices de routine », elle entendait toutes les petites tâches quotidiennes dont Bud allait devoir s'acquitter seul lorsqu'il aurait quitté l'hôpital : se laver, s'habiller, aller aux toilettes. Le but ultime de la rééducation étant de donner aux patients la plus grande autonomie possible.

— Bien, tu vas t'approcher du lavabo et ouvrir les robinets.

Mais Bud refusa d'obéir.

— Bud...

— C'est complètement ridicule, protesta-t-il. A quoi bon apprendre à faire toutes ces choses, puisque je ne serai pas dans un fauteuil roulant ?

— Bud... je t'ai promis de t'aider, mais je ne t'ai jamais promis que tu pourrais marcher. Ne l'oublie jamais !

— Je sais... et tu fais tout ce que tu peux pour me décourager.

Soudain, la phrase qu'elle avait lue dans son journal lui revint à l'esprit.

Était-il en train de lui ôter sa confiance? Ou était-ce qu'il perdait confiance en lui et cherchait à en rejeter la faute sur elle? Ça ne pouvait pas tomber plus mal. Juste le jour où elle voulait le tester.

Bud se lava le visage et les mains. Il choisit ensuite les vêtements qu'il allait mettre et se débarrassa tant bien que mal de son pyjama. Marcia l'observait d'un œil critique, faisant çà et là une remarque ou une suggestion que Bud accueillait avec dédain.

Une fois habillé, il se présenta devant elle pour l'inspection finale.

— Ta chemise... dit-elle.

— Eh bien, quoi? répliqua-t-il du tac au tac, prêt à saisir le moindre prétexte pour lui voler dans les plumes.

— Tu as boutonné lundi avec mardi. Allons, déboutonne-moi ça et recommence.

— Mais qu'est-ce que tu as ce matin? explosa-t-il soudain.

Marcia ne se laissa pas impressionner. Elle savait que les victimes de traumatismes crâniens étaient sujettes à des sautes d'humeur.

— Bud, tu vas me déboutonner cette chemise et me la reboutonner correctement. Pas question d'avoir l'air débraillé.

Il la foudroya du regard. Elle soutint son regard, nullement intimidée.

Il détourna les yeux et commença à déboutonner sa chemise. Comme il se débattait avec ses boutonnières, elle lui annonça :

— J'ai reçu un coup de fil ce matin.

Il releva brusquement la tête, le regard interrogateur.

— De ton père, précisa-t-elle.

— Ah oui? fit Bud en s'interrompant, impatient d'en savoir plus.

— Ne t'arrête pas, ordonna-t-elle. Il se fait beaucoup de souci à ton sujet. Il regrette ce qui s'est passé la dernière fois qu'il t'a rendu visite. Il veut que tu saches qu'il pense beaucoup à toi.

— Comment était-il ?

— Il avait l'air soucieux.

— Non, je voulais dire...

— Est-ce qu'il avait bu ? anticipa. Marcia. Non. Il était sincèrement désolé. Il a pleuré, Bud.

— Vraiment, murmura le garçon. Marcia, il faut que nous y arrivions. Il le faut !

— Très bien. Il ne te reste plus qu'à enfiler ton jogging. Et en route !

De retour dans la salle de rééducation, ils travaillèrent d'arrache-pied. Elle lui fit d'abord travailler le côté droit, l'obligeant à résister de toutes ses forces, puis le côté gauche. Elle constata que sa résistance avait considérablement augmenté depuis une semaine.

Elle décida que le moment était venu de le tester. Ce qu'elle lui avait dit de son père allait peut-être avoir sur lui un effet stimulant.

— Très bien. A présent, que dirais-tu de faire un essai aux barres parallèles ?

— Tu crois que...

Il n'osa pas achever sa question.

— Nous verrons bien, dit-elle.

Il réintégra son fauteuil roulant et se dirigea vers les barres métalliques. Quand Marcia voulut abaisser les barres à la hauteur de ses hanches, Bud lui prit la télécommande des mains pour le faire lui-même.

Il veut m'en mettre plein la vue, se dit Marcia. *A moins que ce ne soit pour se donner du courage. Nous verrons bien.*

Bud essuya ses mains moites de sueur sur son pantalon, puis, prenant appui sur les accoudoirs de son fauteuil, il se leva et saisit les barres parallèles. Tout doucement, il se releva et se mit debout. Après une pause, il commença à avancer, en tenant fermement les barres et en faisant glisser ses pieds l'un après l'autre sur le tapis de sol. D'abord la jambe gauche, puis la jambe droite. Puis il se souvint que Marcia préférait qu'il commence par la jambe droite, la plus faible des deux. Il s'arrêta, puis recommença en avançant d'abord la jambe droite.

Ravi de montrer qu'il n'avait pas oublié ses consignes, il se tourna vers Marcia pour recueillir son approbation, mais ce geste le déstabilisa, et il partit la tête la première en réprimant un petit cri de frayeur. Heureusement, il se rattrapa juste à temps et s'agrippa de nouveau aux barres. Il avait les jambes en coton, mais il était toujours debout.

Soudain, il se mit à transpirer à grosses gouttes. Ses jambes n'arrêtaient pas de trembler.

Découragée, Marcia songea : *Il ne contrôle pas encore suffisamment bien ses jambes. Et son équilibre laisse à désirer. Mais Rome ne s'est pas faite en un jour.*

Afin de ne pas le laisser sur un échec, elle ordonna :

— Bon, ça n'est pas le moment de se rouler les pouces, nous avons encore du pain sur la planche. Monte dans ton fauteuil roulant, et plus vite que ça !

Une fois dans son fauteuil, Bud se dirigea spontanément vers la table d'exercice, mais Marcia l'arrêta d'un ton sec.

— Non, suis-moi.

Il allait protester, puis il changea d'avis en la voyant se rembrunir.

Elle sortit de la salle de rééducation et l'entraîna dans un dédale de couloirs jusqu'à une porte qu'elle poussa et maintint ouverte pour le laisser passer.

Il entra dans une pièce à peine plus grande que sa chambre. Le sol était entièrement recouvert d'un tapis de sol capitonné. Dans un coin de la pièce, il aperçut un petit escabeau à trois marches et, dans un autre coin, un gros ballon d'exercice à côté duquel se trouvait un ballon plus petit, ressemblant à un ballon de foot.

Il se tourna vers Marcia, prêt à prendre ses instructions. Il semblait sur la défensive.

— Bien. Nous allons commencer par un exercice de coordination. Tu vas descendre de ton fauteuil et t'asseoir sur ce ballon.

— Tu sais bien que je n'y arrive pas. J'ai déjà essayé.

— Essaie encore. Si tu as besoin d'aide, dis-le.

Il lui décocha un regard furibond, puis s'approcha du ballon et réfléchit un instant au problème qui se posait à lui. Lorsqu'il eut trouvé la solution, il prit appui sur les bras de son fauteuil et se leva lentement pour essayer de s'asseoir sur le ballon, mais celui-ci roula de côté, et il tomba sur le tapis.

Quand Marcia voulut lui porter secours, Bud se rebiffa.

— Non! Laisse-moi! Je peux y arriver tout seul!

Elle n'insista pas. Il rassembla à nouveau ses forces et prit l'énorme ballon à bras le corps comme s'il avait voulu gravir une montagne. A force de persévérance il finit par grimper sur le ballon, l'air triomphant, comme s'il venait d'escalader l'Everest.

En le voyant ainsi se rengorger comme un coq, Marcia eut envie de rire, mais s'en garda bien, ne voulant pas le décourager dans ses efforts.

— Surtout, Bud, songe à ce que je t'ai dit concernant l'équilibre. Tu dois toujours garder la tête au même niveau. Dès que tu sens que ta tête se relève, même légèrement, garde les yeux fixés sur un objet, comme cet escabeau, par exemple. Souviens-toi, dès que tu aperçois le plafond tu as perdu.

Bud l'écoutait en hochant la tête, une expression de profonde concentration sur son beau visage.

— Bien. A présent je vais essayer de te déloger du ballon. Je vais te pousser, à gauche, puis à droite. En avant, puis en arrière. Tu vas résister de toutes tes forces. Si j'arrive à te déloger, tu dois remonter sur le ballon. Et surtout, n'oublie pas, garde les yeux sur un point fixe. La tête toujours à la même hauteur. Tu es prêt?

Il acquiesça, l'air décidé.

Le premier round commença. Marcia le poussa à gauche. Il résista, s'efforçant tant bien que mal de garder son équilibre. A la deuxième tentative, il perdit pied. Le ballon roula de côté, l'envoyant au tapis. Il décocha un regard furibond à Marcia.

— Si tu ne veux pas prendre de risques, Bud, et si tu ne peux pas te relever, tu n'y arriveras jamais.

Rassemblant son courage, il remonta sur le ballon, un regard de défi dans les yeux. Cette fois, elle le poussa à droite. Il résista. Elle poussa plus fort. Il résista de plus belle tout en gardant les yeux fixés sur l'escabeau. Mais bientôt, le ballon se déroba sous lui et il se retrouva par terre.

Avant même qu'elle ait pu dire un mot, il s'écria :

— Encore!

Ils continuèrent ainsi pendant une demi-heure. Bud assis sur le ballon et Marcia essayant de le faire tomber à gauche, à droite, en avant, en arrière. Chaque fois elle le délogeait et il se retrouvait sur le tapis.

A la fin du dernier round, il était en sueur et à bout de souffle.

Marcia voulut l'aider à se relever, mais il la repoussa. Il se mit à genoux, puis remonta tout seul dans son fauteuil roulant.

Comme il était déjà à la porte, Marcia déclara :

— Pour une première tentative ce n'était pas mal du tout!

Mais il lui lança un regard féroce, l'air de dire : « Je n'ai pas besoin qu'on me materne. Et encore moins qu'on me baratine. »

Marcia le regarda s'éloigner en songeant :

Je suis trop exigeante avec lui. Je crois que je l'ai poussé au-delà de ses limites. A moins que ce ne soit le coup de fil de son père? A force de trop m'impliquer dans cette affaire, je finis par ne plus savoir où j'en suis. J'ai eu tort de vouloir brûler les étapes. Je vais demander à être déchargée de son cas. Non, non, il compte trop sur moi. Pas question de se défiler.

A quatre heures, Marcia retourna dans la chambre 302. Bud n'y était pas. Son fauteuil roulant non plus. Elle interrogea les infirmières. L'une d'elles lui dit qu'elle l'avait aperçu en salle de rééducation.

Marcia s'y rendit aussitôt. Bud était dans un tel état d'excitation, lorsqu'elle l'avait quitté, qu'il risquait de faire les pires bêtises. Il pouvait tomber et se faire mal.

Il n'était pas en salle de rééducation. Pour finir, elle le trouva dans la petite pièce où ils avaient travaillé le matin même. Elle l'observa à travers la petite lucarne triangulaire de la porte.

Il était monté sur le gros ballon et, à en juger par l'état de son sweat-shirt, il devait s'exercer depuis un certain temps. Il était en train de se balancer d'avant en arrière pour voir jusqu'où il pouvait aller. Il tomba en avant mais se releva, plus déterminé que jamais. Il recommença à se balancer. Cette fois, il bascula en arrière.

Elle remarqua qu'il gardait les yeux posés sur un point fixe et que sa tête restait au même niveau. Mais il se fatiguait. Il fallait mettre le holà. Elle ouvrit la porte.

— Bud...

En la voyant, il perdit toute sensation de fatigue et lui lança sur un ton arrogant :

— Allez, vas-y! Essaie de me faire tomber!

— Bud, tu es épuisé...

Mais il n'en démordit pas.

— Vas-y, je te dis!

— Très bien.

Il remonta sur le ballon, s'installa fermement, puis fixa les yeux sur l'escabeau. Il était prêt.

Elle commença à le pousser du côté gauche. Il résista. Elle poussa plus fort. Il résista de plus belle. Mais, au bout d'un moment, inévitablement, elle réussit à le déloger et il s'effondra.

Il resta un instant à terre, en respirant bruyamment, déçu d'avoir échoué.

Marcia s'agenouilla à côté de lui.

— C'était beaucoup mieux, Bud. D'autant que tu es fatigué.

— Non... non, il faut que j'arrive à rester sur le ballon coûte que coûte, protesta-t-il.

— Nous allons y travailler, Bud. Chaque jour. Nous allons nous entraîner, l'encouragea-t-elle. Mais j'avais un autre exercice en tête pour cet après-midi.

— Un autre...

— Un exercice moins fatigant mais tout aussi utile.

— Tu ne serais pas en train de...

— Non, Bud. Je ne cherche pas à noyer le poisson. Je pensais aux barres parallèles. Tu te souviens de ce qui s'est passé ce matin.

Il hocha la tête. Il n'avait pas oublié comment ses jambes s'étaient mises à trembler.

— C'est à cela que je voudrais travailler. Allons, au boulot.

Lorsqu'il fut remonté dans son fauteuil roulant, elle saisit le ballon de foot bleu et blanc et dit :

— A présent, replie tes repose-pieds, Bud.

Il fit ce qu'elle lui demandait, puis elle lui plaça le ballon entre les pieds.

— Pose ton pied droit sur le ballon. Et fais-le rouler dans toutes les directions sans le laisser s'échapper.

Il observa un instant le ballon, puis la regarda d'un air dédaigneux. L'exercice était vraiment trop facile.

— Allons, vas-y.

Il posa le pied sur le ballon et commença à le faire rouler d'avant en arrière. Tout à coup le ballon lui échappa et roula hors de sa portée.

Marcia le remit en place.

— Recommence, Bud.

D'une simplicité apparemment enfantine, l'exercice lui demandait en réalité un gros effort de concentration. Cependant, il commençait à en voir la finalité. Il comprit comment cela pouvait l'aider à retrouver la maîtrise de ses jambes.

Il recommença en redoublant d'application cette fois. Mais, à nouveau, le ballon lui échappa.

Huit fois de suite il essaya, et huit fois de suite il échoua. Mais, à la neuvième tentative, quand Marcia plaça le ballon entre ses pieds, il réussit à le faire rouler habilement avec son pied droit. Il commençait à prendre un réel plaisir à cet exercice. Il sourit à Marcia, mais perdit sa concentration et laissa échapper le ballon.

Ils rirent.

— Nous allons refaire cet exercice chaque jour, dit Marcia. Jusqu'à ce que tu fasses un sans-faute.

Tout en le regardant regagner sa chambre, Marcia pensa :

La séance d'aujourd'hui n'a pas été facile, mais elle a porté ses fruits. Qui sait, il finira peut-être par y arriver? C'était la première fois qu'elle se montrait aussi optimiste. Mais elle savait qu'il leur faudrait du temps, beaucoup de temps encore avant d'atteindre leur but.

39

Dans le bureau du docteur Curtis, Lily Young jouait nerveusement avec l'alliance qu'elle portait à la main gauche.

— Comprenez-moi, docteur, je ne vous reproche rien. Et je pense que Bud a fait de gros progrès avec Marcia, mais depuis quelque temps j'ai l'impression qu'elle le surmène.

— Que voulez-vous dire ?

— Eh bien, depuis quelques jours, chaque fois que je lui rends visite, il joue avec son ballon. Il ne fait que ça. Il le fait tourner avec son pied droit, puis avec son pied gauche... même quand je lui parle. Il ne s'arrête jamais... on le croirait possédé.

— C'est un exercice, madame Young, pour lui apprendre à faire bouger ses jambes. Afin de pouvoir se tenir debout et marcher, le patient doit apprendre à coordonner les mouvements de ses jambes, expliqua Phyllis.

— Mais il s'est mis en tête qu'il allait pouvoir remarcher un jour.

— Et cela vous contrarie ?

— Non, je peux comprendre qu'il veuille remarcher... mais de là à s'en persuader... Que se passera-t-il s'il échoue ? Jusqu'ici, toutes ses tentatives ont été vaines. J'ai peur que cela ne l'abatte.

— Que cela ne l'abatte?

— Docteur, je connais mon fils. C'est un garçon obstiné. Quand il décide d'entreprendre quelque chose, il va jusqu'au bout.

— Et c'est une bonne chose, vous ne trouvez pas?

— Mais Marcia et vous-même avez dit qu'il était condamné à passer le reste de sa vie dans un fauteuil roulant...

— Une fatalité qu'il refuse d'accepter. Si seulement tous nos patients pouvaient faire preuve d'une telle persévérance. Les exercices que nous leur faisons faire sont fastidieux et répétitifs, et, au bout d'un moment, la plupart finissent par se lasser. Je crois que vous devriez encourager votre fils, au contraire.

— Mais s'il ne réussit pas, que se passera-t-il? demanda Lily. Il n'a encore jamais échoué en aucun domaine.

— Il se fera une raison, fit le docteur Curtis. Il s'est bien habitué à son fauteuil roulant, il est très à l'aise dedans.

— Mais c'est son moral qui m'inquiète. Je ne voudrais pas qu'il devienne aigri, qu'il perde le goût à la vie. Si vous ne pouvez pas me promettre qu'il a de sérieuses chances de pouvoir remarcher un jour, je préfère que vous cessiez ces exercices.

— C'est une promesse que je ne peux pas vous faire. Mais je vais en toucher un mot à Marcia.

Après avoir relu le dossier médical de Bud de A à Z, Phyllis Curtis convoqua Marcia dans son bureau et lui fit part des préoccupations de Lily Young. Puis elle lui demanda :

— Marcia, en vous basant sur votre expérience antérieure, croyez-vous que Bud ait des chances de pouvoir remarcher un jour?

— Docteur, j'avoue que si vous posiez la question à un

ordinateur après lui avoir fourni tous les éléments contenus dans ce dossier, la réponse serait non.

— Dans ce cas, pourquoi mettez-vous un tel acharnement à le rééduquer?

— Ce n'est pas moi qui m'obstine. C'est lui, répondit Marcia.

— Ne pensez-vous pas qu'il est de votre devoir de l'aider à accepter son sort?

— Docteur, quand j'étais gosse, j'avais une institutrice qui cherchait à nous encourager par tous les moyens. Comme nous étions tous des enfants noirs, elle avait accroché un panneau au mur qui disait ceci : « Selon les lois de l'aérodynamique, la corpulence et la rondeur de l'abeille l'empêchent de voler. Or l'abeille ignore ces lois et elle vole. » Ce panneau nous a beaucoup aidés. Nous nous sommes accrochés. Et beaucoup d'entre nous ont réussi.

— Mais encore?

— Si Bud décide d'ignorer son dossier médical et qu'il s'entête à remarcher, je l'aiderai.

Ces mots prononcés avec douceur mais détermination ressemblaient fort à de l'insubordination.

— Marcia, dois-je vous rappeler que médicalement parlant je peux décider de faire sortir Bud aujourd'hui même?

— C'est inutile, j'en ai parfaitement conscience. Mais je vous demande de bien vouloir lui donner encore une chance. Jusqu'à ce que j'en aie le cœur net. Et en attendant...

— Marcia, l'interrompit Phyllis, je ne peux pas me permettre de faire de telles concessions. Jugez vous-même, dit-elle en lui tendant une lettre émanant du service de comptabilité.

Marcia prit rapidement connaissance de la lettre.

— La mutuelle de M. Young freine des quatre fers. Ils ne veulent pas que nous gardions Bud un jour de plus que nécessaire. Il est entré ici le premier janvier, nous sommes le 26 juin. Cela fait six mois.

— C'est le problème du comptable, pas le mien, rétorqua Marcia.

— Marcia, interrompit sèchement le docteur Curtis, Mme Young est venue ce matin. Elle est très inquiète.

— A quel sujet? Elle a peur qu'il se surmène? Un gosse de seize ans? Mais il est dans une forme physique éblouissante.

— Elle a peur qu'il ne s'en remette jamais s'il échoue. Elle craint pour son moral.

— Elle a dit ça? Pourtant il a un moral d'acier depuis qu'il s'est mis en tête de réconcilier ses parents.

— Elle connaît son fils, fit remarquer Phyllis.

— Oui, naturellement, reconnut Marcia. N'empêche...

Sans laisser à Marcia le temps de plaider sa cause, le docteur Curtis déclara :

— Je vous accorde encore deux semaines, Marcia. Après quoi, il devra sortir de l'hôpital. Faites le nécessaire.

— Deux semaines!

— Et pas un jour de plus, dit sèchement le médecin.

En quittant le bureau du docteur Curtis, Marcia songea : *Deux semaines... cela ne fait que quatorze jours, soit vingt-huit séances. Il va falloir que je mette les bouchées doubles si je veux qu'il sorte sur ses deux jambes. Mais si je brûle les étapes je risque de réduire à néant tous les progrès faits jusqu'ici.*

Deux semaines... deux semaines.

Dans la petite salle de rééducation, Marcia trouva Bud en train de s'exercer avec le ballon de foot en faisant preuve d'une habileté stupéfiante. Lorsqu'elle entra, il fit passer le ballon du pied gauche au pied droit pour lui montrer qu'il était capable de se servir aussi aisément d'une jambe que de l'autre.

Il veut vraiment m'impressionner, songea-t-elle. *Et le fait est que ses progrès sont prodigieux. Mais la frime ne suffit pas.*

— Très bien, jeune homme. Mais ce n'est que le début. Il va falloir aller beaucoup plus loin.

Elle se dirigea vers le vestiaire et en sortit un ballon plus petit. Celui-ci était mou et de la taille d'un pamplemousse. Elle le lui jeta, et il le rattrapa au vol.

— Bien. Pose-le à terre et fais-le rouler avec ton pied. On va voir si tu es aussi fort que tu le crois.

Bud posa le ballon et mit le pied droit dessus. Il commença à le faire rouler d'avant en arrière avec son pied droit. L'exercice n'était pas aussi aisé qu'il l'avait imaginé. Il eut l'impression de repartir de zéro.

Furieux, il lui décocha un regard assassin. Ses jambes commençaient à lui faire mal. Ses pieds étaient de plomb. Mais il persévéra.

Il ne fallait surtout pas le décourager en voulant aller trop vite. Dès qu'il eut repris un semblant d'assurance, Marcia lui dit de s'asseoir sur le gros ballon. C'était un exercice qu'il commençait à bien maîtriser et qu'il accueillit avec soulagement.

Il se hissa hors de son fauteuil roulant et s'installa sur le ballon.

— Tu peux y aller ! lança-t-il. Je suis prêt !

Marcia commença à le pousser, d'abord de côté, puis d'avant en arrière. Cette fois, elle ne réussit pas à le déloger. Il gardait les yeux rivés sur un point fixe afin de ne pas perdre l'équilibre.

Lorsque l'exercice prit fin, il arborait un air triomphant.

Mais Marcia n'avait pas l'intention de s'arrêter là.

— Et maintenant, tu vas fermer les yeux.

Bud la foudroya du regard.

— Ferme les yeux, répéta-t-elle. Tu n'auras pas retrouvé ton équilibre tant que tu ne pourras pas faire la même chose les yeux fermés.

Il fit à contrecœur ce qu'elle lui demandait. Il se sentit brusquement coupé du monde, comme s'il avait flotté dans l'espace. Au bout d'un moment, il finit par s'habituer à cette nouvelle sensation. Jusqu'à ce que Marcia recommence à le pousser de côté. Il essaya de lui résister, mais en vain. Il tomba. Puis il remonta sur le ballon, décidé à résister. Mais chaque fois qu'elle le poussait il finissait par tomber. Et chaque fois il remontait sur le ballon, de plus en plus résolu.

Ils passèrent ensuite à la table d'exercice, dans la grande salle. Bud mit tout son cœur à l'ouvrage. Marcia aussi. Lorsqu'ils eurent fini, ils étaient tous les deux en nage.

Haletant dans son maillot trempé de sueur, Bud demanda, anxieux :

— Marcia... qu'est-ce qui ne va pas?

— Rien. Rien du tout. Tu as fait du bon boulot aujourd'hui.

— Non, il ne s'agit pas de moi, dit Bud doucement. Ezra est malade?

— Mais non, il se porte comme un charme. Il est à la garderie.

— Qu'est-ce qui ne va pas alors? Tu n'as pas l'air dans ton assiette, insista le garçon.

— Si je te mène à la baguette, c'est pour ton bien, tu comprends?

— Marcia, dis-moi la vérité...

— Mais je t'ai toujours dit la vérité. Je ne peux pas te promettre que tu remarcheras un jour.

— Je sais. Mais quelque chose ne va pas. Je le sens. Dis-moi ce que c'est.

Préférant garder pour elle l'ultimatum du docteur Curtis, elle ne répondit rien.

— Tu as renoncé, c'est ça? Tu penses que je n'y arriverai pas? Allons, dis-moi la vérité.

Poussée dans ses derniers retranchements, elle finit par avouer :

— Bud, nous n'avons plus que deux semaines devant nous. Après quoi le docteur Curtis te renverra chez toi.

Abasourdi, il resta un instant sans voix.

Puis il murmura :

— Deux semaines... c'est tout? Est-ce qu'on peut...

Elle esquiva sa question en disant :

— Bon, assez bavardé. Au travail maintenant.

Elle n'a pas répondu à ma question, songea Bud. *Est-ce qu'elle a perdu tout espoir? Il faut à tout prix que je la fasse changer d'avis.*

Il s'approcha du bord de la table et laissa retomber ses jambes dans le vide, les pieds pendants à quelques centimètres au-dessus du plancher. Marcia se plaça devant lui et posa ses deux mains sur ses épaules.

Il se mit à pousser de toutes ses forces. Elle ne bougea pas d'un pouce.

— Encore une fois, insista-t-elle.

Il poussa, plus fort cette fois.

— Encore! répéta-t-elle.

Il essaya à nouveau. Sa respiration s'accélérait.

— Plus fort! l'encouragea-t-elle. Plus fort! Deux semaines, Bud. Deux semaines.

Il poussa à nouveau en redoublant d'effort. Peu à peu, centimètre par centimètre, il réussit à la faire reculer.

— Ah, c'est beaucoup mieux, dit-elle sur un ton indiquant que l'exercice était terminé.

Mais, au lieu de se détendre, Bud dit :

— Je voudrais... me lever.

— Tu en as fait assez pour aujourd'hui. Ce ne serait pas raisonnable, Bud.

— Je veux me lever. Je sens que je peux le faire. Laisse-moi essayer. S'il te plaît?

Elle réfléchit un instant, pesant le pour et le contre,

puis, devant son regard implorant, finit par se laisser convaincre.

— D'accord, dit-elle.

Elle alla chercher le déambulateur et l'approcha de la table.

— Bien. Tu vas te balancer d'avant en arrière, prendre un peu d'élan et saisir fermement la barre horizontale. Une fois que tu l'auras bien en main tu pourras te lever. Et surtout, pense à bien coordonner tes chevilles, tes genoux et tes hanches. Allez, vas-y !

Saisissant la barre métallique à deux mains, il commença à se balancer d'avant en arrière pour se donner de l'élan. Lorsqu'il se sentit suffisamment sûr de lui, il se leva doucement.

Marcia l'accompagnait mentalement dans chacun de ses efforts.

Ses pieds touchèrent terre. Son corps bascula lentement en avant. Marcia retint son souffle.

Soudain ses pieds se dérobèrent sous lui, ses mains lâchèrent la barre. Il bascula brusquement sur la barre d'appui en s'écriant :

— Marcia !

En un clin d'œil elle était à ses côtés. Elle le saisit à bras-le-corps et l'aida à remonter sur la table où il se laissa tomber, haletant. Il éclata en sanglots.

Je n'aurais jamais dû le laisser faire, songea Marcia. *C'est beaucoup trop tôt. Ses jambes ne peuvent pas le porter.*

Il allait falloir qu'elle trouve un autre moyen.

Pendant ce temps, Bud murmurait :

— Deux semaines... deux semaines...

A la fin de la journée, Marcia passa chercher Ezra à la garderie de l'hôpital. Il courut vers elle et lui jeta les bras autour du cou. Puis il lui montra fièrement le petit panier en papier bleu, blanc, rouge qu'il avait confectionné avec l'aide de la monitrice pour le pique-nique de la fête nationale du quatre juillet.

— On va aller pique-niquer? demanda Ezra.

— Si tu veux, chéri, acquiesça machinalement Marcia, pensant à autre chose. *Je n'aurais pas dû le laisser faire. Il est resté sur un échec aujourd'hui. Pourtant, à un moment, j'ai bien cru qu'il allait y arriver. Il ne s'en est pas fallu de grand-chose... il était à deux doigts de marcher.*

— De la glace, maman?

— Comment? demanda-t-elle, brusquement tirée de sa rêverie par son fils.

— De la glace pour le pique-nique, insista l'enfant tandis qu'ils montaient en voiture.

— D'accord, dit Marcia, mais nous allons d'abord faire quelques courses pour le dîner.

Elle était en train de choisir une salade au rayon des primeurs, quand elle s'aperçut qu'Ezra n'était plus à ses côtés.

— Ezra! Ezra... appela-t-elle en retournant sur ses pas.

Elle fit promptement demi-tour avec son caddie et remonta l'allée en criant :

— Ezra! Ezra!

Elle jeta un coup d'œil affolé dans l'allée suivante. Toujours pas d'Ezra.

Elle l'appela à nouveau. Comment avait-elle pu négliger ainsi son fils pour des questions professionnelles?

Un vieux monsieur qui poussait un caddie à moitié vide lui fit signe.

— Vous cherchez un petit bout de chou qui part en pique-nique?

— En pique-nique? Comment le savez-vous? demanda Marcia.

— Il m'a invité. Il est au rayon des crèmes glacées. Si vous l'aviez vu, le nez collé à la vitrine. Je crois qu'il sera horriblement déçu si vous ne l'emmenez pas en pique-nique!

— Oh, je l'emmènerai pique-niquer, soyez sans

crainte. Mais ça ne l'empêchera pas de se faire joliment gronder.

Étant rassurée, elle laissait libre cours à sa colère.

Elle trouva Ezra devant le bac des crèmes glacées, le doigt pointé sur son parfum préféré. Elle prit celle qu'il lui indiquait, puis ordonna :

— Ezra, tu vas me faire le plaisir de poser les deux mains sur ce caddie et de ne plus les en ôter jusqu'à ce que nous soyons passés à la caisse ! Compris ?

Maintenant qu'il avait obtenu ce qu'il voulait, il pouvait se montrer conciliant.

— Oui, maman, fit-il en saisissant consciencieusement la barre du caddie à deux mains.

Marcia fit ses courses. Une boîte par-ci, un pot par-là. De temps à autre, elle filait chercher un article dans un rayon voisin. Le caddie commençait à être bien rempli. Marcia se rappela soudain qu'elle n'avait plus de condiment pour les hamburgers. Elle revint sur ses pas. Ezra s'efforçait de la suivre en poussant tant bien que mal le caddie dans l'allée, mais celui-ci était tellement lourd que l'enfant pouvait à peine le faire avancer. Elle s'arrêta un instant pour observer son fils. Quelque chose dans sa façon de bouger l'intriguait. Il projetait son petit corps en avant pour faire avancer le caddie. Puis le caddie se mettait à rouler et entraînait l'enfant avec lui.

Elle n'aurait pas su dire lequel des deux entraînait l'autre. Le mouvement était parfaitement fluide et semblait naturel et aisé.

Cette image lui trotta dans la tête toute la nuit.

40

— Désolé, ma petite dame, mais nous ne vendons pas de caddies ! répliqua le directeur du magasin.

— Je ne veux pas l'acheter, cher monsieur, répondit Marcia du tac au tac, je voudrais simplement l'emprunter.

— Pas question ! Je connais la chanson, les gens nous disent qu'ils les empruntent et on ne les revoit plus.

Il allait tourner les talons quand Marcia le saisit brusquement par les revers de sa blouse.

— Il me faut absolument un caddie. C'est pour un de mes patients à l'hôpital. Je peux vous verser une caution si vous voulez.

— Pour un patient ? A l'hôpital ? Non mais, je rêve, dit l'homme.

— Peut-être, mais ça ne change rien à mon problème. Combien ? La caution ?

— Combien ?... Euh... vingt dollars.

Marcia plongea une main dans son sac et en retira un billet de vingt dollars qu'elle tendit au directeur. Puis elle prit le chariot et se dirigea vers la sortie.

Au moment où elle allait franchir la porte du magasin, l'homme s'écria :

— Comme ça, au moins, vous ne l'aurez pas volé !

Bud s'essuya le front d'un revers de manche, soulagé d'en avoir fini avec sa séance du matin. Il n'avait pas ménagé ses efforts, comme l'attestait son sweat-shirt gris trempé de sueur.

Assis au bord de la table d'exercice, il reprenait tranquillement haleine tout en regardant les autres patients faire leurs exercices sous la surveillance des thérapeutes, quand la porte du fond s'ouvrit sur une Marcia poussant devant elle un caddie. Sa curiosité redoubla lorsqu'il réalisa que l'étrange véhicule lui était destiné.

— C'est un caddie, annonça-t-elle.

— C'est bien ce qui me semblait, répondit-il.

— Bien ! dit la jeune femme en approchant le caddie. Nous allons essayer quelque chose de nouveau. Au lieu d'utiliser un déambulateur, tu vas te servir d'un caddie. Allez, assieds-toi !

Il s'exécuta aussitôt.

— Tends les bras !

Bud tendit les bras et saisit la barre d'appui du caddie. Il était calme et décidé.

— A présent, Bud, avant de faire quoi que ce soit, je te demande de réfléchir. Tu vas te lever, te pencher en avant, et pousser.

— Me lever, me pencher en avant, pousser, répéta Bud.

— Allez, on y va !

Il s'élança d'un seul coup et se pencha en avant, puis se redressa. Il allait commencer à pousser le caddie, quand il sentit ses jambes se dérober sous lui. Au même moment, ses mains lâchèrent prise. Marcia dut intervenir pour l'empêcher de tomber.

Elle le saisit à bras-le-corps et l'aida à remonter sur la table. Il lui décocha un regard plein de reproche. Marcia, qui avait cru trouver la solution, était la première à être déçue.

Car, même si son idée aboutissait un jour, il était

évident que Bud manquait encore d'entraînement. Il ne maîtrisait pas suffisamment ses jambes.

— Bon, ça suffit pour l'instant, dit-elle, on reprendra l'entraînement cet après-midi.

Il prit place dans son fauteuil roulant et se dirigea vers la sortie, une expression d'amère déception dans les yeux.

Tout au long de la matinée, Marcia ressassa son échec. Elle se demandait comment faire pour accélérer les choses et arriver à un dénouement satisfaisant dans la limite de temps imposée par le docteur Curtis.

Ayant terminé ses séances du matin, elle se rendit comme chaque jour à la garderie pour déjeuner en compagnie de son fils. Pendant le déjeuner, il lui racontait sa matinée, les choses qu'il avait apprises, les chansons qu'il avait chantées.

C'était pour elle un moment de détente. En même temps, elle pouvait s'assurer qu'il mangeait correctement et que son goût prononcé pour les sucreries était contrebalancé par un apport suffisant en légumes verts et en protéines.

Bientôt, la directrice de la garderie annonça :

— La sieste!

Ce jour-là, Bud continua à s'exercer jusqu'en fin d'après-midi. Lily était venue lui rendre visite, et, lorsque la balle lui échappait, elle la rattrapait et la lui rendait sans interrompre leur conversation.

Brusquement, tandis qu'il était en train de faire lentement rouler la balle avec son pied, il déclara :

— Il a encore téléphoné.

— Je sais, dit Lily. Il appelle presque tous les jours à la maison. Il demande Gwen. Il a renoncé à me parler.

— Il n'ose pas me parler à moi non plus. Il discute avec Marcia, dit Bud. C'est le fauteuil roulant qu'il ne supporte pas.

— Il ne faut pas lui en vouloir, Bud. Il avait mis tous ses espoirs en toi, tous les rêves qu'il n'a jamais pu réaliser. Et de te voir cloué dans un fauteuil roulant, c'est un peu comme s'il était condamné lui aussi. (Lily fit une pause avant d'ajouter d'une voix hésitante :) A propos... que pense Marcia... est-ce que tu fais des progrès ?

— Elle ne peut pas encore se prononcer. Il ne nous reste plus que quelques jours, maintenant. Le compte à rebours a commencé.

Il continua à s'exercer, d'abord la jambe droite, puis la jambe gauche. Quand on lui apporta son dîner, Lily s'en alla. Son fils n'aimait pas qu'on le regarde manger. Car, bien qu'il ait fait de gros progrès, il lui arrivait encore de laisser tomber sa cuillère ou sa fourchette.

Deux jours passèrent. Deux jours durant lesquels Bud s'exerça jusqu'à ce que ses jambes lui fassent mal. La nuit venue, il songeait à ce qu'il aurait dû faire pour pousser le caddie. Si seulement Marcia voulait bien lui donner une seconde chance... Demain matin, il lui parlerait.

Le lendemain dans la matinée, tandis qu'il s'acquittait consciencieusement de ses exercices quotidiens, Bud dit à Marcia :

— J'aimerais bien... tenter ma chance encore une fois avec le caddie.

— On verra, répondit Marcia, qui ne voulait rien décider dans l'immédiat.

Mais lorsqu'il entama son exercice avec la balle molle, elle se mit à l'observer avec une attention particulière. Il fit rouler la balle avec son pied gauche. D'avant en arrière, puis il la fit tourner sur elle-même pendant un bon moment sans jamais la laisser échapper. Après quoi, il passa au pied droit. La chose était moins facile. Il dut se concentrer davantage. D'avant en arrière, puis dans le sens des aiguilles d'une montre. A un moment, elle faillit presque lui échapper, mais il la rattrapa de justesse.

Il avait fait un sans-faute.

— Parfait, dit Marcia. Cette fois je crois que nous sommes prêts à tenter notre chance.

Elle disparut. Quelques instants plus tard, elle revint avec le caddie. Elle le plaça devant lui. Il étendit les bras et saisit la barre d'appui. Il était prêt à relever le plus grand défi de sa vie.

Lorsqu'il se sentit suffisamment sûr de lui, il se leva doucement de la table d'exercice et posa les deux pieds par terre. Il se pencha en avant et poussa le caddie qui avança, mais sans l'entraîner avec lui, ce qui le déstabilisa. Il lâcha prise et retomba en arrière sur la table.

Marcia était aussi déçue que Bud, même si l'exercice avec la balle molle semblait porter ses fruits, car Bud contrôlait mieux ses jambes. Néanmoins, quand il poussait le caddie, le mouvement de traction fluide et continu qu'elle avait observé avec Ezra ne se produisait pas.

La deuxième partie de son plan avait échoué. Pourquoi ?

— Nous essaierons à nouveau cet après-midi, dit-elle, en s'efforçant de dissimuler sa déception, qu'elle savait au moins égale à celle de Bud.

Pendant le déjeuner, tandis qu'elle l'écoutait lui raconter ses activités du matin, elle regarda Ezra soudain si fixement qu'il lui demanda :

— Maman ? T'es fâchée, maman ?

— Mais non, mon chéri. Pas du tout.

Tout au long de l'après-midi, tandis qu'elle faisait travailler Bud, Marcia ne cessa de se répéter : *Quand Ezra a poussé le caddie, celui-ci l'a entraîné parce qu'il était plein. Mais oui, bien sûr ! C'est le poids qui change tout. On utilise des haltères pour rééduquer les patients. Pourquoi ne pas en mettre dans le caddie ?*

Bud avait cessé de s'entraîner avec le gros ballon. Les journées de travail patient et acharné avaient payé. Son sens de l'équilibre était infiniment meilleur.

Marcia s'esquiva discrètement pendant que Bud se reposait, allongé sur la table. Quelques instants plus tard, elle reparut avec le caddie.

Bud se redressa d'un bond. Il allait avoir sa deuxième chance. Mais son enthousiasme retomba brusquement lorsqu'il vit Marcia qui remplissait le caddie avec des piles d'annuaires téléphoniques.

Il se demanda si ce n'était pas une façon habile de lui faire comprendre qu'il n'arriverait jamais à remarcher. Était-elle en train d'accumuler les difficultés pour l'inciter à renoncer? Pour qu'il soit content de quitter l'hôpital dans un fauteuil roulant.

Il lui jeta un regard provocant.

Lorsqu'elle eut rempli le caddie à ras bord, elle ordonna :

— Bien! Et maintenant, les mains sur la barre! Lève-toi et pousse. D'un seul coup! Je sais que c'est lourd. Mais essaie quand même. Et mets-y toute ta force. Attention, prêt, partez!

Il la regarda dans les yeux. Elle soutint son regard. Puis il mobilisa toute son énergie. Il tendit les bras en avant et saisit fermement la barre d'appui. Puis, d'un seul coup, il se leva et poussa le caddie. Celui-ci se mit à avancer, comme mû par une force intérieure. Et tout en avançant il entraînait Bud avec lui dans un mouvement continu.

Bud était debout. Il se tenait sur ses deux pieds.

— Vas-y, continue, Bud! Continue! encouragea Marcia.

Il lui jeta un rapide coup d'œil. Elle lui répondit par un sourire. Il hocha la tête, puis, raffermissant sa prise sur la barre d'appui, il se mit à faire glisser un pied sur le sol. Le pied gauche, le pied droit, le pied gauche... Il poussait le caddie, et le caddie l'entraînait avec lui, lentement, ils avançaient ensemble. Comme un tandem.

En poussant ainsi, il venait de faire neuf pas. Il s'arrêta pour reprendre haleine. Puis il repartit de plus belle, faisant glisser un pied, puis l'autre, droite, gauche, droite...

Ça y est, il marchait ! Oh, pas comme il le faisait autrefois, mais il était sur ses deux jambes.

— Marcher... essaya-t-il de crier.

Mais, trop excité, il avait perdu le contrôle de la parole. Comme Marcia le lui avait appris, il s'arrêta, pensa soigneusement à ce qu'il voulait dire, puis il s'écria à pleine voix pour que tout le monde, dans la salle de rééducation, puisse l'entendre.

— Je marche... Je... marche !

Il sourit à Marcia, puis les larmes jaillirent de ses yeux et se mirent à rouler sur ses joues.

Les yeux de Marcia se voilèrent à leur tour.

Ce soir-là, exténué mais heureux, Bud regardait par la fenêtre depuis son fauteuil roulant. Il observait le parking, où les visiteurs commençaient à arriver, tandis que les infirmières et les médecins qui avaient fini leur service rentraient chez eux. Pour la première fois, il se sentit en accord avec le monde extérieur. Il ne s'était jusqu'ici jamais laissé aller à penser combien il avait envie de retourner vivre dans ce monde. Jusqu'à cet après-midi, quand il avait réussi à faire ses premiers pas.

On frappa un coup à la porte.

— Oui ?

— Bud...

C'était Marcia. Elle entra et vint se placer derrière lui, puis se pencha en avant et posa sa joue contre la sienne.

— Cette journée est à marquer d'une pierre blanche. C'est un grand jour ! Mais ce n'est que le début. Nous avons encore du pain sur la planche. Il va falloir que tu apprennes à gravir les trois marches de l'escabeau. Nous allons nous y mettre dès demain.

— Mais je peux marcher, protesta Bud.

— Écoute, Bud, expliqua doucement mais fermement Marcia. Je ne veux pas que tu sortes de cet hôpital sans avoir été déclaré apte à la marche. Et pour cela, il faut que tu sois capable de monter des escaliers. Tout seul. Et marcher sur un terrain beaucoup plus irrégulier que le parquet de la salle de rééducation.

— Monter des escaliers... dit-il, comme s'il s'agissait de gravir une montagne. Et marcher sur un terrain accidenté...

Il avait soudain le sentiment qu'on venait de lui ravir la victoire qu'il avait remportée.

— Écoute, Marcia, jusqu'ici, quand tu m'as dit de faire quelque chose, je l'ai toujours fait! Mais, à chaque fois, tu m'en demandes plus. Ça ne finira donc jamais?

Elle comprenait sa colère, mais elle n'avait pas le choix.

— Dès demain tu vas monter sur cet escabeau, confirma-t-elle, inflexible.

41

Au terme de deux jours d'entraînement avec le caddie, Bud avait tellement progressé qu'il pouvait à présent se lever tout seul et marcher sans aucun soutien.

Il avançait encore avec difficulté et au prix d'un gros effort de concentration, mais il marchait.

Il s'entraînait dans la salle de rééducation, dans les couloirs et même dans sa chambre. Craignant qu'il ne s'épuise, sa mère intervint auprès de Marcia.

— Ne vous en faites pas, la rassura celle-ci. Il s'arrêtera de lui-même quand il sera à bout de forces. Et puis, il faut absolument qu'il soit prêt demain.

Le lendemain, en entrant dans la salle de rééducation, Bud trouva l'escabeau à trois marches posé au milieu d'un épais tapis de sol à l'écart de tout support. Il s'agissait là d'un exercice autrement plus périlleux que de marcher sur un sol parfaitement plat.

Après avoir étudié soigneusement les marches, il jeta un coup d'œil désemparé à Marcia, qui s'était postée délibérément en retrait. Il regarda à nouveau l'escabeau puis se concentra.

Dans ce test, le courage comptait au moins autant que l'agilité : le courage de prendre des risques et d'essuyer un échec.

Il s'approcha et se posta devant la première marche, les pieds bien alignés. Il allait soulever le pied gauche quand il hésita. Marcia accepterait-elle qu'il commence par le pied gauche? Après réflexion il décida de changer de pied.

Il leva lentement le pied droit, tout en énumérant mentalement : *La cheville, le genou, la hanche, la tête, les yeux.* Il posa le pied sur la première marche en y prenant appui de tout son poids, puis souleva son pied gauche et le posa à côté de l'autre. Les deux pieds fermement posés côte à côte, il avait gravi le premier échelon.

Il s'attaqua à la seconde marche, avec succès. Sûr de lui, il jeta un coup d'œil triomphant à Marcia, tout en levant le pied droit vers la troisième marche. Un peu trop précipitamment cependant. Son pied droit hésita, chercha en vain la marche. Bud vacilla, puis s'effondra sur le tapis de sol sans que Marcia ait eu le temps d'intervenir.

Lorsque la jeune femme voulut l'aider à se relever, il refusa. Il se redressa tout seul, puis, une fois en position assise, il roula de côté. Prenant appui sur ses mains et ses bras, il se remit alors debout. Il fit une pause en répétant mentalement : *La cheville, le genou, la hanche, la tête, les yeux.* Enfin, il s'approcha à nouveau de l'escabeau.

Cette fois, il se concentra sur chacune des marches en oubliant tout le reste. Il recommença. Le pied droit... Le pied gauche... Ça y était, il avait gravi la première marche. Avec la même application laboricusc, il gravit la deuxième marche. Le pied droit, puis le pied gauche, et ainsi de suite jusqu'à ce qu'il ait atteint la troisième marche.

Il resta un instant au sommct sans bouger, à savourer sa victoire. Puis il commença à redescendre de l'autre côté de l'escabeau. La deuxième marche. Puis la première. Et enfin le tapis.

Il avait réussi. Encouragé par son succès, il pivota lentement sur lui-même pour recommencer. Il répéta l'exercice quatre fois de suite. A la cinquième, son pied gauche buta contre le bord de la deuxième marche et il tomba en avant.

Quand Marcia voulut lui prêter main-forte, il se rebiffa.

— Je vais très bien. Je... je peux me débrouiller... tout seul...

Il se releva lentement et recommença l'exercice.

Il passa la matinée à monter et à descendre sans répit les trois marches de l'escabeau. Au bout d'un moment, voyant qu'il peinait et qu'il suait à grosses gouttes, Marcia l'obligea à s'arrêter.

L'après-midi, sans attendre que Marcia vienne le chercher pour sa deuxième séance de la journée, Bud se rendit seul à la salle de rééducation pour s'entraîner à nouveau sur l'escabeau. Lentement, un pas après l'autre, il longea le couloir en se tenant délibérément à l'écart de la rampe de sécurité qui courait le long du mur.

A la fin de la journée, il dit à Marcia :

— Est-ce que je suis prêt?

— Prêt?

— Prêt à monter un étage complet? Et à marcher sur un terrain accidenté?

— Encore une journée d'exercices sur l'escabeau, jusqu'à ce que tu sois capable de gravir les marches les yeux fermés, dit-elle.

— Mais je peux le faire dès maintenant! protesta-t-il.

— Pas question, Bud. Tu es trop fatigué.

— Mais non, regarde! dit-il en s'approchant tout doucement de l'escabeau.

Il la regarda une dernière fois puis ferma les yeux. Il leva le pied droit et le posa sur la première marche. Puis il posa le pied gauche sans problème. Mais lorsqu'il voulut atteindre la deuxième marche il perdit l'équilibre. Heureusement, Marcia était là pour le rattraper.

— Je... je peux le faire... laisse-moi recommencer, insista-t-il.

— Demain, Bud... demain.

— Et si je le fais demain, est-ce que je pourrai monter un étage? Et marcher sur un terrain accidenté?

— Oui, Bud, finit-elle par céder.

Le lendemain, Bud s'exerça pendant toute la matinée à marcher les yeux fermés. Il était fin prêt quand Marcia vint le chercher pour l'emmener en salle de rééducation.

Lentement, patiemment, il monta et descendit huit fois de suite les trois marches de l'escabeau. La neuvième fois, il ferma les yeux, puis il commença à gravir les marches : une, deux, trois, puis il les redescendit : une, deux, trois. Lorsqu'il eut posé à nouveau les deux pieds sur la terre ferme, il ouvrit les yeux et regarda Marcia.

Elle hocha la tête en souriant.

— Demain?

— Demain, acquiesça-t-elle en lui épongeant le front. Il y a un escalier de service au bout du couloir. Si tu arrives à le monter, demain je t'emmène jusqu'à la petite place qui se trouve au bout de l'allée. Tu pourras t'entraîner à marcher sur la pelouse.

— On ne pourrait pas choisir un autre endroit? demanda-t-il.

— Si, bien sûr. A quoi songeais-tu?

— Eh bien, j'avais pensé que...

Il hésita, puis, craignant d'avoir l'air ridicule, il renonça à terminer sa phrase.

— Bud? interrogea Marcia. (Voyant qu'il ne répondait pas, elle insista :) Qu'est-ce que c'est que ces cachotteries, Bud?

Il détourna à demi la tête.

— Quand tu as parlé de monter des escaliers et de marcher sur un terrain accidenté, j'ai pensé que... que nous pourrions peut-être aller au stade du lycée.

— Au stade du lycée? répéta Marcia, interloquée.

— Là-bas, il y a des gradins, et puis le terrain de foot est accidenté, expliqua Bud.

— J'avoue que je n'y avais pas pensé, dit Marcia. Mais pourquoi pas, après tout?

Ce soir-là, Lily alla trouver Marcia dans son bureau.

— Marcia, Bud m'a tout dit. Croyez-vous que ce soit raisonnable de l'emmener là-bas? Imaginez qu'il y ait d'autres gens dans le stade et...

— Et qu'il échoue?

— Oui, reconnut Lily. Ce serait une terrible humiliation. Je ne suis pas sûre qu'il pourrait s'en remettre.

— Lily, votre fils est beaucoup plus solide qu'il n'en a l'air. Cessez donc de le materner. S'il échoue, nous verrons bien. Mais pour l'instant il est gonflé à bloc et prêt à tenter sa chance.

Le lendemain matin, à onze heures, une petite voiture rouge s'arrêta devant le petit stade du lycée de Bud.

La porte s'ouvrit côté passager et, vêtu d'un survêtement gris, Bud Young sortit, en ayant soin de poser prudemment un pied après l'autre par terre. Marcia sortit à son tour côté conducteur.

En pénétrant dans le stade en forme de fer à cheval, ils découvrirent à leur grande surprise que l'entraîneur de l'équipe de foot était en train de procéder aux éliminatoires en vue de la rentrée de septembre. La plupart des candidats étaient d'anciens coéquipiers de Bud.

— Eh, c'est mon équipe, fit remarquer Bud à mi-voix.

Marcia se garda bien de dire quoi que ce soit. C'était à Bud et à lui seul de décider de ce qu'il voulait faire.

Bud observa un moment la partie qui était en train de se jouer sur le stade. Deux quart-arrières venus dans l'espoir de le remplacer faisaient des passes avec deux receveurs. L'équipe était en train de se former sous l'œil vigilant de l'entraîneur et de son assistant.

— Bud?

Il eut un bref moment d'hésitation, puis décida :

— Allons-y.

Ils longèrent l'allée qui contournait le stade. Lorsqu'ils atteignirent les premières rangées de gradins, Bud s'arrêta.

— J'aimerais commencer ici, dit-il.

Il s'approcha des gradins de béton et les examina longuement. Les marches étaient plus hautes que celles qu'il était habitué à monter à l'hôpital. Il s'humecta les lèvres puis lança un petit coup d'œil à Marcia. Il était prêt.

Il se frotta les mains l'une contre l'autre. Elles étaient glacées, bien qu'on fût au début du mois de juillet. Il les frotta à nouveau contre ses cuisses, puis leva le pied droit et le posa sur le premier gradin. Afin de garder son équilibre il leva le pied gauche. Il avait réussi à gravir le premier degré. Soulagé, il recommença. Le pied droit... puis le gauche. Lentement, prudemment. Pied droit, pied gauche, pied droit...

Il avait déjà gravi six marches. Il leva les yeux et compta le nombre de marches qu'il lui restait à gravir. Quatorze rangées de sièges, soit huit gradins. Il recommença à monter lentement, un, deux, trois, quatre. A bout de souffle, il dut s'arrêter. Il comprenait à présent pourquoi il était important qu'il pût gravir un étage complet. Il reprit son ascension. Cinq... six... sept... huit...

Il était arrivé au sommet des gradins. Il se retourna pour regarder la distance qu'il venait de parcourir. Celle-ci était beaucoup plus courte qu'il ne l'avait cru. Mais Marcia était là, au pied de l'escalier, un sourire radieux sur les lèvres.

Et maintenant, il fallait redescendre. Lentement, avec une extrême application, il commença à descendre. Une, deux, trois. Il allait poser le pied sur la quatrième marche quand quelqu'un, sur le terrain de foot, poussa un cri.

— Bud! Eh, les gars, regardez, c'est Bud!

Complètement affolé, Bud se figea sur place, le pied droit sur la quatrième marche et le pied gauche sur la troisième. Il tituba.

Mais Marcia se garda de voler à son secours. Elle attendit. Derrière elle, un attroupement s'était formé : quarante jeunes gens venus encourager leur héros.

Bud scruta leurs visages. Il y vit de l'amour et de l'admiration. Il posa le pied sur la quatrième marche. Puis lentement, reprenant courage et confiance en lui, il recommença à descendre.

Cinq, quatre, trois, deux, un. Il était arrivé en bas des gradins.

Toute l'équipe l'applaudit comme un seul homme.

— Bravo, Bud ! s'écria Jody Hines en s'approchant de Bud pour le serrer dans ses bras.

Mais Marcia intervint.

— Non, attendez. Il n'a pas encore fini

Jody se recula, et Marcia dit à Bud :

— Et maintenant, tu vas traverser le stade. Vas-y, je te regarde faire.

Dès qu'il posa le pied sur le gazon, il sentit la différence. Contrairement au béton ou au parquet, le sol semblait s'enfoncer sous ses pieds, et à chaque pas la sensation était différente.

Entre-temps les garçons avaient formé une haie d'honneur sur toute la longueur du terrain. Lorsque Bud atteignit l'autre extrémité du stade, ils poussèrent un grand cri de joie !

Bud se retourna et salua Marcia de loin. Elle lui rendit son salut, le sourire aux lèvres.

De tous ses exploits sur un terrain de foot, celui-ci était le plus beau.

42

— Tiens, dit Marcia en tendant à Bud un cahier à la reliure noire. Ton journal de bord. Chaque semaine, quand tu viendras à l'hôpital pour faire tes exercices, tu l'apporteras avec toi. Et je veux te voir faire des progrès. Veille à la structure grammaticale et à varier le vocabulaire.

— A vos ordres ! répondit Bud, avec un salut militaire.

— Tu te crois malin, Bud Young, dit-elle en réprimant un sourire.

— Oui, madame !

Tous deux éclatèrent de rire.

Il prit le journal qu'elle lui tendait, et demanda :

— C'est le jour de la remise des prix?

— En quelque sorte, répondit Marcia. (Puis, sur un ton plus sérieux, elle ajouta :) Bud, je ne te cacherai pas qu'il y a certains sports que tu ne pourras plus pratiquer. Comme le foot ou le base-ball. En revanche, il y a d'autres sports comme le golf ou le bowling, la marche, ou même la course à pied qui seront à ta portée. Avec un bon entraînement tu peux arriver à un excellent niveau. Bientôt, tu marcheras sans même y penser. Néanmoins, pendant un certain temps encore, il se peut que tu éprouves quelques difficultés à prendre des décisions. Si tu ne peux pas embrasser une carrière d'avocat, rien ne t'empêche de devenir chercheur. L'important, c'est que tu utilises au mieux tes capacités. De plus, tu as pour toi un atout de taille : la volonté.

« Ton père m'a dit un jour : Demandez à Bud de faire l'impossible, et il le fera. Sur le coup, j'ai pensé : « C'est son père, il n'est pas objectif. » Mais, maintenant, je comprends ce qu'il voulait dire.

— Papa... ah, oui...

Bud n'ajouta rien d'autre, mais ces quelques mots en disaient long.

— Je ne peux malheureusement pas te conseiller dans ce domaine. Ta maman t'attend pour te ramener à la maison. A la semaine prochaine, Bud.

Comme Marcia lui tendait la main, Bud demanda :

— Marcia, pour une fois, est-ce que je ne pourrais pas... ?

Surprise, elle hésita, puis acquiesça d'un signe de tête et il l'embrassa sur la joue.

Une fois à la maison, il monta à l'étage sans se tenir à la rampe. Il s'approcha de la porte de sa chambre et jeta un coup d'œil à l'intérieur pour voir si quelque chose avait changé depuis la dernière fois. Elle lui parut plus grande et mieux rangée que lorsqu'il l'avait quittée. Tout était en ordre. Grâce à maman. Ses yeux tombèrent sur la coupe en argent.

Il s'en approcha et l'effleura du bout des doigts. La dernière fois qu'il l'avait tenue, elle était en parfait état. Elle ne le serait plus jamais. Et lui non plus. Mais il lui restait d'autres victoires à remporter dorénavant. Elles ne lui rapporteraient peut-être pas de trophée mais tout de même de grandes satisfactions.

Il redescendit dans le séjour. Gwen et maman l'attendaient au pied de l'escalier, prêtes à combler le moindre de ses souhaits.

— Bud, tu dois être fatigué, tu devrais monter te reposer un peu avant le dîner.

— Le dîner... ça faisait longtemps que je n'avais pas pris un dîner en famille. C'est super!

— Mais en attendant tu devrais te reposer, dit Lily.

— Mais je suis en pleine forme, maman. Je n'ai pas envie de faire la sieste. J'ai même du temps à rattraper, je vais appeler les copains...

Il fut interrompu par la sonnerie du téléphone. Tous trois se précipitèrent pour décrocher.

— Non, laissez-moi répondre, proposa Bud. Ils vont avoir un coup en entendant ma voix.

Il décrocha le combiné et dit avec un sourire :

— Allô! Bud Young à l'appareil.

Puis son sourire se changea en stupeur. Lily demanda aussitôt :

— Qui est-ce?

— Oui, papa, dit-il dans l'appareil, je suis revenu à la maison. C'est génial!

— Bud, tu ne peux pas savoir ce que je suis content de t'entendre, dit Pepper. Dis-moi, fiston... ta mère est là? Je pourrais lui parler?

Bud tendit l'appareil à Lily, qui refusa.

— Il a l'air... normal. Je t'assure, plaida Bud.

Lily prit le téléphone.

— Pepper...

— Merci d'avoir accepté de me parler. Avant toute chose, je voudrais que tu saches que je n'ai pas touché à une seule goutte d'alcool depuis l'autre soir. Je te le jure. Et je n'ai pas manqué une seule réunion chez les A.A.

— Tant mieux, Pepper, ça fait plaisir à entendre, dit Lily.

— Je suis presque redevenu un homme comme tout le monde, Lily. Et j'ai découvert que ce n'était pas si mal.

Elle sourit, puis elle dit :

— Pepper, si tu es libre ce soir...

— Et comment! A quelle heure? demanda-t-il, fou de joie.

— Nous dînons à sept heures.

A sept heures tapantes, la sonnette des Young retentit trois fois de suite.

Bud reconnut d'emblée le signal. Quand il était gosse, son père s'annonçait toujours par trois longs coups de sonnette. Et Bud se précipitait à la porte pour lui ouvrir.

Il quitta son fauteuil et se dirigea d'un pas lent mais assuré vers la porte d'entrée. Il l'ouvrit.

— Papa...

— Bud... mon fils... tu marches... tu marches! s'exclama Pepper Young, avant d'embrasser son fils, les larmes aux yeux. Bienvenue à la maison, fiston, dit-il, la gorge nouée.

— Bienvenue à toi aussi, papa.

La semaine suivante, Bud se rendit comme prévu au service de rééducation fonctionnelle de l'hôpital Mercy. Son journal à la main, il alla rendre visite pour la première fois à Marcia en tant que patient externe.

— Entre, Bud, lui dit-elle.

Il s'assit de l'autre côté du bureau et lui tendit son journal. Elle l'ouvrit. Sur la page de garde il avait inscrit ces quelques mots :

A Marcia, de tout cœur.

Ne voulant pas laisser paraître son émotion, elle dit sur un ton professionnel :

— Bud, la prochaine fois, je veux que tes *o* soient plus ronds.

— A vos ordres! répondit Bud en claquant des talons.

Tous deux éclatèrent de rire et elle tourna la page.